Manual de Métodos
Diagnósticos em Medicina do
SONO

Manual de Métodos Diagnósticos em Medicina do SONO

Coordenador da Série
Luciano Ribeiro Pinto Junior

Editores
Leila Azevedo de Almeida
Leticia Maria Santoro Franco Azevedo Soster
Rogerio Santos-Silva

EDITORA ATHENEU

São Paulo	*— Rua Maria Paula, 123 – 18° andar*
	Tel.: (11)2858-8750
	E-mail: atheneu@atheneu.com.br
Rio de Janeiro	*— Rua Bambina, 74*
	Tel.: (21)3094-1295
	E-mail: atheneu@atheneu.com.br

PRODUÇÃO EDITORIAL/CAPA: Equipe Atheneu
DIAGRAMAÇÃO: Know-How Editorial

CIP-BRASIL. Catalogação na Publicação
Sindicato Nacional dos Editores de Livros, RJ

M251

Manual de métodos diagnósticos em medicina do sono / coordenação Luciano Ribeiro Pinto Junior ; editores Leila Azevedo de Almeida, Leticia Maria Santoro Franco Azevedo Soster, Rogerio Santos-Silva. – 1. ed. – Rio de Janeiro : Atheneu, 2019.
(Sono)

Inclui bibliografia
ISBN 978-85-388-0932-6

1. Sono. 2. Distúrbios do sono. I. Ribeiro Pinto, Luciano. II. Almeida, Leila Azevedo de. III. Soster, Leticia Maria Santoro Franco Azevedo. IV. Santos-Silva, Rogerio. V. Série.

18-53229	CDD: 616.8498
	CDU: 616.8-009.836

Meri Gleice Rodrigues de Souza – Bibliotecária CRB-7/6439

17/10/2018   23/10/2018

PINTO JUNIOR, L. R.; ALMEIDA, L. A.; SOSTER, L. M. S. F. A.; SANTOS-SILVA, R.
Manual de Métodos Diagnósticos em Medicina do Sono – Série Sono

©Direitos reservados à Editora Atheneu – Rio de Janeiro, São Paulo, 2019.

Coordenador da Série/Editores

■ **Luciano Ribeiro Pinto Junior (coord.)**

Doutor em Neurociência pela Universidade Federal de São Paulo

■ **Leila Azevedo de Almeida**

Especialista em Neurologia pela ABN. Especialista em Neurofisiologia pela SBNC. Especialista em Medicina do Sono pela Associação Médica Brasileira e Associação Brasileira do Sono. Mestre em Neurologia pela Universidade de São Paulo. Médica assistente do Hospital das Clínicas de Ribeirão Preto.

■ **Leticia Maria Santoro Franco Azevedo Soster**

Médica Neuropediatra e Neurofisiologista Clínica. Doutora em Ciências pela Universidade de São Paulo. Responsável pelo Serviço de Polissonografia do Instituto da Criança do Hospital das Clínicas da Faculdade de Medicina da Universidade de São Paulo. Médica Neurofisiologista da Polissonografia do Hospital Israelita Albert Einstein.

■ **Rogerio Santos-Silva**

Biólogo pela Universidade Mackenzie. Doutorado pela Faculdade de Medicina da Universidade de São Paulo. Pós-Doutorado pela Disciplina de Medicina e Biologia do Sono da Universidade Federal de São Paulo. Credenciado pelo *Board of Registered Polysomnographic Technologists* com a *Certification in Clinical Sleep Health* e como *Registered Polysomnographic Technologist*.

Colaboradores

■ **Alan Eckeli**

Especialista em Neurologia e Medicina do Sono. Professor de Neurologia e Medicina do Sono na Universidade de São Paulo, *Campus* de Ribeirão Preto.

■ **Bruno Gonçalves**

Tecnólogo em Saúde pela Faculdade de Tecnologia de Sorocaba. Mestre em Neurofísica pela Universidade Federal de São João Del Rei. Doutor em Psicobiologia pela Universidade Federal do Rio Grande do Norte. Pós-Doutorado, na área de Cronobiologia, no Departamento de Psiquiatria da Universidade Federal de São Paulo. Pós-Doutorado na Escola de Artes, Ciências e Humanidades da Universidade de São Paulo.

■ **Clarissa Bueno**

Neurologista Infantil do Hospital das Clínicas da Faculdade de Medicina da Universidade de São Paulo. Especialista em Medicina do Sono, atuando no Setor de Polissonografia do Instituto da Criança da FMUSP. Doutora em Ciências com área de concentração em Fisiologia pelo Instituto de Ciências Biomédicas da Universidade de São Paulo.

■ **Fátima Dumas Cintra**

Professora Livre-Docente em Cardiologia pela Universidade Federal de São Paulo.

■ **Fernando Morgadinho Santos Coelho**

Neurologista e Especialista em Medicina do Sono. Professor Doutor-Adjunto de Neurologia pela Universidade Federal de São Paulo.

■ **Geraldo Lorenzi Filho**

Professor Livre-Docente da Disciplina de Pneumologia do Instituto do Coração – Hospital das Clínicas da Faculdade de Medicina da Universidade de São Paulo. Diretor do Laboratório do Sono, Disciplina de Pneumologia, Instituto do Coração – Hospital das Clínicas da FMUSP.

■ **Geraldo Nunes Vieira Rizzo**

Serviço de Neurologia do Hospital Moinhos de Vento. Médico Especialista em Neurologia, Neurofisiologista e Medicina do Sono pela Associação Médica Brasileira. MBA Gestão em Saúde pela Fundação Getulio Vargas.

Gustavo Antonio Moreira

Doutor em Ciências. Pediatra e Pesquisador do Instituto do Sono. Médico do Setor de Pneumologia Pediátrica da Universidade Federal de São Paulo.

Lia Rita Azeredo Bittencourt

Professora Livre-Docente da Disciplina de Medicina e Biologia do Sono da Universidade Federal de São Paulo. Coordenadora Médica do Instituto do Sono – Associação Fundo de Incentivo à Pesquisa, São Paulo.

Luciana Palombini

Especialista em Medicina do Sono pela Academia Americana de Medicina do Sono e pela Associação Médica Brasileira. *Fellowship* na Sleep Disorders Clinic and Research, Stanford University (Palo Alto, CA, EUA). Doutora em Ciências Médicas pela Universidade Federal de São Paulo. Médica no Instituto do Sono – Associação Fundo de Incentivo à Pesquisa, São Paulo.

Luciane Impelliziere Luna de Mello-Fujita

Médica Especialista em Pneumologia e Medicina do Sono pela Associação Médica Brasileira. Mestrado e Doutorado em Medicina e Biologia do Sono pela Universidade Federal de São Paulo – Departamento de Psicobiologia. Médica do Instituto do Sono – Associação Fundo de Incentivo à Pesquisa, São Paulo.

Luciano F. Drager

Professor-Associado do Departamento de Clínica Médica da Faculdade de Medicina da Universidade de São Paulo. Presidente do Capítulo de Medicina do Sono da SBCM.

Manoel Alves Sobreira Neto

Médico Neurologista com atuação em Medicina do Sono e Neurofisiologia Clínica. Doutor em Neurologia pela Faculdade de Medicina de Ribeirão Preto da Universidade de São Paulo. Professor-Adjunto de Neurologia da Universidade Federal do Ceará e da Universidade de Fortaleza.

Maria Cecília Lopes

Neuropediatra, com Doutorado em Ciências pelo Departamento de Psicobiologia da Universidade Federal de São Paulo, *lato sensu* em Medicina do Sono na Disciplina de Medicina e Biologia do Sono, do Departamento de Psicobiologia da Universidade Federal de São Paulo. Estágio no Setor de Sleep Disorders Clinic and Research Center, Department of Psychiatric and Behavioral Science, Stanford University (Palo Alto, CA, EUA). Pesquisadora Colaboradora do Instituto de Psiquiatria e do Instituto da Criança – Hospital das Clínicas da Faculdade de Medicina da Universidade de São Paulo. Pesquisadora Colaboradora do Lasseb/ISR, Lisboa, Portugal.

Pedro Rodrigues Genta

Doutorado em Pneumologia/Medicina do Sono pela Faculdade de Medicina da Universidade de São Paulo. Pós-doutorado pela University of Harvard, Division of Sleep Medicine. Especialista em Medicina do Sono pela Associação Médica Brasileira. Médico Assistente Doutor do Laboratório do Sono – Serviço de Pneumologia – Instituto do Coração – Hospital das Clínicas da FMUSP.

■ Raimundo Nonato Rodrigues

Professor-Adjunto da Faculdade de Medicina da Universidade de Brasília/DF. Especialista em Medicina do Sono pela Associação Médica Brasileira e Associação Brasileira do Sono. Membro Titular da Academia Brasileira de Neurologia.

■ Rosa Hasan

Médica Neurologista e Especialista em Medicina do Sono pela Associação Médica Brasileira. Coordenadora do Laboratório de Sono do Instituto de Psiquiatria do Hospital das Clínicas da Faculdade de Medicina da Universidade de São Paulo (IPq-HC-FMUSP). Coordenadora do Ambulatório para Transtornos do Sono (ASONO) do IPq-HC-FMUSP. Coordenadora do Serviço de Medicina do Sono da Disciplina de Pneumologia da Faculdade de Medicina do ABC.

■ Rosana Cardoso Alves

Neurologista. Doutora em Neurologia pela Faculdade de Medicina da Universidade de São Paulo. Diretora Tesoureira na Associação Brasileira do Sono (biênio 2018-2019). Coordenadora do Grupo de Neurofisiologia Clínica, Fleury Medicina e Saúde.

■ Sílvia Gonçalves Conway

Psicóloga Clínica pela Universidade de São Paulo, Especialista no Tratamento Não Farmacológico dos Distúrbios do Sono e em Estresse e Transtorno de Estresse Pós-Traumático e Facilitadora de Grupo na Metodologia *Pathwork*. Mestre em Ciências pela Universidade Federal de São Paulo, com tema na área da Medicina do Sono. Psicóloga Clínica Voluntária no Ambulatório do Sono do Instituto de Psiquiatria da USP. Representante da Psicologia do Sono no Comitê Interdisciplinar da Associação Brasileira do Sono.

■ Vivien Schmeling Piccin

Fisioterapeuta com Especialização em Fisioterapia Respiratória pelo Hospital das Clínicas da Faculdade de Medicina da Universidade de São Paulo. Doutora em Ciências pela FMUSP – Departamento de Patologia/Laboratório de Defesa Pulmonar. Pós-Doutorado pela FMUSP – Departamento de Cardiopneumologia/Laboratório do Sono do Instituto do Coração – Hospital das Clínicas da FMUSP.

Breves Propósitos

Este livro foi idealizado com o objetivo de auxiliar o aprendizado de iniciantes na prática de Medicina do Sono e o exercício profissional de colegas não expostos a um treinamento recente. Não substitui um treinamento formal... Não esgota um tema tão amplo e fascinante...

Pretende colaborar, apenas, para que tenhamos um acesso facilitado aos conceitos vigentes e uma prática da Medicina do Sono mais uniforme e atualizada em território nacional. Aos colegas, com carinho.

Leila Azevedo de Almeida, Leticia Maria Santoro Franco Azevedo Soster e Rogerio Santos-Silva

Prefácio

Plantar uma árvore, ter um filho e escrever um livro.

Escrever um livro é como plantar uma árvore ou ter um filho. Existe a ideia, a concepção, a gestação e o parto. Quando nasce, ele não é mais seu. É de quem irá lê-lo.

Este livro sobre métodos diagnósticos em transtornos do sono foi concebido pela Associação Brasileira do Sono durante nossa passagem por sua diretoria, e a escolha dos editores foi primorosa: Dra. Leticia Maria Santoro Franco Azevedo Soster, pelo seu amplo conhecimento em Neurofisiologia Clínica e Medicina do Sono; Dra. Leila Azevedo de Almeida, também especialista na área da Neurofisiologia e Sono; Dr. Rogerio Santos-Silva, biólogo, um dos pioneiros na área do sono, figura expoente e atuante na formação de técnicos em Polissonografia.

O livro *Manual de Métodos Diagnósticos em Medicina do Sono* foi estruturado em três seções: a primeira, que aborda os principais procedimentos diagnósticos, desde a anamnese, questionários e escalas; na segunda seção, detalham-se aspectos técnicos da Polissonografia, do Laboratório de Sono e da Actigrafia. A terceira seção compreende os métodos para diagnóstico dos principais transtornos do sono, como distúrbios respiratórios, insônia, parassonias, hipersonias, distúrbios do ritmo circadiano e transtornos do movimento. Todos os capítulos são coordenados por autores renomados, formando uma equipe primorosa e atualizada no estudo do sono.

O livro preenche uma lacuna na área de diagnóstico dos distúrbios do sono. Tenho certeza de que estudantes e profissionais da saúde, sobretudo médicos, odontologistas, psicólogos, fonoaudiólogos, fisioterapeutas e técnicos em Polissonografia, terão um conhecimento teórico e prático de como lidar com os diversos transtornos do sono. Na área médica, esta obra será de grande importância e interesse para neurologistas, pneumologistas, otorrinolaringologistas, psiquiatras, clínicos e pediatras.

Todos aqueles que, de algum modo, puderam participar na elaboração do livro, assim como na sua produção, sentem-se realizados com esta publicação. Cada página e cada linha contêm todo o conhecimento e a experiência dos autores e coautores.

Um agradecimento especial à atual diretoria da Associação Brasileira do Sono e à Editora Atheneu, que abraçou nossa ideia, tornando possível nosso sonho.

Espero que todos apreciem este nosso mais novo e querido *filhote,* que já nasce amadurecido e pronto para criar raízes e frutificar conhecimentos.

Luciano Ribeiro Pinto Junior

Sumário

Seção I – Avaliação clínica **1**

1 Anamnese e exame clínico no adulto 3
Rosa Hasan

2 Anamnese e exame clínico na criança 13
Gustavo Antonio Moreira | Rosana Cardoso Alves

3 Diários e escalas 21
Sílvia Gonçalves Conway

Seção II – Métodos de avaliação complementar **61**

4 Aspectos técnicos do laboratório de sono 63
Rogerio Santos-Silva | Lia Rita Azeredo Bittencourt

5 Aspectos técnicos da polissonografia 87
Rogerio Santos-Silva

6 Avaliação da macroestrutura e microestrutura do sono 109
Maria Cecília Lopes | Raimundo Nonato Rodrigues
Rogerio Santos-Silva | Leticia Maria Santoro Franco Azevedo Soster

7 Avaliação dos distúrbios respiratórios do sono na polissonografia 121
Luciana Palombini | Pedro Rodrigues Genta

8 Análise da atividade muscular durante o sono 137
Alan Eckeli | Manoel Alves Sobreira Neto

9 Avaliação do sistema cardiológico 151
Fátima Dumas Cintra | Luciano F. Drager

xvi •• Série Sono – Manual de Métodos Diagnósticos em Medicina do Sono

10 Dispositivos de terapia com pressão positiva (PAP) e interpretação de relatórios 159
Luciane Impelliziere Luna de Mello-Fujita | Vivien Schmeling Piccin

11 Actigrafia 173
Bruno Gonçalves

Seção III – Diagnóstico dos distúrbios do sono **183**

12 Diagnóstico da insônia 185
Luciano Ribeiro Pinto Junior

13 Distúrbios respiratórios relacionados ao sono 193
Lia Rita Azeredo Bittencourt | Pedro Rodrigues Genta | Geraldo Lorenzi Filho

14 Distúrbios do movimento relacionados ao sono 201
Geraldo Nunes Vieira Rizzo

15 Parassonias. 213
Alan Eckeli | Manoel Alves Sobreira Neto

16 Hipersonias. 221
Fernando Morgadinho Santos Coelho | Leila Azevedo de Almeida

17 Distúrbios do ritmo circadiano 231
Clarissa Bueno

Seção I
Avaliação clínica

Anamnese e exame clínico no adulto

1

Rosa Hasan

1. Introdução

A Medicina do Sono vem sendo cada vez mais reconhecida e colocada em evidência devido, principalmente, ao seu objeto de estudo, de permear grande parte das especialidades médicas, sendo fator determinante na qualidade de vida dos pacientes: o sono.

Necessidade fisiológica inerente a todos os seres vivos, o sono faz parte de um ciclo, sono-vigília, que deve estar regulado e sincronizado com uma série de fatores que passeiam desde o ciclo claro-escuro de nosso planeta até a atividade profissional que exercemos, percorrendo questões genéticas, psicológicas, médicas e sociais.

Assim, o sono de cada indivíduo é único em seu contexto e requer entrevista astuta e estruturada daquele que procura compreendê-lo. Questionar o sono deve fazer parte da anamnese de todo profissional da área da saúde, lembrando que as consequências da má qualidade de sono são muito variadas, e, por vezes, apresentam-se tardiamente.

2. Anamnese

Assim como nas demais áreas da medicina, a anamnese do sono é composta pelos itens: identificação, queixa principal e história da queixa, antecedentes pessoais e familiares, medicamentos em uso e história farmacológica, hábitos e vícios. Porém, acrescentamos alguns tópicos importantes: cronograma de sono, vida profissional e social.

Na anamnese, podem ser utilizadas ferramentas adicionais, como questionários ou escalas, que auxiliem tanto no diagnóstico como na evolução dos pacientes, uma vez que o sono envolve questões de percepção subjetiva.

O intuito da anamnese é oferecer ao profissional que a aplica dados para, inicialmente, abrir um grande leque de probabilidades diagnósticas e, à medida que ela transcorre, fechar este leque nas principais possibilidades que serão alvo do exame clínico, que é a etapa subsequente.

4 •• Seção I – Avaliação clínica

2.1. Identificação

Nome completo, data de nascimento, raça e sexo abrem a anamnese, lembrando que já neste tópico podemos pensar estatisticamente nas hipóteses mais frequentes em cada situação. Por exemplo: homens orientais de meia-idade têm maior probabilidade de serem apneicos que mulheres caucasianas da mesma faixa etária, que, por sua vez, têm mais chance de serem insones que jovens negros.

Segue o local de nascimento e a procedência, devendo-se atentar para a situação física e social que envolve cada ambiente. Pessoas nascidas em zonas rurais ou em cidades próximas à Linha do Equador tendem a apresentar oscilador endógeno mais difícil de modular devido à memória luminosa. Em linhas gerais, o desalinhamento entre oscilador endógeno e ciclo claro-escuro pode levar à alteração de consciência, prejuízos cognitivos e funcionais.[1] São os distúrbios relacionados ao ritmo circadiano ou ciclo sono-vigília.

No item estado civil e filhos, deve-se perguntar as idades dos filhos e o papel do paciente no cuidado deles. Finalmente, deve-se determinar a situação profissional, a jornada e o horário de trabalho.

A importância de identificar adequadamente os pacientes fica clara quando comparamos a mesma queixa, por exemplo, dificuldade para adormecer há dois anos, em indivíduos com características diferentes, onde cada situação nos leva a pensar em possibilidades diagnósticas diferentes (Tabela 1.1).

TABELA 1.1 Diferenciação de três pacientes: TTT, GGG e JJJ apenas pelas características obtidas na identificação			
Nome	Tatiane	Geraldo	Jaqueline
Data de nascimento	07.07.1990	07.07.1967	07.07.1977
Sexo	F	M	F
Local de nascimento	São Paulo	Zona rural da Paraíba	Ceará
Estado civil e filhos	Casada (filho 1,5 ano e filha 3 meses)	Casado (filho 15 anos)	Solteira (sem filhos)
Raça	Branca	Branca	Branca
Profissão e atuações	Economista	Agricultor/vigia noturno/ porteiro	Educadora/recuperação de drogados
Religião	Não praticante	Não praticante	Católica praticante

Fonte: Elaborada pela autora.

2.2. Queixa principal e história

A abordagem inicial se inicia perguntando ao paciente por que ele está procurando ajuda neste momento, em particular se a queixa é de longa data. É necessário saber se a queixa principal vem do companheiro(a) de cama e se o paciente a reconhece como problema, não toma consciência ou nega sua existência. Devemos perguntar quais as repercussões diurnas da queixa principal, como o paciente é afetado durante o dia pela queixa, seja no âmbito profissional, familiar ou social (capacidade de concentração, memória, atenção...).

De maneira geral, os pacientes que se queixam de problemas no sono apresentam uma ou mais das seguintes situações:

1. Dificuldade para adormecer ou sustentar o sono ao longo da noite, ou ainda despertar precoce: insônia.
2. Movimentos, sensações ou comportamentos anormais durante o sono ou em despertares noturnos.
3. Sonolência excessiva diurna.

Para pacientes com queixa de insônia, a descrição é de um período principal de sono inapropriado às suas expectativas. É importante diferenciar se a queixa relatada pelo paciente é uma dificuldade em iniciar o sono, se o problema é voltar a dormir após um despertar noturno, sono fragmentado, ou, ainda, se o paciente desperta antes do horário desejado involuntariamente, pois, para cada uma das queixas, a causa e o desfecho podem ser diferentes (Quadro 1.1).

Pacientes portadores de apneia obstrutiva do sono podem ter dificuldade em sustentar o sono noturno, apresentando muitos despertares e, consequentemente, queixa de sono fragmentado[2]. Por outro lado, pacientes na vigência de quadros depressivos tendem a apresentar dificuldade em iniciar o sono e despertares precoces[3], e pacientes com atraso de fase do sono ou trabalhadores em turno podem queixar-se de dificuldade para adormecer nos horários convencionais[4].

Outra queixa frequente nos pacientes que buscam o especialista em Medicina do Sono é relacionada à sonolência excessiva diurna. Esse sintoma é muito comum, podendo acometer até 33% da população geral[5]. Um relato comum é adormecer ou sentir-se muito sonolento em momentos inapropriados. A sonolência excessiva pode ocorrer em diversos graus de gravidade, desde adormecer lendo um livro até ataques de sono ao volante.

A percepção da sonolência é de caráter subjetivo, de maneira que escalas e questionários podem ser úteis em sua quantificação (por exemplo, a Escala de Sonolência de Epworth[6]).

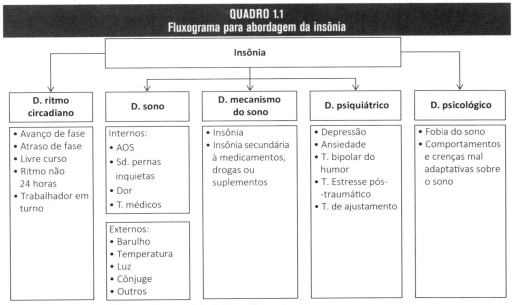

D: distúrbio; AOS: apneia obstrutiva do sono; Sd: síndrome; T: transtorno.
Fonte: Adaptado de Kryger M, Roth T, Dement WC, 2017.

Deve ser afastada a Síndrome do Sono Insuficiente, que é a principal causa de sonolência excessiva diurna na atualidade. Grande parte dos pacientes possui hábitos inadequados ao longo do dia, que prejudicam o sono noturno; outros, por razões profissionais ou sociais, impõem-se uma jornada diurna longa, com consequente privação de sono à noite, podendo ser identificados por prolongarem o tempo de sono durante os finais de semana ou as férias.

Também se deve investigar causas médicas de sonolência como: falência renal, hepática ou cardíaca, distúrbio reumatológico ou endocrinológico, neurológico (demências, trauma ou acidentes vasculares), uso de medicamentos e, finalmente, os Distúrbios do Sono (Quadro 1.2).

A queixa de fadiga representa um sintoma complexo a ser avaliado; normalmente, o relato está associado à perda de energia, porém pode ser confundido com sonolência. Embora possam coexistir, a fadiga isoladamente não aumenta a sonolência do paciente nem sua facilidade em adormecer, porém uma noite de sono pode melhorar esta queixa. Assim, a facilidade em adormecer pode ser uma pergunta importante na diferenciação dessas duas condições.

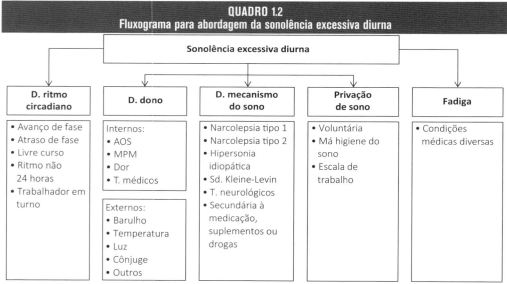

D: distúrbio; AOS: apneia obstrutiva do sono; MPM: movimentos periódicos de membros; Sd: síndrome; T: transtorno.
Fonte: Adaptado de Kryger M, Roth T, Dement WC, 2017.

Finalmente, os eventos incomuns que podem ocorrer durante o sono ou no período noturno devem ser investigados e são outra importante queixa apresentada no consultório de Medicina do Sono. Esta condição inclui uma série de Distúrbios do Sono, agrupados no Quadro 1.3.

No caso desses eventos, é importante ouvir um acompanhante do paciente, especialmente quando se trata de eventos que o paciente não se recorda ou fique confuso durante o relato. O principal coadjuvante, nesses casos, é o companheiro de cama. Devemos pedir que sejam descritos comportamentos e vocalizações durante os episódios, momento de ocorrência dos sintomas e capacidade de resposta do paciente durante o episódio.

Após a queixa principal ser detalhada, devemos perguntar acerca da duração dos sintomas, circunstâncias relacionadas ao início, fatores de melhora ou piora e sintomas associados, além da investigação de outros aspectos não relatados pelo paciente, quando for apropriado para o quadro.

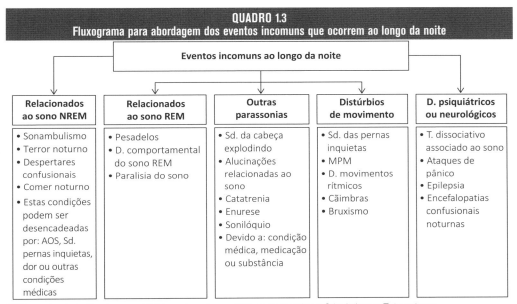

AOS: apneia obstrutiva do sono; MPM: movimentos periódicos de membros; Sd: síndrome; T: transtorno.
Fonte: Adaptado de Kryger M, Roth T, Dement WC, 2017.

TABELA 1.2
Sintomas a serem avaliados no paciente com queixa de sono

Sintomas pela manhã	Boca seca, sonolência, inércia do sono, cefaleia ou congestão nasal.
Funcionamento ao longo do dia	Sonolência (acidentes?), *deficit* de memória ou concentração, cansaço, irritabilidade ou cochilos.
Queixa do companheiro de cama	Intensidade do ronco, apneias presenciadas, engasgamento ou despertares.
Sintomas de movimentos relacionados ao sono	Movimentos periódicos dos membros, cãibras ou sintomas de síndrome das pernas inquietas.
Sintomas de narcolepsia	Cataplexia, alucinações, paralisia do sono, sono fragmentado ou comportamentos automatizados.
Sintomas geniturinários	Prejuízo na função sexual, noctúria.
Outros sintomas	Perda de libido, dor, sonambulismo, ganho de peso, atuação onírica, ...

Fonte: Adaptada de Kryger M, Roth T, Dement WC, 2017.

■ 2.3. Cronograma de sono

Este item se refere aos hábitos de sono do paciente. Deve ser registrado o horário que o paciente vai para a cama, quanto tempo demora para adormecer, o horário que o

8 •• Seção I – Avaliação clínica

paciente desperta e quanto tempo demora para sair da cama. Também se deve questionar a presença de despertares noturnos e o que representa esse despertar, quais atividades são realizadas, qual o tempo de duração e se há ou não dificuldade em retornar ao sono. Também deve ser questionada a presença de cochilos e sua duração.

Presença de roncos ou comportamentos anormais durante o sono, sejam apneias, engasgos ou movimentos mais complexos, devem estar relatados. Nesse item, cabe ouvir o companheiro de cama ou um acompanhante que possa auxiliar na investigação.

O comportamento durante os finais de semana e férias deve ser comparado àquele descrito nos dias de trabalho, e, caso o paciente tenha trabalho noturno ou em turnos, isso deve ser especificado.

O diário de sono é uma ferramenta importante na avaliação da rotina de sono do paciente e pode ser utilizado para obter informações adicionais quando é necessário esclarecer melhor esta rotina. A descrição detalhada do diário do sono pode ser encontrada no Capítulo 3.

■ 2.4. Antecedentes pessoais e familiares

Deve-se perguntar ao paciente sobre cirurgias anteriores, traumas e comorbidades, como hipertensão, diabetes, dislipidemia, entre outras, sempre procurando associação temporal com a queixa descrita. Também se deve avaliar o relato de doenças preexistentes, em especial aquelas psiquiátricas e neurológicas.

A história de distúrbios do sono em outros membros da família é uma informação importante. Deve-se perguntar especificamente acerca de sintomas de narcolepsia, apneia, movimentos periódicos de membros, sonambulismo ou insônia. Deve-se ter em mente que há importante contribuição genética nos casos de narcolepsia[7] e em alguns tipos de parassonias[8].

■ 2.5. Medicamentos em uso

A avaliação dos medicamentos utilizados pelo paciente, incluindo aqueles não prescritos, suplementos, fitoterápicos, cafeína, nicotina e drogas ilícitas, é fundamental, devido à grande variedade de substâncias que interferem no ciclo sono-vigília. A história medicamentosa atual e passada, efeitos adversos dos medicamentos, doses utilizadas e tempo de uso são dados importantes para futura conduta terapêutica.

■ 2.6. Vida profissional e social

Em relação à vida profissional, é importante perguntar o tempo que o paciente permanece trabalhando, qual o horário de sua jornada de trabalho, como é o trabalho (em ambiente interno ou externo), a que estímulos, em especial luminosos, ele fica exposto durante seu período de trabalho e se ele está exposto a acidentes que possam culminar com dano físico a si ou a outros. Deve-se perguntar sobre condições de trabalho anteriores e duração de cada um deles.

A vida social e familiar deve ser integrada nessa etapa da anamnese, a fim de determinar se há prejuízo, principalmente privação de sono, para o paciente, no conjunto de suas atividades. Questões psicossociais, funcionais e acadêmicas, bem como sua satisfação em relação a elas, podem auxiliar na quantificação do impacto na qualidade de vida do paciente, de um sono inadequado a sua demanda, necessidade ou expectativa.

3. Exame clínico no adulto

O exame físico específico, quando adequadamente conduzido, oferece pistas importantes para determinar a etiologia e fisiopatologia dos Distúrbios do Sono, direcionando os exames complementares a serem realizados, quais comorbidades precisam ser moduladas, possível hipótese diagnóstica e, finalmente, qual conduta deve ser tomada.

Observar a aparência geral do paciente, fácies, presença de olheiras e tônus muscular, verificar o seu aspecto craniofacial, retrognatia ou micrognatia, lembrar das diferenças anatômicas dos pacientes orientais.

Obter dados antropométricos do paciente, como: pressão arterial, peso, altura (cálculo do índice de massa corporal), circunferência cervical (borda superior da cartilagem cricotireoideana), que acima de 42 cm em homens e 38 cm em mulheres oferece risco aumentado para apneia obstrutiva do sono, oximetria, frequências cardíaca e respiratória.

Inspecionar a pele do paciente, verificar a presença de lesões (parassonias), estrias recentes (ganho de peso), alergias ou qualquer outra anormalidade, verificar unhas e cabelos (hipotireoidismo) e extremidades (edema). Verificar a presença de linfonodos aumentados na região do pescoço por meio de palpação. Observar a fossa nasal, procurando anormalidades anatômicas que possam prejudicar o fluxo aéreo.

Verificar a boca do paciente, cúspides dos dentes (bruxismo), tamanho da língua (obesos ou acromegálicos), procurar identificar as tonsilas e determinar o índice de Mallampati modificado, importante para avaliar a relação entre língua e faringe (Figura 1.1) e, consequentemente, de apneia.

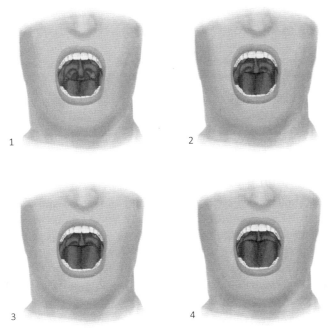

FIGURA 1.1 – Índice de Mallampati modificado
Fonte: Elaborada pela autora.

10 •• Seção I – Avaliação clínica

Deve-se realizar a ausculta cardíaca e pulmonar, atentar para a presença de doença congestiva, asma, ou outras alterações limitantes (Doença Pulmonar Obstrutiva Crônica) que possam favorecer apneia. O exame neurológico pode ser importante quando há suspeita de doença neuromuscular ou neurodegenerativa.

Em casos de suspeita de Narcolepsia, pode-se tentar provocar o evento cataplexia e em seguida verificar os reflexos do paciente (ausência de reflexos tendíneos profundos). Observar o evento que pode variar entre flacidez da mandíbula e leve queda da cabeça e ombros, até perda do tônus muscular de maneira relativamente lenta e progressiva[9].

O conjunto dos Distúrbios do Sono inclui entidades diversas, cuja etiologia e fisiopatologia apresentam características muito diferentes. Assim, para cada suspeita, é necessário atentar para diferentes aspectos no exame físico. A Tabela 1.3 apresenta pontos a serem avaliados nas situações mais prevalentes.

TABELA 1.3 Principais itens a serem considerados no exame físico dos pacientes com queixas de sono	
Apneia obstrutiva do sono	• Cálculo do IMC • Inspeção: fácies, acromegalia? • Hipotireoidismo? • Alterações craniofaciais: medidas • Cefalométricas e posicionamento mandibular • Fatores nasais: anormalidades anatômicas • Circunferência cervical • Exame da faringe, tonsilas e adenoides • Exames neurológico e cardiopulmonar
Narcolepsia	• Cataplexia • Sonolência • Lesões ou tumores cerebrais com características clínicas particulares
Síndrome do comer noturno	• Ganho de peso • Amnésia
Transtorno comportamental do sono REM	• Lesões corporais próprias ou no companheiro de cama • Sinais de Doença de Parkinson
Síndrome das pernas inquietas	• Exame neurológico: alterações sensoriais (hipersensibilidade e dor)
Bruxismo	• Musculatura facial tensa e dolorosa • Dentes quebradiços e sem cúspides • Hipertrofia do masseter
Insônia	• Inspeção: fácies (hiperalerta ou fadiga) e olhos hiperemiados • Procurar no exame físico sinais de outras condições médicas

Fonte: Elaborada pela autora.

O exame físico do paciente com queixa de sono é fundamental para a tomada de decisão acerca do diagnóstico adequado e do caminho a ser seguido, incluindo a necessidade de exames complementares, como a polissonografia.

■ Referências

1. Selvi Y, Kandeger A, Boysan M, Akbaba N, Sayin AA, Tekinarslan E, Koc BO, Uygur OF, Sar V. The effects of individual biological rhythm differences on sleep quality, daytime sleepiness, and dissociative experiences. Psychiatry Res. 2017 Jun 17;256:243-8.

2. Lack L, Sweetman A. Diagnosis and treatment of insomnia comorbid with obstructive sleep apnea. Sleep Med Clin. 2016 Sep;11(3):379-88.
3. Ikeda H, Kayashima K, Sasaki T, Kashima S, Koyama F. The relationship between sleep disturbances and depression in daytime workers: a cross-sectional structured interview survey. Ind Health. 2017 Jul 6.
4. Gumenyuk V, Belcher R, Drake CL, Roth T. Differential sleep, sleepiness, and neurophysiology in the insomnia phenotypes of shift work disorder. Sleep. 2015 Jan 1;38(1):119-26.
5. Jaussent I, Morin CM, Ivers H, Dauvilliers Y. Incidence, worsening and risk factors of daytime sleepiness in a population-based 5-year longitudinal study. Sci Rep. 2017 May 2;7(1):1372.
6. Bertolazi AN, Fagondes SC, Hoff LS, Pedro VD, MennaBarreto SS, Johns MW. Portuguese-language version of the epworth sleepiness scale: validation for use in Brazil. J Bras Pneumol. 2009 Sep;35(9):877-83.
7. Martins da Silva A, Lopes J, Ramalheira J, Carvalho C, Cunha D, Costa PP, Silva MB. Usefulness of genetic characterization of narcolepsy and hypersomnia on phenotype definition: a study in Portuguese patients. Rev Neurol. 2014 Jan 16;58(2):49-54.
8. Barclay NL, Gregory AM. Quantitative genetic research on sleep: a review of normal sleep, sleep disturbances and associated emotional, behavioural, and health-related difficulties. Sleep Med Rev. 2013 Feb;17(1):29-40.
9. Pillen S, Pizza F, Dhondt K, Scammell TE, Overeem S. Cataplexy and its mimics: clinical recognition and management. Curr Treat Options Neurol. 2017 Jun;19(6):23.
10. Kryger M, Roth T, Dement WC, editors. Principles and practice of sleep medicine. 6th ed: Elsevier Saunders; 2017.

Anamnese e exame clínico na criança

2

Gustavo Antonio Moreira
Rosana Cardoso Alves

1. Anamnese

A avaliação clínica dos distúrbios do sono na infância e adolescência é fundamental para um diagnóstico e tratamento adequados. Para os distúrbios não respiratórios do sono, a anamnese é ainda mais importante, uma vez que o exame físico pode ser normal. Já nos distúrbios respiratórios do sono, podemos encontrar achados característicos no exame físico.

Provavelmente, um dos dados mais importantes da anamnese é a **idade da criança**. Alguns distúrbios do sono podem se manifestar já no período neonatal, como é o caso da síndrome da hipoventilação central congênita, em que o controle automático da ventilação está alterado durante o sono. A síndrome da morte súbita do lactente (SIDS) ocorre no primeiro ano de vida, predominando abaixo de 6 meses. Já a Apneia Obstrutiva do Sono (AOS) é mais prevalente entre 3 e 7 anos. A insônia comportamental da infância, em geral, inicia-se no primeiro ano de vida e pode se estender por vários anos. Os distúrbios do despertar (despertar confusional, sonambulismo e terror noturno) são mais frequentes na fase pré-escolar e diminuem até o final da adolescência. O sonambulismo é mais frequente entre 3 e 13 anos de idade; já a narcolepsia se manifesta na adolescência e no adulto jovem, sendo muito rara em menores de 5 anos. A Síndrome das Pernas Inquietas (SPI), que tem predomínio após os 40 anos, tem sido mais diagnosticada na infância e adolescência.

Outro dado fundamental na história clínica é **tempo total de sono**, bem como se há ocorrência de cochilos diurnos. Todos os dados referentes ao período de sono são relevantes: horário de ida para a cama, tempo para adormecer, o horário de acordar e ocorrência de despertares noturnos. O tempo de sono varia conforme a idade e fatores individuais. Uma maneira simples de conseguir essas informações é solicitar que a família faça um **diário de sono,** por alguns dias, com todos os dados citados. Em 2016, um consenso da Academia Americana de Medicina do Sono revisou as necessidades diárias de sono, incluindo cochilos, associadas a melhores desfechos cognitivos e comportamentais, de acordo com a faixa etária (Tabela 2.1)[1].

14 •• Seção I – Avaliação clínica

TABELA 2.1 Recomendações de tempo total de sono por faixa etária, pela Fundação Nacional de Sono dos Estados-Unidos			
Idade	Recomendado	Apropriado	Não recomendado
Recém-nascido – 0 a 3 meses	14 a 17 horas	11 a 13 horas 18 a 19 horas	Menos do que 11 horas Mais do que 19 horas
4 a 11 meses	12 a 15 horas	10 a 11 horas 16 a 18 horas	Menos do que 10 horas Mais do que 18 horas
1 a 2 anos	11 a 14 horas	9 a 10 horas 15 a 16 horas	Menos do que 9 horas Mais do que 16 horas
3 a 5 anos	10 a 13 horas	8 a 9 horas 14 horas	Menos do que 8 horas Mais do que 14 horas
6 a 13 anos	9 a 11 horas	7 a 8 horas 12 horas	Menos do que 7 horas Mais do que 12 horas
14 a 17 anos	8 a 10 horas	7 horas 11 horas	Menos do que 7 horas Mais do que 11 horas
18 a 25 anos	7 a 9 horas	6 horas 10 a 11 horas	Menos do que 6 horas Mais do que 11 horas

Fonte: National Sleep Foundation, 2018.

Um sintoma que sempre deve ser investigado é a existência de **sonolência excessiva diurna**, em geral, questionando se a criança adormece em situações como durante brincadeiras ou na escola. Uma forma mais específica de quantificar a sonolência diurna é pela Escala de Sonolência de Epworth modificada para crianças (Jansen, 2017), ainda não oficialmente traduzida para o português. Uma redução do tempo ou na qualidade do sono podem levar à sonolência excessiva.

Como parte do interrogatório clínico, deve-se atentar quanto à ocorrência de **ronco e apneia**. O ronco deve ser detalhado em relação à frequência e intensidade. O ronco habitual (quatro ou mais noites por semana) e intenso pode assustar a família e, se estiver associado à apneia e ronco ressuscitativo, sugere o diagnóstico de AOS. Deve-se investigar se há associação com hipertrofia de amígdalas e adenoides, rinite, malformação craniofacial, macroglossia, obesidade ou doença neuromuscular. Na história clínica, muitas vezes os pais relatam a ocorrência de apneias testemunhadas. Quando há obstrução nasal, a respiração ocorre pela via oral. A respiração oral pode levar à alteração do crescimento da face e da oclusão dentária. Assim, a obstrução nasal e a respiração oral são sintomas fundamentais para a suspeita de AOS.

Uma queixa relativamente comum é a de **movimentação excessiva ou anormal durante o sono.** O tipo de movimentação deve ser bem caracterizado e se está associado ao despertar e em qual período da noite o evento ocorre. Por exemplo, os movimentos relacionados às parassonias são episódicos, costumam ocorrer na primeira metade da noite (sono NREM) e são seguidos por período de sono normal e amnésia ao evento. O despertar confusional inclui movimentos e vocalização. No sonambulismo, a criança apresenta comportamento deambulatório. O terror noturno, em geral, inicia-se com um grito alto seguido de tremores, sudorese e taquicardia, acompanhados por uma expressão facial de terror. No caso da SPI, a história pode levar ao diagnóstico conclusivo, pois os critérios são eminentemente clínicos: desconforto nos membros inferiores, associado à necessidade de movimentar as pernas, com início ao entardecer ou à noite, e com piora na posição sentada ou deitada; a sensação é aliviada durante e por algum tempo após o movimento dos membros. A SPI se associa aos movimentos periódicos de membros em até 90% dos casos. Assim, deve-se perguntar quanto à movimentação de membros inferiores durante o sono.

Muitos distúrbios do sono podem levar a **sintomas diurnos**, como sonolência excessiva diurna, já citada anteriormente. Outros sintomas, que podem ser resultado de comprometimento do sono, tais como privação, fragmentação ou alteração da qualidade do sono, são: hiperatividade, déficit de atenção e distúrbio do aprendizado. Questionários de sintomas, como de Conners[16], para avaliação de hiperatividade e falta de atenção, podem ser úteis.

Finalmente, é importante pesquisar a ocorrência de distúrbios do sono na família. No caso da SPI e das parassonias, há fatores genéticos associados. No caso da AOS, deve-se investigar a ocorrência de ronco em familiares, assim como alterações craniofaciais, principalmente retrognatia e/ou micrognatia.

2. Exame físico

■ 2.1. Geral

O exame físico de recém-nascidos, crianças e adolescentes requer diversas habilidades do médico. É importante reconhecer as distinções e peculiaridades do crescimento e desenvolvimento para cada faixa etária. Os problemas de sono afetam o estado de alerta, a atenção e podem provocar hiperatividade ou sonolência diurna. Esses aspectos são importantes de observar na primeira inspeção[2].

■ 2.2. Avaliação nutricional

É fundamental a avaliação antropométrica em toda consulta, pois qualquer problema de saúde tem repercussão no crescimento. Recomenda-se medir peso e estatura. Se houver obesidade, também é importante a avaliação da circunferência abdominal e da circunferência de pescoço. Naqueles pacientes que estão em cadeira de rodas, pode-se fazer a medida da envergadura, utilizando-se um fator de correção para inferir a estatura. A estatura pode ser calculada dividindo-se a envergadura por 1,03 nas mulheres e 1,06 nos homens. Os dados antropométricos precisam ser comparados em curvas de normalidade segundo idade e sexo do CDC (do inglês *Center of Disease Control*) ou da Organização Mundial da Saúde (OMS)[3,4]. A avaliação nutricional deve seguir as recomendações nacionais e internacionais[4,6].

■ 2.3. Segmento cefálico

2.3.1. Crânio

A síndrome da face longa (ou adenoideana) é uma consequência da respiração oral, caracteriza-se por terço inferior da face alongado, queixo triangular, hipotonia de lábios e bochechas, olheiras, lábios secos e rachados. Diversas síndromes genéticas são fatores de risco de distúrbios do sono, por isso procura-se observar características típicas de síndrome de Down, doenças de depósito (mucopolissacaridoses) e malformações craniofaciais (Apert, Crouzon, sequência de Pierre-Robin). Nestas últimas, é importante observar a formação do crânio, procurar desvio de septo nasal, micrognatia, retrognatia, hipoplasia da meia-face (maxila) e redução do diâmetro anteroposterior do crânio.

2.3.2. As vias aéreas superiores

A inspeção externa do nariz pode detectar desvios e malformações. A rinoscopia anterior deve ser realizada com espéculo ou levantando a ponta do nariz, sempre com foco de luz potente. Procura-se observar as conchas nasais inferiores, que são estruturas presentes na parede lateral da cavidade nasal. Elas podem apresentar hipertrofia (graus 1+ a 3+) ou mudança de coloração (palidez, hiperemia). O septo nasal está localizado na porção medial da cavidade nasal, devendo-se avaliar a presença e o lado do desvio septal. Ainda, observa-se a presença de secreção nasal (hialina, purulenta) e a permeabilidade nasal. A oclusão unilateral de narina permite detectar a presença de obstrução nasal unilateral[7,8].

A inspeção da boca permite avaliar as partes moles e os dentes. A atrofia maxilar leva à mordida cruzada posterior, em que se observa que as cúspides externas dos dentes molares inferiores estão lateralmente às cúspides dos dentes molares superiores. O palato duro pode ter morfologia diferente quando há atrofia maxilar. O céu da boca tem uma característica elevada, semelhando a uma ogiva nuclear (palato ogival) ou um domo de igreja gótica. A relação anteroposterior das arcadas dentárias pode ser desproporcional, como foi explicado por Angle (Figura 2.1). Já a proporção do tamanho do palato mole e sua relação com a língua permite saber o tamanho da abertura da orofaringe, também conhecido como classificação de Mallampati, modificada por Friedman (Figura 2.2)[9].

A classificação das tonsilas palatinas, segundo Brodsky, é definida como: grau I – tonsilas estão situadas levemente fora da fossa tonsilar, ocupando menos de 25% da área no istmo das fauces (entre pilares das fossas tonsilares); grau II – tonsilas estão prontamente visíveis, ocupando 25 a 50% da área entre os pilares das fossas tonsilares; grau III – tonsilas estão ocupando 50 a 75% da área entre os pilares; e grau 4 – ocupam mais de 75% da área entre os pilares[10].

Deve-se também observar a presença de voz anasalada (obstrução nasal), fanhosa (fenda palatina) ou rouca (lesão de cordas vocais). Os gânglios cervicais anteriores podem estar aumentados de tamanho durante uma infecção de vias aéreas superiores ou em criança que apresente infecções de repetição.

■ 2.4. Tórax

A inspeção do tórax é importante na procura de afundamento do terço inferior do externo, que pode estar presente em crianças com AOS grave. A propedêutica cárdica pode indicar aumento de área cardíaca (desvio do ictus) e presença de sopro ou hiperfonese de bulhas. Os distúrbios respiratórios de sono com hipoxemia acentuada apresentam, como consequência, a hipertensão pulmonar, que, no exame físico, caracteriza-se por hiperfonese da 2ª bulha (fechamento precoce da valva pulmonar) e/ou sopro sistólico nos focos de ponta (insuficiência tricúspide).

Como os distúrbios respiratórios de sono podem provocar hipertensão arterial sistêmica, a aferição da pressão arterial deve ser uma rotina do exame físico. Os valores de normalidade da pressão arterial dependem do sexo, idade e estatura[11,12].

■ 2.5. Gastrintestinal

A hepatomegalia pode estar presente em crianças com AOS e hipertensão pulmonar. Já sinais de obstipação crônica (massa endurecida palpável em flanco esquerdo = fecaloma) podem estar presentes em crianças com a síndrome de hipoventilação central congênita (Mal de Ondine), quando se associa a megacólon congênito[13].

■ 2.6. Ortopédico

A respiração nasal leva à alteração na posição da língua, da mandíbula, da cabeça e do pescoço. A cabeça se projeta para a frente, na tentativa de melhorar a permeabilidade de vias aéreas superiores. Consequentemente, grupos musculares de cabeça e pescoço tomam uma trajetória para frente e para baixo. Já os ombros assumem uma posição anteriorizada, apresentando uma cifose torácica.

As doenças que levam a desvios da coluna, como lordose ou cifoescoliose, podem levar à redução dos volumes pulmonares e hipoventilação do sono.

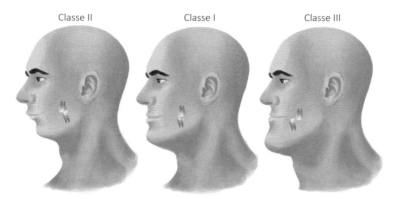

FIGURA 2.1 – Relação anteroposterior das arcadas dentárias – Angle
Fonte: Elaborada pelos autores.

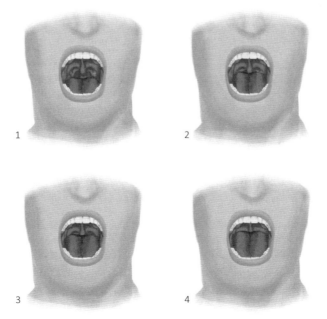

FIGURA 2.2 – Classificação de Mallampati modificado por Friedman
Fonte: Elaborada pelos autores.

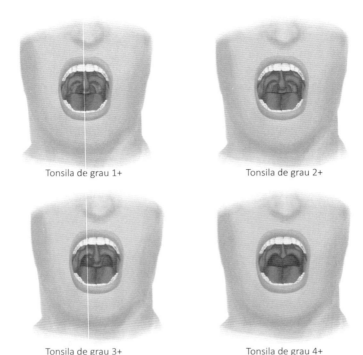

Tonsila de grau 1+   Tonsila de grau 2+
Tonsila de grau 3+   Tonsila de grau 4+

FIGURA 2.3 – Classificação do tamanho das amígdalas – Brodsky
Fonte: Elaborada pelos autores.

▪ Referências

1. Paruthi S, Brooks LJ, D'Ambrosio C, Hall WA, Kotagal S, Lloyd RM, Malow BA, Maski K, Nichols C, Quan SF, Rosen CL, Troester MM, Wise MS. Recommended amount of sleep for pediatric populations: a consensus statement of the American Academy of Sleep Medicine. J Clin Sleep Med. 2016;12(6):785-6.
2. Puccini RH, MOE. Semiologia da criança e do adolescente. 1st ed. Rio de Janeiro: Guanabara Koogan; 2008.
3. Mazicioglu MM, Kurtoglu S, Ozturk A, Hatipoglu N, Cicek B, Ustunbas HB. Percentiles and mean values for neck circumference in Turkish children aged 6-18 years. Acta Paediatr. 2010 Dec;99(12):1847-53.
4. Fernandez JR, Redden DT, Pietrobelli A, Allison DB. Waist circumference percentiles in nationally representative samples of African-American, European-American, and Mexican-American children and adolescents. J Pediatr. 2004 Oct;145(4):439-44.
5. National Center of Health Statistics C. Growth Charts. 2010.
6. Pediatria SBd. Avaliação Nutricional da criança e do adolescente: manual de orientação; 2009.
7. Brietzke SE, Katz ES, Roberson DW. Can history and physical examination reliably diagnose pediatric obstructive sleep apnea/hypopnea syndrome? A systematic review of the literature. Otolaryngol Head Neck Surg. 2004 Dec;131(6):827-32.
8. Zonato AI, Martinho FL, Bittencourt LR, de Oliveira Campones Brasil O, Gregorio LC, Tufik S. Head and neck physical examination: comparison between nonapneic and obstructive sleep apnea patients. Laryngoscope. 2005 jun;115(6):1030-4.
9. Friedman JJ, Salapatas AM, Bonzelaar LB, Hwang MS, Friedman M. Changing Rates of Morbidity and Mortality in Obstructive Sleep Apnea Surgery. Otolaryngol Head Neck Surg. 2017 jul;157(1):123-7.
10. Brodsky L, Moore L, Stanievich JF. A comparison of tonsillar size and oropharyngeal dimensions in children with obstructive adenotonsillar hypertrophy. Int J Pediatr Otorhinolaryngol. 1987 aug;13(2):149-56.
11. Banker A, Bell C, Gupta-Malhotra M, Samuels J. Blood pressure percentile charts to identify high or low blood pressure in children. BMC Pediatr. 2016 jul 19;16:98.

12. Flynn JT, Kaelber DC, Baker-Smith CM, Blowey D, Carroll AE, Daniels SR et al. Clinical Practice Guideline for Screening and Management of High Blood Pressure in Children and Adolescents. Pediatrics. 2017 sep;140(3).
13. Cielo C, Marcus CL. Central Hypoventilation Syndromes. Sleep Med Clin. 2014 Mar 01;9(1):105-18.
14. National sleep foundation recommends new sleep times [cited 2018 May 3]. Available from: https://sleep-foundation.org/press-release/national-sleep-foundation-recommends-new-sleep-times/page/0/1.
15. Janssen KC, et al. Validation of the Epworth Sleepiness Scale for children and adolescents using Rasch analysis. Sleep Medicine. 2017;(33):30-5.
16. Conners C, Sitarenios G, Parker JD, Epstein, JN. The revised Conners Parent Rating Scale (CPRS-R): factor structure, reliability, and criterion validity. Journal of Abnormal Child Psychology. 1988;(26):257-268.

Diários e escalas 3

Sílvia Gonçalves Conway

1. Introdução

Métodos investigativos e diagnósticos são essenciais para a prática clínica e científica dos profissionais da saúde que atuam na área do sono. Diários, escalas e questionários visam investigar um conjunto de sinais e sintomas associados aos distúrbios do sono, facilitando o diagnóstico e manejo clínico. Os resultados obtidos com os questionários compõem parte da investigação e oferecem uma medida qualitativa, e, por vezes, quantitativa de informações associadas à presença do distúrbio do sono investigado. São considerados auxiliares na avaliação diagnóstica, composta por anamnese apropriada, avaliação física e exames laboratoriais quando necessário. Portanto, os resultados obtidos pelos diários, escalas e questionários não podem ser adotados como critérios diagnósticos exclusivos. A decisão diagnóstica final deve estar baseada na integração de múltiplos dados clínicos e objetivos.

A utilidade da administração de diários, escalas e questionários reside na capacidade de quantificar a gravidade dos sintomas, indicar o impacto dos sintomas na qualidade de vida do paciente, humor e sono, de medir a progressão dos sintomas e avaliar a resposta terapêutica.

Esse capítulo pretende descrever e definir diários, escalas e questionários, informar sobre as propriedades psicométricas relevantes na escolha do método e apresentar, de forma contextualizada, os principais instrumentos utilizados na prática clínica e científica do sono.

2. Definindo questionário e escala

Questionário consiste em um instrumento de coleta de informação, utilizado numa sondagem ou inquérito. Diferencia-se da entrevista, que consiste em perguntas e respostas feitas oralmente. Diferencia-se do teste, que tem por objetivo incentivar determinadas reações por meio de perguntas. Diferencia-se de formulário, que pode ser qualquer impresso com campos próprios para anotação de dados, não importando por quem são preenchidos. Diferencia-se também das enquetes, que tratam de reunir testemunhos de pessoas sobre determinados assuntos.

22 •• Seção I – Avaliação clínica

Portanto, os questionários constituem uma técnica de investigação composta por um número, grande ou pequeno, de questões apresentadas por escrito que tem por objetivo propiciar ao clínico ou pesquisador determinado conhecimento a respeito do respondente.

Quando um questionário reúne informações que definem uma razão de grandeza de forma quantitativa, que permite uma avaliação qualitativa, envolvendo, inclusive, a comparação entre grupos de sujeitos acometidos ou não da doença investigada, recebe o nome de *escala*.

Todo questionário ou escala, assim como toda avaliação clínica, possui uma chance de erro. Antes de adotar um instrumento diagnóstico, é importante se informar sobre os seus estudos de validade e confiabilidade. Confiabilidade é a capacidade de um instrumento medir de modo estável, ao longo do tempo, entre indivíduos e situações. Já a validade define a capacidade de um instrumento medir o fenômeno que se propõe medir (acurácia). Essas medidas são avaliadas por métodos estatísticos específicos, definidos como propriedades psicométricas do instrumento. Nesse capítulo, estão reunidos os instrumentos mais utilizados na área do sono e que, em sua maioria, passaram por avaliação das suas propriedades psicométricas. Essas informações serão apresentadas junto à descrição do instrumento, assim como informações a respeito do processo de tradução e adaptação para a língua portuguesa. A Tabela 3.1 apresenta a descrição das propriedades psicométricas comumente avaliadas para averiguação da validade e confiabilidade das escalas de auxílio diagnóstico.

TABELA 3.1 Propriedades psicométricas que avaliam a validade e confiabilidade dos instrumentos investigativos		
Termo estatístico		**Descrição**
	Validade de conteúdo	Avaliação dada por especialistas na área em relação a abrangência, objetividade, simplicidade, relevância, credibilidade, variedade e amplitude semântica e idiomática do conteúdo.
	Validade de constructo	Avalia a capacidade do instrumento de captar o fenômeno que pretende medir por meio de duas medidas: validade de convergência e análise fatorial.
	1. Validade de convergência	Avalia a concordância entre o instrumento que está sendo avaliado para uma determinada finalidade com outro utilizado já validado e que avalia variáveis que compõem o mesmo fenômeno.
	2. Análise fatorial	Investiga a estrutura dimensional do instrumento para verificar se os itens avaliam um único fator ou se formam agrupamentos de fatores, identificando dimensões distintas do mesmo fenômeno avaliado.
Validade	**Validade de critério**	Avalia o grau de concordância entre o instrumento e um critério previamente padronizado para avaliar o fenômeno. Existem dois tipos: validade concorrente e validade preditiva.
	1. Validade concorrente/ Validade convergente	Avalia a relação entre o instrumento que está sendo avaliado para uma determinada finalidade com outro utilizado para a mesma finalidade, cujas medidas de avaliação estejam validadas (instrumento padrão). Depende que a aplicação dos dois instrumentos seja simultânea.
		Valores de referência: > 0,7: grande; 0,4 a 0,7: moderada; 0,2 a 0,4: pequena e valores < 0,2: insuficiente.
	2. Validade preditiva	Capacidade do instrumento em predizer o fenômeno com a aplicação futura do instrumento padrão.

(Continua)

(Continuação)

TABELA 3.1 Propriedades psicométricas que avaliam a validade e confiabilidade dos instrumentos investigativos		
Termo estatístico		**Descrição**
Validade	2.a) Sensibilidade	Proporção de classificação acurada da presença do distúrbio investigado (= probabilidade de um doente ser detectado pelo teste).
		Valores de referência: 0,9 a 1: excelente; 0,8 a 0,9: bom; 0,7 a 0,8: suficiente; 0,6 a 0,7: fraco e, valores < 0,6: falho.
	2.b) Especificidade	Proporção de classificação acurada da ausência do distúrbio investigado (= probabilidade de um sujeito saudável ser excluído do teste).
		Valores de referência: 0,9 a 1: excelente; 0,8 a 0,9: bom; 0,7 a 0,8: suficiente; 0,6 a 0,7: fraco e, valores < 0,6: falho.
	Validade entre grupos conhecidos	Capacidade de discriminar a gravidade do problema avaliado dentro de um grupo que apresenta o tipo de problema estudado.
Confiabilidade	**Responsividade**	Capacidade de o teste medir mudanças ao longo do tempo, derivadas de intervenção ou melhora espontânea.
		Valores de referência: > 0,7: grande; 0,4 a 0,7: moderada; 0,2 a 0,4: pequena e, valores < 0,2: insuficiente
	Consistência interna	Avalia o grau de consistência existente entre cada item do instrumento e a totalidade dos itens que o compõem a fim de verificar se avaliam o mesmo construto.
		Valores para α de Cronbach: < 0,5: muito baixo, podendo indicar multidimensionalidade; 0,7 a 0,9: ideal; > 0,9: alta, pode indicar redundância de itens.
	Confiabilidade teste-reteste	Capacidade de o teste medir o mesmo resultado do fenômeno dentro de um intervalo de tempo em que não tenha havido alteração do seu padrão de manifestação.

Fonte: Elaborada pela autora.

3. Instrumentos diagnósticos na investigação da qualidade do sono

Na área da saúde, problemas de sono têm sido apontados como associados a condições médicas, seja como fator causal ou consequência. O tempo de sono insuficiente, a irregularidade do ritmo vigília-sono ou os distúrbios do sono são extremamente prevalentes e responsáveis por boa parte das queixas de sono. Instrumentos que reúnam uma combinação de informações relativas a sintomas ou hábitos associados à qualidade de sono são fundamentais para a investigação inicial tanto na prática clínica geral como específica da área do sono.

O **Índice de Qualidade de Sono Pittsburgh (IQSP)**, criado por Buysse et al.[1], tem como objetivo investigar a qualidade do sono por meio de um questionário padronizado, composto por 19 itens que cobrem sete domínios: qualidade subjetiva do sono, latência do sono, duração do sono, eficiência do sono, distúrbio do sono, uso de medicamentos e prejuízos diurnos. A fim de identificar um padrão disfuncional de sono recente e consistente, isto é, que detecte a gravidade atual da qualidade de sono, o respondente é orientado a responder às questões considerando o último mês. A pontuação total varia de 0 a 21 pontos. Os resultados desse questionário permitem diferenciar "bons dormidores" de

24 •• Seção I – Avaliação clínica

"maus dormidores" (pontuação > 5). O processo de tradução e validação do IQSP para o português foi conduzido por Bertolazi et al., em 2011[2]) (Figura 3.2). Os sete componentes desta escala demonstraram alto grau de consistência interna (α Cronbach = 0,82) e poder discriminativo entre a população com distúrbios do sono e controle normal[2]. Os critérios para correção do IQSP, a fim de obtenção da pontuação final, encontram-se disponíveis na Figura 3.2.

Índice de Qualidade do Sono de Pittsburgh

As questões a seguir são referentes aos hábitos de sono apenas durante o último mês. Suas respostas devem indicar, da forma mais precisa possível, o que aconteceu na maioria dos dias e noites do último mês. Por favor, responda todas as questões.

1-Durante o último mês, a que horas você foi deitar a noite, na maioria das vezes?	:	hh:mm
2-Durante o último mês, quanto tempo você demorou para pegar no sono?	:	hh:mm
3-Durante o último mês, a que horas você geralmente saiu da cama pela manhã?	:	hh:mm
4-Durante o último mês, quantas horas de sono por noite você geralmente teve? (Pode ser diferente do número de horas que você ficou na cama)	:	hh:mm

Para cada uma das seguintes questões, escolha uma única resposta, aquela que você considere melhor. Por favor, responda a todas as questões.

5-Durante o último mês, quantas vezes você teve problemas para dormir devido a:

	Nenhuma vez	Mais de 1x/semana	1-2x/semana	3x ou mais x/semana
A-Demorar mais de 30 minutos para pegar no sono				
B-Acordar no meio da noite ou muito cedo para amanhã				
C-Levantar-se para ir ao banheiro				
D-Ter desconforto para respirar				
E-Tossir ou roncar muito alto				
F-Sentir muito frio				
G-Sentir muito calor				
H-Ter sonhos ruins ou pesadelos				
I-Sentir dores				
J-Outra razão, por favor, descreva:				

Se não tem razão, pule para a Q. 6

Quantas vezes durante o último mês, você teve problema para dormir devido a esta razão?

☐ Nenhuma Vez ☐ Mais de 1x/semana ☐ 1-2x/semana ☐ 3x ou mais x/semana

6-Durante o último mês, como você classifica a qualidade do seu sono?

☐ Muito boa ☐ Boa ☐ Ruim ☐ Muito ruim

7-Durante o último mês, você tomou algum remédio para dormir, receitado pelo médico, indicado por outra pessoa, como farmacêutico, amigo, familiar ou por sua conta?

☐ Nenhuma Vez ☐ Mais de 1x/semana ☐ 1-2x/semana ☐ 3x ou mais x/semana

8-Durante o último mês, quantas vezes você teve problemas para ficar acordado(a) enquanto dirigia, fazia suas refeições, ou participava de qualquer outra atividade social?

☐ Nenhuma Vez ☐ Mais de 1x/semana ☐ 1-2x/semana ☐ 3x ou mais x/semana

9-Durante o último mês, quantas vezes você sentiu algum problema relacionado a indisposição ou falta de entusiasmo para realizar as atividades diárias?

☐ Nenhum problema ☐ Apenas um pequeno problema ☐ Um problema moderado ☐ Um grande problema

FIGURA 3.1 – Índice de Qualidade de Sono Pittsburgh
Fonte: Bertolazzi AN et al., 2011.

Diários e escalas •• 25

Correção Pittsburgh

Componente 1: Qualidade subjetiva do sono

Examine a questão 6 e pontue conforme segue:

Resposta	Pontuação
Muito bom	0
Bom	1
Ruim	2
Muito ruim	3

Pontuação componente 1: _____

Componente 2: Latência do sono

1. Examine a questão 2 e pontue conforme segue:

Resposta	Pontuação
≤ 15 minutos	0
16-30 minutos	1
31-60 minutos	2
> 60 minutos	3

Pontuação questão 2: _____

2. Examine a questão 5a e pontue conforme segue:

Resposta	Pontuação
Nenhuma vez	0
Menos de 1x/sem	1
1-2x/sem	2
3 ou mais x/sem	3

Pontuação questão 5a: _____

3. Some pontuação Q.2 e Q.5a e ajuste componente 2 como segue:

Soma Q2 e 5a	Pontuação
0	0
1 a 2	1
3 a 4	2
5 a 6	3

Pontuação componente 2: _____

Componente 3: Duração do sono

Examine a questão 4 e pontue conforme segue:

Resposta	Pontuação
> 7,1 hs	0
6,1 - 7 hs	1
5 - 6 hs	2
< 5 hs	3

Pontuação componente 3: _____

Componente 4: Eficiência do sono habitual

1. Escreva o nº de horas dormidas (Q.4): _____
2. Calcule o nº horas gastas na cama como segue:
Hora de acordar (Q.3) – hora de deitar (Q.1) = _____
3. Calcule a eficiência do sono habitual como segue:

Eficiência = (nº horas dormidas / nº horas gastas na cama) x 100

4. Ajuste o componente 4 como segue:

Resposta	Pontuação
> 85%	0
75 - 84%	1
65 - 74%	2
< 65%	3

Pontuação componente 4: _____

Componente 5: Distúrbios do sono

Examine as questões 5b-5j e ajuste a pontuação para cada questão conforme segue:

Resposta	Pontuação
Nenhuma vez	0
Menos de 1x / sem	1
1 - 2x / semana	2
3 ou mais x/semana	3

Pontuação q. 5b: _____
Pontuação q. 5c: _____
Pontuação q. 5d: _____
Pontuação q. 5e: _____
Pontuação q. 5f: _____
Pontuação q. 5g: _____
Pontuação q. 5h: _____
Pontuação q. 5i: _____
Pontuação q. 5j: _____

2. Some as pontuações atribuídas as questões 5b → 5j: _____

3. Ajuste o componente 5 como segue:

Soma 5b-5j	Componente
0	0
1 a 9	1
10 a 18	2
19 a 27	3

Pontuação componente 5: _____

Componente 6: Uso de medicamento para dormir

Examine a Q.7 e ajuste como segue:

Resposta	Pontuação
Nenhuma vez	0
Menos de 1x/sem	1
1-2x/sem	2
3 ou mais x/sem	3

Pontuação componente 6: _____

Componente 7: Prejuízos diurnos

1. Examine a Q.8 e ajuste como segue:

Resposta	Pontuação
Nenhuma vez	0
Menos de 1x/sem	1
1-2x/sem	2
3 ou mais x/sem	3

Pontuação questão 8: _____

2. Examine a Q.9 e ajuste como segue:

Resposta	Pontuação
Nenhum problema	0
Apenas um pequeno problema	1
Um problema moderado	2
Um grande problema	3

Pontuação questão 9: _____

3. Some as pontuações atribuídas para Q.8 e Q.9 = _____

Soma q.8 e q.9	Componente
0	0
1 a 2	1
3 a 4	2
5 a 6	3

Pontuação componente 7: _____

Soma da pontuação dos 7 componentes = pontuação final

Pontuação (0 - 21):

0 – 4: boa qualidade do sono
≥ 5: qualidade de sono ruim
≥ 10: indicativo de distúrbio do sono

FIGURA 3.2 – Tabelas para pontuação dos itens do Índice de Qualidade de Sono Pittsburgh
Fonte: Adaptada de Buysse DJ et al., 1989.

26 •• Seção I – Avaliação clínica

A **Sonolência Excessiva Diurna** (SED) é apontada como um importante sintoma e sinal a ser investigado, devido a sua forte associação com um sono de baixa qualidade. Essa informação, muitas vezes, é fornecida pelo próprio paciente ou parente, de forma espontânea, uma vez que o sintoma de SED é, muitas vezes, o motivo da consulta, sendo, por vezes, expresso pelo uso de outros termos, como perda de energia, cansaço e fadiga. É importante ter clara a diferença entre SED e fadiga, sendo o primeiro uma sonolência que acontece em situações em que se espera estar alerta, enquanto fadiga é um sentimento subjetivo de cansaço e exaustão. Assim, é muito importante explorar essa informação junto ao paciente, por exemplo, perguntando sobre as situações mais comuns em que a pessoa é acometida pela SED, exemplificando por meio de situações cotidianas como dirigir, lavar louça, caminhar no trajeto do serviço, durante o trabalho solitário de escrita ou leitura, assistir televisão etc. A **Escala de sonolência de Epworth**[3] é amplamente utilizada para tal fim. Trata-se de um questionário autoaplicável que avalia a probabilidade de adormecer em oito situações envolvendo a prática de atividades passivas e cotidianas (Figura 3.3). Para cada item respondido da escala, gera-se uma pontuação de 0 a 3, totalizando uma pontuação final que varia de 0 a 24. A pontuação igual ou superior a 10 indica presença de SED. Quanto maior a pontuação, maior o comprometimento da SED. O processo de tradução e validação da Escala de Sonolência de Epworth para uso na língua portuguesa foi conduzido por Bertolazi et al., em 2009[4], apresentando um coeficiente de confiabilidade total de 0,83 para os oito itens da escala.

Escala de Sonolência Epworth

Qual a probabilidade de o(a) Sr.(a) cochilar ou adormecer nas situações apresentadas a seguir?

Preencha a casa correspondente a alternativa mais apropriada para cada situação.
Ao responder, procure separar da condição de sentir-se simplesmente cansado.
Isso se refere ao seu estilo de vida normal recente.
Mesmo que não tenha feito alguma dessas coisas recentemente, tente imaginar como elas poderiam lhe afetar.

Qual a probabilidade de o(a) Sr.(a) cochilar ou adormecer nas situações apresentadas a seguir?	Nenhuma chance de cochilar (0)	Pequena chance de cochilar (1)	Moderada chance de cochilar (2)	Alta chance de cochilar (3)
Sentado e lendo				
Assistindo televisão				
Sentado, quieto em um lugar público, sem atividade (sala de espera, cinema, teatro, reunião)				
Como passageiro de um trem, carro ou ônibus, andando uma hora sem parar				
Deitado para descansar a tarde, quando as circunstâncias permitem				
Sentando e conversando, com alguém				
Sentado calmamente após o almoço, sem ter bebido álcool				
Se o(a) Sr.(a) estiver de carro, enquanto para por alguns minutos no trânsito intenso				

FIGURA 3.3 – Escala de sonolência de Epworth
Fonte: Bertolazzi NA et al., 2009.

O monitoramento do sono pelo do Diário de Sono, por um período de pelo menos duas semanas consecutivas, permite o acesso a medidas mais objetivas do padrão de sono do paciente e aspectos associados. Como os diários de sono são amplamente utilizados na investigação dos distúrbios do sono e manejo clínico, serão tratados em um item separado para facilitar a consulta desse item ao longo do estudo deste capítulo.

4. Diários de sono

Os diários de sono são considerados "padrão ouro" para a investigação subjetiva da qualidade e do padrão de sono do paciente. Constituem uma espécie de formulário para registro/monitoramento diário dos hábitos e horários de eventos de sono em noites consecutivas. O preenchimento deve ser feito pelo próprio paciente, diariamente e de modo retrospectivo, isto é, o paciente deve preencher pela manhã fazendo referência à noite que se passou.

Apesar de o diário de sono ser bastante utilizado para diagnóstico e tratamento da insônia, sua estrutura é aplicável, de forma igualmente eficiente e prática, para os demais distúrbios do sono. Ao longo desse item, será descrita a plataforma geral do diário de sono no que tange ao seu conteúdo básico, formato e medidas de avaliação do sono. A aplicação específica para outros distúrbios do sono será apresentada e discutida no subitem correspondente ao distúrbio em que se aplique o uso do diário do sono.

Existem dois formatos comumente adotados de diário de sono: formato linear e formato tabela.

O **Diário do Sono em formato linear** registra os blocos de tempo em que o sono acontece durante o período de 24 horas (Figura 3.4). O paciente é orientado a marcar com uma seta para baixo o momento que decidiu dormir, a pintar os blocos de hora que dormiu e a marcar com uma seta para cima o momento que decidiu levantar-se da cama para iniciar o dia. Assim, os blocos em branco representarão vigília. A Figura 3.4 mostra um exemplo de diário de sono em formato linear.

Repare que, no dia 29/5, do exemplo, o paciente se deitou às 24 horas, mas iniciou o sono apenas uma hora depois, à 1 hora. Já no dia 3/6, o paciente teve um cochilo entre às 18 e 20 horas. Esse formato de diário de sono é mais indicado para manejo clínico das hipersonias, irregularidade do ritmo circadiano e orientação da escala de sono de trabalhador em turno. Assim, torna-se fundamental diferenciar se o dia de registro foi um dia livre ou dia ocupado por trabalho/estudo. O modelo exposto neste capítulo mostra o registro de apenas duas semanas. Conforme necessidade clínica, esse formato de diário de sono permite compreender registros subsequentes de tempo superior.

O **Diário do Sono em formato tabela** contém sete colunas que equivalem a cada dia da semana e um número de linhas correspondentes ao número de medidas específicas do sono que se pretende investigar (Figura 3.5). O registro completo dos campos do diário de sono permite uma avaliação mais detalhada do padrão de sono diário e semanal obtida de forma direta, pelo registro dos campos correspondentes a cada dia, ou indireta, por meio de cálculos específicos que permitam obter outros parâmetros relevantes de sono. Assim, as variáveis diretas referem-se ao registro da data, horário de dormir, de acordar e de levantar-se, latência do sono, número de despertares, tempo em vigília em cada despertar noturno e avaliação geral da qualidade de sono. As variáveis indiretas são calculadas a partir das diretas, fornecendo a média semanal dessas variáveis e também de outras calculadas com base nelas: tempo de vigília após início do sono, tempo de vigília na cama após despertar final, tempo total de sono, tempo total na cama e eficiência do sono.

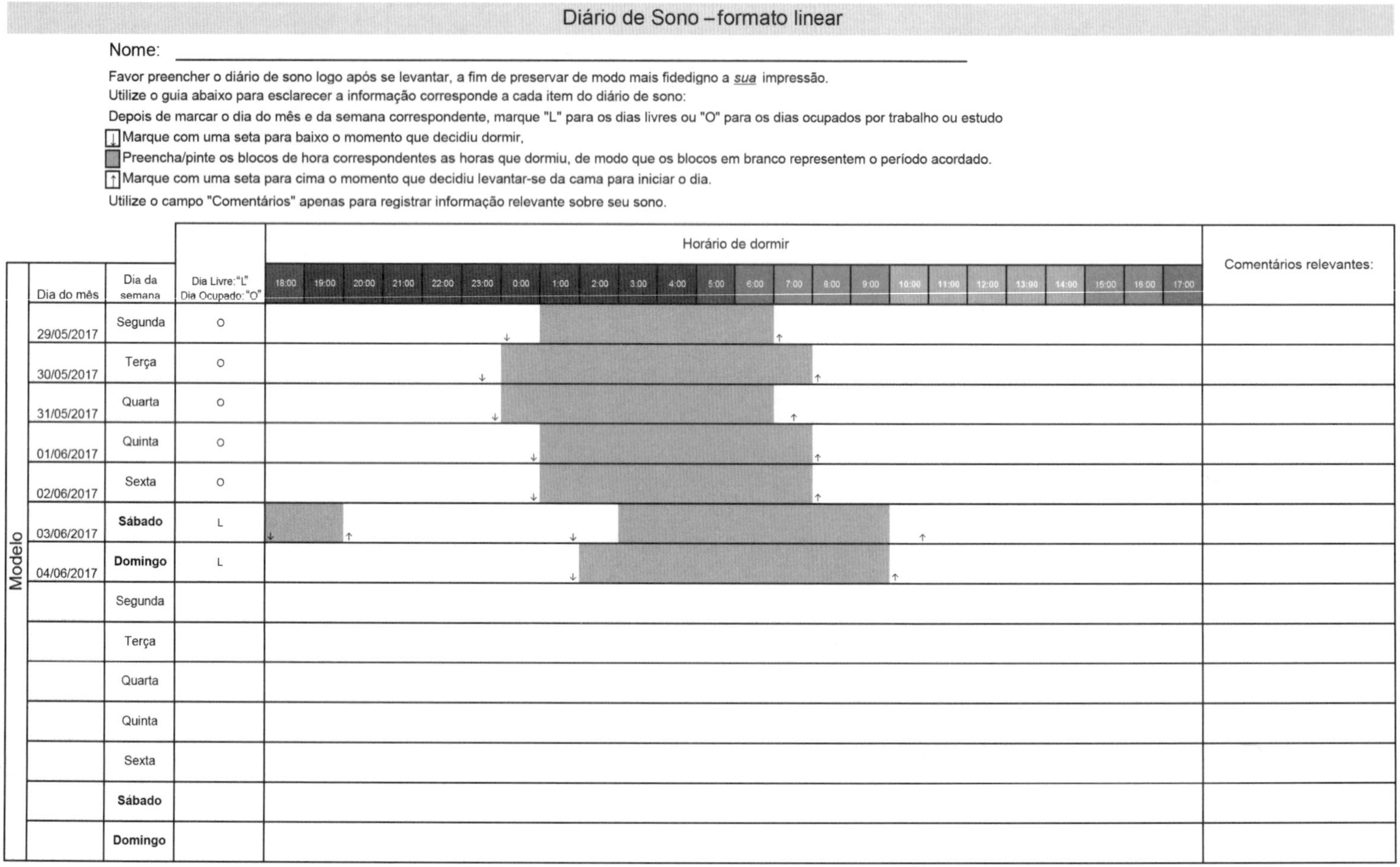
Diário de Sono – formato linear
Nome:
Favor preencher o diário de sono logo após se levantar, a fim de preservar de modo mais fidedigno a *sua* impressão.
Utilize o guia abaixo para esclarecer a informação corresponde a cada item do diário de sono:
Depois de marcar o dia do mês e da semana correspondente, marque "L" para os dias livres ou "O" para os dias ocupados por trabalho ou estudo
Marque com uma seta para baixo o momento que decidiu dormir,
Preencha/pinte os blocos de hora correspondentes as horas que dormiu, de modo que os blocos em branco representem o período acordado.
Marque com uma seta para cima o momento que decidiu levantar-se da cama para iniciar o dia.
Utilize o campo "Comentários" apenas para registrar informação relevante sobre seu sono.
Modelo
Dia do mês
Dia da semana
Dia Livre: "L" Dia Ocupado: "O"
Horário de dormir
18:00 19:00 20:00 21:00 22:00 23:00 0:00 1:00 2:00 3:00 4:00 5:00 6:00 7:00 8:00 9:00 10:00 11:00 12:00 13:00 14:00 15:00 16:00 17:00
Comentários relevantes:
29/05/2017 Segunda O
30/05/2017 Terça O
31/05/2017 Quarta O
01/06/2017 Quinta O
02/06/2017 Sexta O
03/06/2017 Sábado L
04/06/2017 Domingo L
Segunda
Terça
Quarta
Quinta
Sexta
Sábado
Domingo

FIGURA 3.4 – Diário de Sono em formato linear

Fonte: Elaborada pela autora.

Diários e escalas •• 29

Diário de sono – uso geral

Instruções ao paciente
Esse diário de sono foi construído para fornecer um registro de sua experiência de sono ao longo de sete noites (uma semana). Por favor, complete uma coluna do diário a cada manhã, logo que se levantar. Não se apresse em preencher e tente ser o mais preciso que puder. A sua estimativa é importante e é o que procuramos com esse diário.

Utilize o guia abaixo para esclarecer a informação corresponde a cada item do diário de sono:
Registre a data de hoje: Registre a data (dia/mês) relativa a manhã que está preenchendo o diário do sono.
Q.1. A que horas você foi para a cama a noite passada? – Escreva a hora que você foi para a cama. Essa hora pode não corresponder aquela em que você começou a "tentar" dormir.
Q.2. A que horas você decidiu iniciar o sono? – Registre a hora que você resolveu começar a "tentar" dormir.
Q.3. Quanto tempo você levou para iniciar o sono? – Registre o tempo que levou para iniciar o sono, considerando o horário que escreveu na Q.2.
Q.4. Quantas vezes você despertou ao longo do período de sono? (Não contabilizar o despertar final) – Registre o número de vezes que você acordou no meio do seu período de sono, isto é, entre o início e o término do sono (não considerar o ultimo despertar nessa contagem)
Q.5. Quanto tempo durou cada despertar? – Registre o tempo que que durou cada um dos seus despertares no meio do seu período de sono (aqueles especificados no item Q.4.).
Q.6. A que horas você acordou? (Considerar horário de despertar correspondente ao final do período de sono) – Registre o horário que despertou pela manhã, quando acordou e não voltou a dormir.
Q.7. A que horas você saiu da cama? – Registre a hora que saiu da cama para iniciar o dia. Esse horário pode ser diferente do seu horário de despertar (Ex. você pode ter acordado as 6h40, mas só ter saído da cama para iniciar o seu dia as 7h30)
Q.8. Como você avalia a qualidade de seu sono? – "Qualidade de sono" se refere a sensação em relação ao sono ter sido bom ou ruim.
Q.9. Comentários (se necessário): – Registre nesse campo apenas informação relevante sobre seu sono.

	Exemplo	Dia 1	Dia 2	Dia 3	Dia 4	Dia 5	Dia 6	Dia 7
Registre a data de hoje	31/05/17							
Q.1. A que horas você foi para a cama a noite passada?	21h45							
Q.2. A que horas você decidiu iniciar o sono?	22h30							
Q.3. Quanto tempo você levou para iniciar o sono?	30 min							
Q.4. Quantas vezes você despertou ao longo do período de sono? (Não contabilizar o despertar final)	2							
Q.5. Quanto tempo durou cada despertar?	1h / 15 min							
Q.6. A que horas você acordou? (Considerar horário de despertar correspondente ao final do período de sono)	6h50							
Q.7. A que horas você saiu da cama?	7h20							
Q.8. Como você avalia a qualidade de seu sono?	Muito ruim / X Ruim / Mediano / Bom / Muito bom	Muito ruim / Ruim / Mediano / Bom / Muito bom	Muito ruim / Ruim / Mediano / Bom / Muito bom	Muito ruim / Ruim / Mediano / Bom / Muito bom	Muito ruim / Ruim / Mediano / Bom / Muito bom	Muito ruim / Ruim / Mediano / Bom / Muito bom	Muito ruim / Ruim / Mediano / Bom / Muito bom	Muito ruim / Ruim / Mediano / Bom / Muito bom
Q.9. Comentários (se necessário):	Tive febre							

PARA USO DO PROFISSIONAL DE SAÚDE

RESUMO DAS VARIÁVEIS DO SONO	LIS (Q3)	FDN (Q4)	TA (Q5)	TTS (TTC-TTA)	DPM (Q7-Q6)	TTC (Q7-Q1)	TTA (LIS+TA+DPM)	EF (TTS/TTC)x100
SEMANA:								

FIGURA 3.5 – Diário de Sono em formato tabela
Fonte: Adaptada de Carney CE et al., 2012.

Na base do diário de sono consta uma tabela de resumo das variáveis finais de análise semanal. Esse campo é para uso do profissional de saúde, que deverá preencher a semana correspondente ao tratamento, e as colunas correspondentes às variáveis indiretas, conforme o esquema a seguir:

30 •• Seção I – Avaliação clínica

- Latência Inicial para o Sono (LIS: Q.3).
- Frequência de Despertares Noturnos (FDN: Q.4).
- Tempo Acordado: entre o início do sono e a hora de levantar (TA: Q.5).
- Tempo Total de Sono (TTS: TTC-TTA).
- Despertar Precoce Matutino (DPM: Q.7 – Q.6).
- Tempo Total na Cama (TTC: Q.7 – Q.1).
- Tempo Total Acordado (TTA: LIS + TA + DPM).
- Eficiência do Sono [EF: (TTS /TTC) x 100].

Os diários de sono não têm como objetivo diagnosticar um distúrbio do sono, mas ajudam a identificar a gravidade e causa do sintoma, como higiene do sono inadequada, síndrome do sono insuficiente ou distúrbio do ritmo circadiano. Além disso, o diário do sono consiste numa ferramenta auxiliar de tratamento, à medida que evidencia a resposta fisiológica do sono em relação às intervenções terapêuticas propostas.

■ 4.1. Incorporação de informações adicionais

Conforme necessidade clínica, é possível incorporar ao diário de sono outros itens que ofereçam subsídios para a identificação de práticas, hábitos ou sintomas da vigília que possam interferir no sono, como prática de cochilo, consumo de álcool, cafeína, medicação, estresse etc.

■ 4.2. Orientações para o preenchimento do diário do sono

As orientações listadas a seguir devem ser dadas de forma oral pelo profissional:

1. O diário de sono deve ser preenchido toda manhã, de preferência dentro da primeira hora após levantar-se da cama.

2. No caso de esquecimento ou impedimento para preencher o diário num dado dia da semana, solicita-se que não se preencha a coluna correspondente a esse dia e siga-se o preenchimento da noite de sono posterior, na noite sequencial da programação da semana, deixando em branco a coluna correspondente ao dia do impedimento/esquecimento.

3. Preencher as questões relativas a horas (Q.1, Q.2 e Q.6) considerando sistema de registro de 24 horas. Assim, onze horas da noite deve ser registrado 23 horas, deixando claro que 11 horas corresponde ao período da manhã.

4. Os registros relativos às horas ou tempo de duração não precisam ser exatos, apenas devem oferecer a melhor estimativa. O paciente deve ser desencorajado a olhar para o relógio durante o período destinado ao sono.

5. Os itens incorporados relativos a práticas associadas à vigília, como cochilo, consumo de álcool, cafeína etc., devem ser preenchidos à noite, na mesma coluna correspondente à noite de sono que será registrada na manhã seguinte.

6. Comentários sobre a noite de sono devem ser feitos no campo destinado para tal fim e apenas se a informação for sobre evento incomum que possa subsidiar a análise do profissional, por exemplo, situações de doença ou emergência. Alguns pacientes, especialmente com insônia, gostam de detalhar as noites de sono. Essa prática deve ser desmotivada, pois aumenta a atenção sobre o sono, dificultando o tratamento.

Diários e escalas •• **31**

■ 4.3. Instruções para o preenchimento do diário do sono

As instruções contidas no diário de sono (Figura 3.5) devem ser explicadas e esclarecidas oralmente pelo profissional e entregues por escrito ao paciente. Essas instruções constituem parte integrante do diário de sono.

O diário de sono em formato tabela fornecido neste capítulo corresponde ao modelo definido pelo comitê formado por 25 especialistas na área do sono[5], tendo demonstrado validade de construto[5] e bom poder discriminativo nos parâmetros de LIS, TTS, TA e EF, com valores de sensibilidade e especificidade variando entre 0,61 e 0,92[6].

5. Instrumentos diagnósticos na avaliação de Apneia Obstrutiva do Sono (AOS)

O "padrão ouro" para diagnóstico da AOS é a polissonografia completa.

Contudo, a alta prevalência desse distúrbio do sono e as dificuldades de acesso a esse tipo de exame, dispendioso financeiramente e não facilmente acessível para a maioria dos brasileiros, apontam para a necessidade de instrumentos de triagem que auxiliem na seleção de pacientes com maior suspeita da condição clínica da AOS. Nesse sentido, muitos questionários têm sido desenvolvidos para investigar um conjunto de sinais e sintomas associados à AOS de forma a serem incorporados na rotina clínica. Porém, estudos de revisão, utilizando-se de metanálise para avaliar os questionários mais utilizados para investigação de AOS, demonstraram heterogeneidade na acurácia dos resultados e fragilidade no uso desses instrumentos como triagem diagnóstica de AOS[7,8], apontando que seu uso deve ser cauteloso e reforçando a importância de a avaliação clínica envolver uma cuidadosa anamnese e exame físico, cuja combinação de fatores de risco oferece índices de maior confiabilidade no diagnóstico da AOS[8].

Os instrumentos de avaliação em AOS mais citados nos artigos científicos e com os melhores índices de sensibilidade e especificidade são o Questionário de Berlin[9] e o STOP-Bang[10]. No Brasil, esses são os dois instrumentos mais difundidos nos ambientes acadêmicos e clínicas de sono.

A Tabela 3.2 discrimina os sinais e sintomas associados à AOS que foram contemplados em cada um desses questionários.

TABELA 3.2 Sinais e sintomas avaliados nos questionários de Berlin e STOP-Bang									
Questionário	Idade	IMC	Gênero masculino	↑ PA	Circunferência pescoço	Ronco	Ronco alto	AOS	Sonolência/ cansaço diurno
Berlin	–	Sim	–	Sim	–	Sim	Sim	Sim	Sim
STOP-Bang	Sim	Sim	Sim	Sim	Sim	-	Sim	Sim	Sim

AOS: apneia obstrutiva do sono; IMC: índice de massa corporal; STOP-Bang: ronco, cansaço, apneia observada, elevação da pressão arterial; IMC: idade, circunferência do pescoço e gênero; ↑ PA: hipertensão.

Fonte: Elaborada pela autora.

O **Questionário de Berlin** (QB) foi desenvolvido por um grupo de 120 médicos americanos e alemães, clínicos gerais e pneumologistas, que se reuniram, em 1996, para levantar questões que pudessem predizer de forma consistente a presença de AOS[9]. Esse levantamento foi feito com base na descrição da literatura sobre comportamentos e fatores associados à AOS[9]. Tra-

32 •• Seção I – Avaliação clínica

ta-se de um questionário composto por 10 questões organizadas em três categorias que visam avaliar o risco para a presença de AOS. Um estudo recente de revisão e metanálise do QB mostrou que há muita divergência quanto à acurácia desse instrumento para triagem da AOS[11]. Os autores argumentam que a baixa sensibilidade do QB encontrada neste estudo de revisão se deve à ampla heterogeneidade metodológica utilizada nos estudos, sobretudo no que tange à definição de AOS[11]. Ainda, sugerem que os estudos de validação do QB são inadequados, limitando seu uso para auxílio diagnóstico da AOS, devido à baixa relação existente entre gravidade da AOS e sintoma autorrelatado. Os autores que traduziram e adaptaram o QB para o português encontraram resultados semelhantes[12]. Por esse motivo, o QB não é apresentado neste capítulo.

O **Questionário STOP-Bang** foi desenvolvido por Chung et al., em 2008[10]. A sigla STOP corresponde às iniciais dos quatro sintomas avaliados na língua inglesa, a saber: **S**noring (ronco**S**), **T**iredness (fa**T**igado), **O**bserved apnea (apneia **O**bservada), e high blood**P**ressure (**P**ressão arterial elevada) e a sigla Bang, aos quatro itens demográficos, a saber: **B**odymass index (índice de massa corporal / o**B**esidade), **A**ge (id**A**de), **N**eck circumference (circu**N**ferência de pescoço) e **G**ender (**G**ênero). Assim, esse questionário é composto por oito itens de resposta dicotômica: sim (1); não (2), gerando uma pontuação de 0 a 8. Tendo a polissonografia como suporte para a confirmação diagnóstica, os estudos de validação desse instrumento demonstraram validade interna[13], alta sensibilidade para detectar AOS, com valores superiores a 84%[7,13] e especificidade relativamente baixa, inferior a 49%[13]. Observa-se que, quanto maior a pontuação final obtida no questionário STOP-Bang, maior a chance de a pessoa apresentar AOS grave[13,14]. A classificação relativa ao risco de presença de AOS moderada a grave está descrita no rodapé da Figura 3.6, acrescida das recomendações da combinação de sinais associados para avaliação de valores de pontuação intermediários[14].

O processo de tradução para a língua portuguesa e adaptação transcultural brasileira do Questionário STOP-Bang foi conduzido por Fonseca et al.[15], demonstrando boa consistência interna (α Cronbach = 0,62) (Figura 3.6).

Questionário STOP-Bang	
• Ronco**S**?	• o**B**esidade com índice de massa corporal (IMC) maior que 35kg/m²?
Você ronca alto (alto o bastante para ser ouvido através de portas fechadas) ou seu parceiro cutuca você por roncar a noite? ( ) Sim ( ) Não	Índice de massa corporal (IMC) maior que 35kg/m²? ( ) Sim ( ) Não
• Fa**T**igado?	• Id**A**de
Você frequentemente sente-se cansado, fatigado ou sonolento durante o dia (por exemplo, adormecendo enquanto dirige)? ( ) Sim ( ) Não	Idade maior que 50 anos? ( ) Sim ( ) Não
• Observado?	• Circu**N**ferência de pescoço? (medida na altura do "pomo-de-adão")
Alguém já observou você parar de respirar ou engasgando/sufocando durante o sono? ( ) Sim ( ) Não	Para homens: circunferência cervical, maior ou igual a 43 cm. Para mulheres: circunferência cervical maior ou igual a 41 cm. ( ) Sim ( ) Não
• Pressão?	• Gênero?
Você tem ou está sendo tratado por pressão alta? ( ) Sim ( ) Não	Sexo masculino? ( ) Sim ( ) Não
Critérios de pontuação para a população geral: Baixo risco de AOS: Sim para 0-2 questões Intermediário risco de AOS: Sim para 3-4 questões Alto risco de AOS: Sim para 5-8 questões Ou "Sim" para 2 ou mais das 4 questões iniciais (STOP) + gênero masculino Ou "Sim" para 2 ou mais das 4 questões iniciais (STOP) + IMC > 35 kg/m2 Ou "Sim" para 2 ou mais das 4 questões iniciais (STOP) + circunferência vertical ≥ 43 cm para homens ou ≥ 41 cm para mulheres	

FIGURA 3.6 – Questionário STOP-Bang
Fonte: Fonseca LB et al., 2016.

Diários e escalas •• **33**

Sugerimos a Escala de Sonolência de Epworth para auxiliar na avaliação clínica da presença de SED, no entanto, sem sugerir que esse sintoma seja condição *sine qua non* para a presença de AOS[8].

6. Instrumentos diagnósticos na avaliação da insônia

O diagnóstico de insônia se dá, sobretudo, pela avaliação clínica baseada no relato do paciente (espontâneo ou provocado) informando sintomatologia típica de um quadro de insônia (ver critérios diagnósticos no Capítulo 13), eliminando-se os fatores confundidores, como tempo de sono insuficiente ou suspeita de outro distúrbio do sono que justifiquem igualmente as queixas relatadas. Nesses casos, recomenda-se o exame de polissonografia para melhor avaliação do quadro.

As diretrizes relativas aos métodos diagnósticos e de manejo clínico da insônia definidas pela Academia Americana de Medicina do Sono (AAMS) incluem o uso de questionários[16] no auxílio diagnóstico da insônia, orientação da intervenção e avaliação.

Assim, podemos organizar o uso desses instrumentos em cinco aspectos diferentes em relação ao objetivo e etapa de acompanhamento clínico de um paciente com insônia:

1. Diagnóstico apurado da queixa de insônia.
2. Identificação dos aspectos cognitivos e comportamentais associados à manutenção da insônia.
3. Avaliação da qualidade do padrão de sono.
4. Levantamento sintomático dos prejuízos associados ao funcionamento diurno.
5. Levantamento dos eventuais efeitos adversos do tratamento.

Tomados em conjunto, os instrumentos de investigação permitem compor o cenário específico do problema de insônia do paciente e identificar a melhor estratégia de intervenção, que alie a promoção de um padrão de sono de qualidade e melhora das funções diurnas, com o menor grau de rejeição e/ou efeitos colaterais.

Neste capítulo, serão citados os questionários recomendados por sua eficácia em detectar mudanças pré e pós tratamento psico e farmacoterápico em investigações clínicas randomizadas e bem controladas[16].

■ 6.1. Diagnóstico apurado da queixa de insônia

Para auxílio na triagem e no diagnóstico da insônia em adultos, são comumente utilizados o Índice de Gravidade de Insônia, desenvolvido por Bastien et al.[17], para avaliar a presença de sintomas de insônia e seu impacto na vida do paciente, e o IQSP[1,2], que detecta insatisfação geral com o sono, com maior sensibilidade para detectar insônia do que outros distúrbios do sono[2,18]. A descrição do IQSP foi apresentada anteriormente.

O **Índice de Gravidade de Insônia (IGI)** é uma escala de autoaplicação, breve e simples, composta por sete itens que podem ser classificados em escalas *likert* de 0 a 4. A pontuação total varia de 0 a 28. Valores superiores a 7 indicam presença de sintomas de insônia, sendo que valores superiores a 15 sugerem presença de insônia clinicamente significativa[17]. O objetivo do IGI **é** mensurar a percepção do paciente em relação à insônia, avaliando sintomas, consequências e grau de preocupação e estresse pelas dificuldades com o sono[17].

34 ·· Seção I – Avaliação clínica

O processo de tradução para o português, adaptação transcultural para uso no Brasil e validação do IGI foram conduzidos por Castro[18], em uma amostra probabilística da cidade de São Paulo. O estudo das propriedades psicométricas do IGI demonstrou boa consistência interna (α Cronbach = 0,86), validade de constructo e validade convergente com o IQSP, cuja dimensão qualidade de sono se relaciona com a dimensão gravidade de insônia do IGI (r = 0,75; Beta = 0,65). A análise fatorial exploratória dos componentes do IGI sugeriu uma estrutura unidimensional com bom nível de adequação (KMO = 0,88). O item 1c apresentou a menor carga fatorial (0,56), enquanto os demais itens apresentaram valores superiores a 0,65. Castro[18] sugeriu reformular a frase "Problemas de despertar muito cedo" para "Despertar antes da hora programada, sem conseguir retomar o sono". A Figura 3.7 apresenta a versão do IGI com o ajuste proposto pelo autor[18]. Adotando-se o ponto de corte de 7, a sensibilidade do IGI foi de 73%, e a especificidade, de 80%, com acurácia de 77%. Esse estudo demonstrou que a versão em português do IGI é confiável, válida e adequada para triar e avaliar a insônia, incluindo consequências e impacto, além da insatisfação com o sono[18].

Índice de Gravidade de Insônia

1. Por favor, avalie a gravidade atual da sua insônia nas duas últimas semanas, em relação a:

a) Dificuldade em pegar no sono

Nenhuma	Leve	Moderada	Grave	Muito grave
0	1	2	3	4

b) Dificuldade em manter o sono

Nenhuma	Leve	Moderada	Grave	Muito grave
0	1	2	3	4

c) Despertar antes da hora programada, sem conseguir retomar o sono

Nenhuma	Leve	Moderada	Grave	Muito grave
0	1	2	3	4

2. Quanto você está satisfeito ou insatisfeito com o padrão atual de seu sono?

Muito satisfeito	Satisfeito	Indiferente	Insatisfeito	Muito insatisfeito
0	1	2	3	4

3. Em que medida você considera que seu problema de sono interfere nas suas atividades diurnas (por exemplo: fadiga diária, habilidade para trabalhar/ executar atividades diárias, concentração, memória, humor, etc.)

Não interfere	Interfere um pouco	Interfere de algum modo	Interfere muito	Interfere extremamente
0	1	2	3	4

4. Quanto você acha que os outros percebem que o seu problema de sono atrapalha sua qualidade de vida?

Não percebem	Percebem um pouco	Percebem de algum modo	Percebem muito	Percebem extremamente
0	1	2	3	4

5. O quanto você está preocupado/ estressado com o seu problema de sono?

Não estou preocupado	Um pouco preocupado	De algum modo preocupado	Muito preocupado	Extremamente
0	1	2	3	4

Pontuação no IGI:
00 a 07: não atingiu critérios para insônia
08 a 14: limite inferior para a insônia
15 a 21: insônia clínica moderada
22 a 28: insônia clínica grave

FIGURA 3.7 – Índice de Gravidade de Insônia
Fonte: Castro LS., 2011.

6.2. Identificação dos aspectos cognitivos e comportamentais associados à manutenção da insônia

O tratamento da insônia envolve o manejo cognitivo e comportamental associado à manutenção do padrão condicionado de insônia. Crenças e atitudes relacionadas ao sono que desfavoreçam um sono de qualidade são alvos do tratamento não farmacológico da insônia.

As crenças errôneas, as preocupações e a atenção exacerbada sobre o sono constituem aspectos cognitivos que perpetuam e prejudicam a insônia. Morin[19] desenvolveu a **Escala de Crenças e Atitudes Disfuncionais sobre o Sono (ECAS)** para identificar e avaliar as cognições desorganizadoras do sono dos pacientes que sofrem de insônia, a fim de facilitar seu manejo durante o processo de intervenção terapêutica. A versão original do ECAS inclui 30 sentenças que descrevem crenças e/ou atitudes que as pessoas possam ter em relação ao sono. Para cada uma delas, pede-se que a pessoa classifique o grau de concordância numa escala visual analógica de 100 mm[19]. Esse instrumento se mostrou confiável para discriminar "bons" de "maus" dormidores e sensível para identificar resposta ao tratamento[20-22], sendo amplamente utilizado no meio clínico e acadêmico. Os autores propuseram versões abreviadas dessa escala, com 16 e 10 itens, a fim de facilitar o uso na comunidade de sono.

Os 10 itens que compõem a versão da ECAS-10 foram selecionados dentro daqueles 30 que compõem a escala original, em virtude da alta sensibilidade que demonstraram para detectar resposta à Terapia Cognitivo-Comportamental da Insônia (TCC-I)[21]. Foram identificados três fatores (subescalas) na ECAS-10, que avaliam aspectos diferentes associados às cognições desorganizadoras do sono em pacientes insones, a saber: "crenças sobre consequências negativas imediatas da insônia", "crenças sobre as consequências negativas da insônia a longo prazo" e "crenças sobre a necessidade de controlar a insônia"[21]. A versão ECAS-10 apresentou boa consistência interna (α Cronbach > 0,69)[21,23,24] e alta correlação com a ECAS-30 (r = 0,83), com capacidade para discriminar entre "bons" dormidores e pacientes com insônia e sensibilidade para detectar resposta ao tratamento[21,23]. Chung et al.[24] verificaram que a ECAS-10 apresentou validade concorrente com o IGI e a subescala de ansiedade da Escala de Ansiedade e Depressão Hospitalar e sensibilidade a mudança após o tratamento. Assim, a ECAS-10 se mostra um instrumento eficiente na avaliação global das crenças e atitudes disfuncionais típicas da insônia, sensível para a avaliação da intervenção terapêutica[24], podendo substituir o uso da escala original, acrescentando a vantagem de seu preenchimento ser mais breve e rápido.

O processo de tradução para o português e adaptação transcultural para uso no Brasil da ECAS-10 foi conduzido por Conway, em 2007, junto com a equipe multidisciplinar de sono do Instituto do Sono/SP, não tendo passado por processo de validação estatística. A Figura 3.8 mostra a versão traduzida e adaptada para o português.

36 •• Seção I – Avaliação clínica

Escala de Crenças e Atitudes Disfuncionais sobre Sono

Nome: _____ Idade: _____ Data: ___/___/_____

Instruções ao paciente

Abaixo serão apresentadas diversas afirmações que refletem algumas das crenças e atitudes das pessoas sobre o sono. Por favor, indique em que medida você, pessoalmente, concorda ou discorda com cada frase. Não há resposta certa ou errada. Para cada frase, circule o número que corresponde, particularmente, *à sua própria crença*.

Por favor, responda a todos os itens, mesmo que algum não se aplique diretamente a sua situação.

1. Eu preciso de 8 horas de sono para me sentir recuperado e funcionar bem durante o dia.

Discordo totalmente .... Concordo totalmente

0	1	2	3	4	5	6	7	8	9	10

2. Quando não durmo uma quantidade de sono apropriada em uma determinada noite, preciso recuperar durante o dia seguinte com um cochilo ou na próxima noite dormindo mais horas.

Discordo totalmente .... Concordo totalmente

0	1	2	3	4	5	6	7	8	9	10

3. Estou preocupado que a insônia crônica possa levar sérias consequências à minha saúde física.

Discordo totalmente .... Concordo totalmente

0	1	2	3	4	5	6	7	8	9	10

4. Quando tenho problemas para pegar no sono ou retomá-lo após um despertar noturno, devo permanecer na cama me esforçando mais para adormecer.

Discordo totalmente .... Concordo totalmente

0	1	2	3	4	5	6	7	8	9	10

5. Estou preocupado que eu possa perder o controle sobre minhas habilidades para dormir.

Discordo totalmente .... Concordo totalmente

0	1	2	3	4	5	6	7	8	9	10

6. Sei que uma noite "pobre" de sono interferirá em minhas atividades diárias.

Discordo totalmente .... Concordo totalmente

0	1	2	3	4	5	6	7	8	9	10

7. Quando me sinto irritável, deprimido(a) ou ancioso(a) durante o dia, isto ocorre principalmente porque não dormi bem na noite anterior.

Discordo totalmente .... Concordo totalmente

0	1	2	3	4	5	6	7	8	9	10

8. Quando tenho um sono "pobre" numa noite, sei que isso vai perturbar meu programa de sono pelo resto da semana.

Discordo totalmente .... Concordo totalmente

0	1	2	3	4	5	6	7	8	9	10

9. Quando me sinto cansado(a), sem energia ou simplesmente pareço não funcionar bem durante o dia, geralmente, é porque não dormi bem a noite anterior.

Discordo totalmente .... Concordo totalmente

0	1	2	3	4	5	6	7	8	9	10

10. Eu fico mergulhado(a) em meus pensamentos durante a noite e, com frequência, sinto não ter controle sobre a velocidade de minha mente.

Discordo totalmente .... Concordo totalmente

0	1	2	3	4	5	6	7	8	9	10

Fatores
Crenças sobre as consequências negativas imediatas (Q.1, Q.2, Q.6, Q.7, Q.9) – pontuação máxima = 50
Crenças sobre as consequências negativas a longo prazo (Q.3, Q.5, Q.8) – pontuação máxima = 30
Crenças quanto à necessidade de controle sobre a insônia (Q.4, Q.10) – pontuação máxima = 20

FIGURA 3.8 – Escala de Crenças e Atitudes Disfuncionais do Sono
Fonte: Adaptada de Edinger JD, Wohlgemuth WK, 2001. Obs.: Não existem estudos de tradução, adaptação transcultural e validação deste questionário para uso no Brasil. Esta figura serve apenas como ilustração do conteúdo abordado no questionário. A tradução apresentada não atende aos protocolos internacionais de tradução e adaptação transcultural requeridos para sua validação e futura aplicação em ambientes clínicos.

■ 6.3. Avaliação da qualidade do padrão de sono

Diários de sono devem ser incluídos na rotina de diagnóstico e tratamento da insônia. Os parâmetros fornecidos pelo diário de sono diferenciam pacientes com insônia de "bons" dormidores[25,26] com maior acurácia que os parâmetros obtidos pela actigrafia[24] e com custo bem inferior. Além disso, demonstram sensibilidade para medir resposta ao tratamento[26]. Por esses motivos, devem ser preenchidos pelo paciente desde a primeira consulta até a alta do tratamento. Contudo, antes de qualquer intervenção terapêutica para tratar insônia,

Diários e escalas •• **37**

sugere-se o monitoramento do sono do paciente pelo preenchimento do diário de sono, por um período mínimo de duas semanas.

No diário de sono, usado para fins de avaliação e manejo clínico da insônia, faz-se importante monitorar o consumo de álcool e de medicamentos para dormir.

Em vista do fato de muitos pacientes insones terem má percepção do sono, sugere-se também a inclusão do TTS estimado pelo paciente, de modo a favorecer a melhora da percepção de sono ao longo do tratamento. A Figura 3.9 corresponde ao diário de sono ajustado para uso em pacientes com insônia.

Diário de sono – uso insônia

Instruções ao paciente
Esse diário de sono foi construído para fornecer um registro de sua experiência de sono ao longo de sete noites (uma semana). Por favor, complete uma coluna do diário a cada manhã, logo que se levantar. Não se apresse em preencher e tente ser o mais preciso que puder. A sua estimativa é importante e é o que procuramos com esse diário.

Utilize o guia a seguir para esclarecer a informação corresponde a cada item do diário de sono:
Registre a data de hoje: Registre a data (dia/mês) relativa a manhã que está preenchendo o diário do sono.
Q.1. A que horas você foi para a cama a noite passada? – Escreva a hora que você foi para a cama. Essa hora pode não corresponder aquela em que você começou a "tentar" dormir.
Q.2. A que horas você decidiu iniciar o sono? – Registre a hora que você resolveu começar a "tentar" dormir.
Q.3. Quanto tempo levou para iniciar o sono? – Registre o tempo que levou para iniciar o sono, considerando o horário que escreveu na Q.2.
Q.4. Quantas vezes você despertou ao longo do período de sono? (Não contabilizar o despertar final) – Registre o número de vezes que você acordou no meio do seu período de sono, isto é, entre o início e o término do sono (não considerar o ultimo despertar nessa contagem).
Q.5. Quanto tempo durou cada despertar? – Registre o tempo que que durou cada um dos seus despertares no meio do seu período de sono (aqueles especificados no item Q.4.).
Q.6. A que horas você acordou? (Considerar horário de despertar correspondente ao final do período de sono) – Registre o horário que despertou pela manhã, quando acordou e não voltou a dormir.
Q.7. A que horas você saiu da cama? – Registre a hora que saiu da cama para iniciar o dia. Esse horário pode ser diferente do seu horário de despertar (Ex. você pode ter acordado as 6h40, mas só ter saído da cama para iniciar o seu dia as 7h30).
Q.8. Como você avalia a qualidade de seu sono? – "Qualidade de sono" se refere a sensação em relação ao sono ter sido bom ou ruim.
Q.9. Ao todo, quanto tempo você dormiu (horas/mins)? – Com base nas anotações anteriores, estime o tempo total de sono.
Q.10. Quanto de álcool você ingeriu a noite passada? – Especifique a quantidade de doses e a bebida que ingeriu na noite anterior ao sono (Ex. 1 taça de vinho, 3 copos de cerveja, 1 dose de whisky, etc).
Q.11. Quantos comprimidos você tomou para ajudá-lo a dormir? – Especifique a dose e o medicamento que tomou para ajudar a iniciar o sono.
Q.12. Comentários (se necessário): – Registre nesse campo apenas informação relevante sobre seu sono.

	Exemplo	Dia 1	Dia 2	Dia 3	Dia 4	Dia 5	Dia 6	Dia 7
Registre a data de hoje	31/05/17							
Q.1. A que horas você foi para a cama a noite passada?	21h45							
Q.2. A que horas você decidiu tentar iniciar o sono?	22h30							
Q.3. Quanto tempo você levou para iniciar o sono?	30 min							
Q.4. Quantas vezes você despertou ao longo do período de sono? (Não contabilizar o despertar final)	2							
Q.5. Quanto tempo durou cada despertar?	1h 15min							
Q.6. A que horas você acordou? (Considerar horário de despertar correspondente ao final do período de sono)	6h50							
Q.7. A que horas você saiu da cama?	7h20							
Q.8. Como você avalia a qualidade de seu sono?	Muito ruim X Ruim Mediano Bom Muito bom	Muito ruim Ruim Mediano Bom Muito bom	Muito ruim Ruim Mediano Bom Muito bom	Muito ruim Ruim Mediano Bom Muito bom	Muito ruim Ruim Mediano Bom Muito bom	Muito ruim Ruim Mediano Bom Muito bom	Muito ruim Ruim Mediano Bom Muito bom	Muito ruim Ruim Mediano Bom Muito bom
Q.9. Ao todo, quanto tempo você dormiu (horas/mins)?	6h35							
Q.10. Quanto de álcool você ingeriu a noite passada?	3 copos cerveja							
Q.11. Quantos comprimidos você tomou para ajudá-lo a dormir?	1 Stilnox							
Q.12. Comentários (se necessário):	Tive febre							

PARA USO DO PROFISSIONAL DE SAÚDE

RESUMO DAS VARIÁVEIS DO SONO	LIS (Q3)	FDN (Q4)	TA (Q5)	TTS (TTC-TTA)	DPM (Q7-Q6)	TTC (Q7-Q1)	TTA (LIS+TA+DPM)	EF (TTS/TTC)x100
SEMANA:								

FIGURA 3.9 – Diário de sono para monitoramento da insônia
Fonte: Adaptada de Carney CE et al., 2012.

38 •• Seção I – Avaliação clínica

Para mais informações sobre características e uso do diário do sono, sugerimos consultar o tópico "Diários de Sono" deste capítulo.

■ 6.4. Levantamento sintomático dos prejuízos associados ao funcionamento diurno

Um dos alvos do tratamento da insônia é a melhora no funcionamento das funções diurnas, comumente prejudicadas por esse distúrbio do sono, e cuja presença define um dos critérios básicos do seu diagnóstico. A procura do tratamento pelo paciente insone geralmente acontece motivada pelo prejuízo no funcionamento diurno. Assim, monitorar a eficácia da intervenção nesses parâmetros é tão importante quanto avaliar a alteração promovida sobre o padrão de sono. Resultados de ineficácia da intervenção sobre o funcionamento diurno podem indicar baixa apreciação do tratamento ou necessidade de investigação clínica mais apurada sobre doenças associadas.

Os prejuízos diurnos associados à insônia variam de paciente para paciente, alguns deles apresentando uma combinação dupla ou múltipla dos seguintes sintomas: fadiga, sonolência, déficits cognitivos (atenção, concentração e memória), alterações de humor/irritabilidade, queda no desempenho acadêmico e/ou laboral, prejuízo nos relacionamentos sociais e familiares, redução da motivação/energia ou iniciativa, queixas somáticas (tensão, dor de cabeça e dor estomacal), assim como estresse associado às dificuldades de sono. As prerrogativas de diagnóstico e manejo clínico da insônia, definidas pela AAMS, indicam a avaliação desses parâmetros antes e durante o tratamento[16]. Esse tipo de monitoramento sintomático antes do início do tratamento permite definir a melhor escolha de intervenção, e, durante o tratamento, avaliar sua eficácia a tempo de rever estratégias em caso de necessidade. Sugere-se avaliação equivalente ao final do tratamento para confirmação da eficácia e para elaboração de relatório geral, global e contextualizado da intervenção.

Os métodos investigativos acerca dos prejuízos diurnos podem ser aplicados com certa flexibilidade. A escolha do instrumento investigativo dependerá da avaliação clínica inicial e da natureza da prática clínica e treinamento profissional. Sugere-se a inclusão de pelo menos um dos procedimentos listados a seguir:

- Registro no prontuário do paciente das queixas de funcionamento diurno associadas ao sono autorreferidas ou fornecidas pelo cuidador ou parceiro de quarto.
- Administração de questionários validados que acessem os domínios de funcionamento diurno prejudicados e que permitam uma interpretação global, resumida e contextualizada dos critérios avaliados.

A prática de registro em prontuário, apesar de basear-se num relato subjetivo do paciente de fornecer aspectos mais globais do prejuízo diurno investigado e de não permitir um grau de sensibilidade e especificidade mais apurado da queixa, pode constar como a única prática possível em alguns cenários da prática clínica profissional e institucional do Brasil, mostrando-se um método de gerenciamento da insônia altamente prático e relevante.

Contudo, sempre que o contexto clínico e institucional permitir, sugere-se o uso de instrumentos validados de avaliação desses parâmetros. Na Tabela 3.3, é possível consultar a relação de parâmetros de funcionamento diurno, geralmente prejudicados nos pacientes insones, e a indicação dos instrumentos sensíveis para medi-los. Vale ressaltar que a relação de instrumentos sugerida não compreende a totalidade de questionários que pode ser usada para avaliar a presença e gravidade dos sintomas ou queixas diurnas associadas à insônia, servindo apenas como referências válidas para a finalidade proposta nesse tópico.

Diários e escalas •• **39**

	TABELA 3.3	
	Relação dos sintomas diurnos associados à insônia e distúrbios do sono e instrumentos sensíveis para sua medição	
Sintoma diurno	**Questionário**	**Objetivo e breve descrição do instrumento**
Sonolência	Escala de Sonolência de Epworth	Avalia a probabilidade de adormecer em situações cotidianas. Composto por 8 itens, respondidos numa escala de 0 a 3. A pontuação final varia de 0 a 24. Pontuação > 10 indica presença de SED[3,4].
Fadiga	Escala de Gravidade da Fadiga	Avalia o impacto da fadiga nas atividades diárias. Composto por 9 itens, classificados de acordo com o grau de concordância numa escala de 1 a 7, indicando total discordância ou total concordância, respectivamente[27,28].
	Inventário Multidimensional de Fadiga	Avalia 5 dimensões diferentes da fadiga (geral; física; mental; redução de atividade e redução da motivação). Composto por 20 afirmativas para as quais deve ser atribuído o grau de veracidade da sentença numa escala de 5 pontos. A pontuação final varia de 4 a 20. Pontuações mais altas indicam níveis mais altos de fadiga[29,30].
Estresse	Escala de Estresse Lipp	Avalia sinais e sintomas de estresse associados a manifestações físicas e psicológicas. Permite identificar presença e fase do estresse (alerta, resistência, quase exaustão e exaustão)[31].
Ansiedade	Inventário de Ansiedade Beck	Avalia a intensidade dos sintomas de ansiedade. Composto por 21 itens. A pontuação final varia de 0 a 63. Pontuações mais altas indicam níveis mais altos de ansiedade[32-34].
Depressão	Inventário de Depressão Beck	Avalia a intensidade da depressão. Composto por 21 itens, a pontuação final varia de 0 a 63. Pontuações mais altas indicam níveis mais altos de depressão[34,35].
Qualidade de vida	SF-36 Health Survey	Avalia 8 domínios diferentes da qualidade de vida (capacidade funcional, aspectos físicos, dor, estado geral de saúde, vitalidade, aspectos sociais, aspectos emocionais e saúde mental, gerando duas medidas sumárias – CoF (componente físico) e CoM (componente mental). Composto por 36 questões. Pontuações mais altas indicam melhor estado de saúde[36,37].
	WHOQOL-breve	Avalia 4 domínios diferentes da qualidade de vida (físico, psicológico, relacionamento social e ambiente). Composto por 26 questões que devem ser classificadas numa escala *likert* de 1 a 5. Esta versão breve deriva da versão completa WHOQOL-100 (38). A pontuação final varia de 0 a 100. Pontuações mais altas indicam melhor qualidade de vida[38-40].

SF: Short-Form; WHOQOL: World Health Organization Quality of Life

Fonte: Elaborada pela autora.

■ 6.5. Levantamento dos eventuais efeitos adversos do tratamento da insônia

Uma certa proporção de pacientes que se submete ao tratamento de insônia apresenta efeitos colaterais. Esses efeitos podem acontecer tanto na abordagem de tratamento psicológica quanto farmacológica.

40 •• Seção I – Avaliação clínica

Em geral, os efeitos adversos da abordagem psicológica são aumento da SED, diminuição da vigilância durante o dia[41] e dor de cabeça, especialmente quando é empregada a técnica de restrição de tempo na cama. Esses efeitos tendem a desaparecer quando o tratamento avança e ajusta o tempo total de sono ideal do paciente.

Os potenciais efeitos colaterais do tratamento farmacológico incluem sedação durante a vigília, especialmente nas primeiras horas após despertar; dor de cabeça; náusea ou desconforto gastrintestinal; pesadelo; comportamentos complexos durante o sono; efeitos cognitivos, como perda de memória, confusão e/ou desorientação; efeitos psicomotores, como desequilíbrio e/ou queda, depressão, tolerância, dependência e abstinência. Diversos estudos de revisão e metanálise documentam a natureza desses efeitos quando se faz uso de benzodiazepínicos e hipnóticos no tratamento farmacológico da insônia[42-44]. Além de esses efeitos prejudicarem a qualidade de vida do paciente, alguns deles podem levar a um aumento do risco de acidentes laborais e automobilísticos, trazendo risco de vida ao paciente e terceiros. Assim, é fundamental investigar sobre esses efeitos quando o paciente está submetido ao tratamento farmacológico, pois os efeitos adversos dessa intervenção não podem superar o benefício oferecido, que seria a melhora do quadro de insônia.

Apesar de existirem instrumentos para investigar cada um dos sintomas adversos do tratamento psico e farmacológico, sugere-se que essa avaliação seja conduzida por meio de entrevista durante a visita clínica do paciente e que essas informações sejam registradas no prontuário, permitindo um monitoramento mais detalhado do tratamento, que favoreça a identificação de sinais e sintomas que sugiram necessidade de alteração da abordagem de tratamento.

Quando o tratamento de escolha é combinado, isto é, psicológico e farmacológico, devem-se avaliar os possíveis efeitos adversos relativos a cada uma das abordagens, assim como os efeitos interativos, como a possível potencialização do efeito sedativo provocado pela técnica de restrição de tempo na cama.

Vale ressaltar que mesmo os efeitos adversos leves e que não acumulam riscos para a vida do paciente podem prejudicar sua percepção de melhora do padrão de sono e funcionamento diurno. Portanto, a adesão do paciente ao tratamento, a eficácia e segurança da intervenção, assim como a satisfação do paciente, dependem em grande medida da relação custo/benefício da alternativa de intervenção proposta[16].

7. Instrumentos diagnósticos na avaliação do ritmo circadiano

Na clínica do sono, as queixas de SED e insônia podem estar fortemente relacionadas com a desorganização do ritmo circadiano. A organização do dia com base nos horários praticados nas atividades sociais, profissionais e/ou acadêmicas nem sempre coincide com o ritmo do organismo. Assim, é comum haver uma discrepância entre o ritmo exercido no cotidiano e o fisiológico. Esse fenômeno é conhecido por desorganização temporal e é responsável pela desarmonia de muitos ritmos do organismo, entre eles o ritmo sono-vigília, estando associado ao desenvolvimento de muitas doenças.

Duas circunstâncias sociais podem ser destacadas como associadas a essa condição:

1. O horário de trabalho "mais matutino" imposto na era pós-industrial pode provocar um descompasso para quem tem uma preferência circadiana (cronotipo) com características vespertinas mais proeminentes.

Diários e escalas •• **41**

2. O ritmo de 24 horas das grandes cidades da atualidade, onde comércio, indústria e entretenimento funcionam de domingo a domingo, sem pausa, exercendo forte estímulo para a manutenção da vigília, em horários antes ocupados por recolhimento para atividades de convívio da comunidade, reflexivas ou sono. Assim, as pessoas se veem espremidas entre os horários estendidos para deslocamento e trabalho e os horários comprimidos para a prática de atividades físicas, o exercício das funções domésticas e familiares, os compromissos sociais e os atrativos de entretenimento. Em geral, diminuem o tempo de sono como forma de encaixar na agenda as atribuições, obrigações e desejos. Contudo, o tempo e o horário de sono nem sempre são compatíveis com o ritmo biológico da pessoa. Queixas de dificuldades para iniciar o sono podem estar associadas a dificuldades na sincronização temporal, assim como as queixas de SED, geralmente associadas a tempo de sono insuficiente, especialmente entre jovens. Os indivíduos mais jovens encontram-se em uma fase de vida de maior interesse nos programas de interação social que invadem a madrugada, manifestando maior facilidade em se manterem acordados nesses horários, devido à fase de vida mais vespertina[45]. As condições sociais e laborais modernas repercutem num padrão de sono insuficiente em termos de horário e tempo de repouso, indicando a importância de se avaliar o grau de concordância entre o ritmo biológico natural do paciente e o padrão de atividades exercido no seu cotidiano. Indagar sobre o horário de preferência para o exercício das atividades diurnas, especialmente o horário do dia em que a pessoa se sente mais alerta ou que parece oferecer seu melhor potencial, assim como perguntar sobre o horário de sono exercido durante os dias de trabalho/estudo e durante os dias livres, pode ajudar no esclarecimento da queixa de insônia ou SED.

No que tange ao diagnóstico e tratamento dos distúrbios do ritmo circadiano (fase atrasada ou adiantada do sono e livre-curso), a identificação dos marcadores endógenos do ritmo circadiano, que indicam o início da secreção da melatonina, são essenciais[46]. Essas medidas podem ser obtidas pela análise da curva de melatonina secretada na saliva ou na urina. As dificuldades financeiras e operacionais associadas a esse tipo de coleta indicam a importância do uso de instrumentos que auxiliem na identificação do ritmo circadiano do paciente.

O **Questionário de Matutinidade-Vespertinidade Horne-Ostberg (H&O)**[47] é o instrumento mais utilizado e validado mundialmente para a identificação da preferência circadiana. Composto por 19 itens de múltipla escolha e autopreenchimento, avalia os horários de preferência pessoal para dormir, desempenhar atividades de rotina e executar tarefas físicas e mentais. O paciente é convidado a responder sempre com base no horário que reflete o horário de seu "melhor desempenho" para a atividade. A pontuação total varia de 16 a 86. Pontuação alta (59 a 86) identifica indivíduos com perfil matutino; pontuação baixa (16 a 41) corresponde a indivíduos com perfil vespertino, e pontuação entre 42 a 58 corresponde ao tipo intermediário. A versão em português, adaptada para uso no Brasil, foi conduzida por Benedito-Silvia et al., em 1990[48] (Figura 3.10).

Na Figura 3.11 é possível conferir as tabelas para pontuação dos 19 itens do H&O. A pontuação total é obtida pela somatória dos pontos correspondentes a cada um dos itens. Nessa classificação tradicional do H&O está implícito que a classificação "intermediária" deriva da escolha de categorias de respostas intermediárias para a maioria dos 19 itens do questionário. Contudo, um pequeno grupo de indivíduos demonstra um padrão de respostas diferente: respondem como tipo matutino em um grupo de questões e como tipo vespertino em outro grupo de questões[49]. Assim, na classificação tradicional, "intermediário" corresponde a uma média aritmética simples da pontuação geral, que não considera a característica qualitativa implícita nesse padrão de resposta alternante.

42 •• Seção I – Avaliação clínica

Questionário de Matutinidade-Vespertinidade Horne & Östberg

Instruções:
1. Leia com atenção cada questão antes de responder.
2. Responda todas as questões
3. Para cada questão coloque apenas uma resposta
4. Responda a cada questão com toda honestidade possível.

Em qual dessas estações do ano você se sente melhor? ☐ Verão ☐ Inverno ☐ Outono ☐ Primavera

Você sente desconforto na entrada do horário de verão? ☐ Não ☐ Sim - Se sim, quanto tempo dura esse mal estar? _____ dias

Qual o seu horário de trabalho ou estudo: Hora início: [ ] Hora término: [ ]

Com qual grupo étnico (racial) a seguir você se identifica mais?
☐ Negro ☐ Branco (Caucasiano) ☐ Asiático ☐ Desconhecido
☐ Índio ☐ Mulato ☐ Outro: _____

QUESTÕES:

ATENÇÃO: O não preenchimento de uma questão ou mais, ou o preenchimento de mais de uma categoria na mesma questão, invalida o questionário.

1. Considerando apenas o seu bem estar pessoal e com liberdade total de planejar seu dia, a que horas você se levantaria?

[escala: 5 6 7 8 9 10 11 12] [ ] hs

2. Considerando apenas o seu bem estar pessoal e com liberdade total de planejar a sua noite, a que horas você se deitaria?

[escala: 20 21 22 23 24 1 2 3] [ ] hs

3. Até que ponto você depende do despertador para acordar de manhã?
☐ Nada dependente ☐ Não muito dependente ☐ Razoavelmente dependente ☐ Muito dependente

4. Você acha fácil acordar de manhã?
☐ Nada fácil ☐ Não muito fácil ☐ Razoavelmente fácil ☐ Muito fácil

5. Você se sente alerta durante a primeira meia hora depois de acordar?
☐ Nada alerta ☐ Não muito alerta ☐ Razoavelmente alerta ☐ Muito alerta

6. Como é o seu apetite durante a primeira meia hora depois de acordar?
☐ Muito ruim ☐ Não muito ruim ☐ Razoavelmente bom ☐ Muito bom

7. Durante a primeira meia hora depois de acordar você se sente cansado?
☐ Muito cansado ☐ Não muito cansado ☐ Razoavelmente em forma ☐ Em plena forma

8. Se você não tem compromisso no dia seguinte e comparando com a sua hora habitual, a que horas você gostaria de ir deitar?
☐ Nunca mais tarde ☐ Menos que uma hora ☐ Entre uma e duas horas mais tarde ☐ Mais do que duas horas

9. Você decidiu fazer exercícios físicos. Um amigo sugeriu o horário das 7:00 às 8:00 hs da manhã, duas vezes por semana. Considerando apenas o seu bem estar pessoal, o que você acha de fazer exercícios nesse horário?
☐ Estaria em boa forma ☐ Estaria razoavelmente em forma ☐ Acharia isso difícil ☐ Acharia isso muito difícil

10. A que horas da noite você se sente cansado e com vontade de dormir?

[escala: 20 21 22 23 24 1 2 3] [ ] hs

11. Você quer estar no máximo da sua forma para fazer um teste que dura duas horas e que você sabe que é mentalmente cansativo. Considerando apenas o seu bem estar pessoal, qual desses horários você escolheria para fazer esse teste?
☐ Das 08:00 às 10:00hs ☐ Das 11:00 às 13:00hs ☐ Das 15:00 às 17:00hs ☐ Das 19:00 às 21:00hs

12. Se você fosse deitar às 23:00hs, em que nível de cansaço você se sentiria?
☐ Nada cansado ☐ Um pouco cansado ☐ Razoavelmente cansado ☐ Muito cansado

13. Por alguma razão você foi dormir várias horas mais tarde do que é de seu costume. Se no dia seguinte você não tiver hora certa para acordar, o que aconteceria com você?
☐ Acordaria na hora normal, sem sono ☐ Acordaria na hora normal, com sono ☐ Acordaria na hora normal e dormiria novamente ☐ Acordaria mais tarde do que seu costume

14. Se você tiver que ficar acordado das 04:00 às 06:00 horas para realizar uma tarefa e não tiver compromisso no dia seguinte, o que você faria?
☐ Só dormiria depois de fazer a tarefa ☐ Tiraria uma soneca antes da tarefa e dormiria ☐ Dormiria bastante antes e tiraria uma soneca depois ☐ Só dormiria antes de fazer a tarefa

15. Se você tiver que fazer duas horas de exercício físico pesado e considerando apenas o seu bem estar pessoal, qual destes horários você escolheria?
☐ Das 08:00 às 10:00hs ☐ Das 11:00 às 13:00hs ☐ Das 15:00 às 17:00hs ☐ Das 19:00 às 21:00hs

16. Você decidiu fazer exercícios físicos. Um amigo sugeriu o horário das 22:00 às 23:00 hs, duas vezes por semana. Considerando apenas o seu bem estar pessoal o que você acha de fazer exercícios nesse horário?
☐ Estaria em boa forma ☐ Estaria razoavelmente em forma ☐ Acharia isso difícil ☐ Acharia isso muito difícil

17. Suponha que você possa escolher o seu próprio horário de trabalho e que você deva trabalhar cinco horas seguidas por dia. Imagine que seja um serviço interessante e que você ganhe por produção. Qual o horário que você escolheria?

hora do início: _____ (Marque a hora do início e do fim) hora do fim: _____

[escala: 24 1 2 3 4 5 6 7 8 9 10 11 12 13 14 15 16 17 18 19 20 21 22 23 24]

18. A que horas do dia você atinge seu melhor momento de bem estar? [ ] hs

[escala: 24 1 2 3 4 5 6 7 8 9 10 11 12 13 14 15 16 17 18 19 20 21 22 23 24]

19. Fala-se em pessoas matutinas e vespertinas (as primeiras gostam de acordar cedo e dormir cedo, as segundas de acordar tarde e dormir tarde). Com qual desses tipos você se identifica?
☐ Tipo matutino ☐ Mais matutino que vespertino ☐ Mais vespertino que matutino ☐ Tipo vespertino

(Continua)

FIGURA 3.10 – Questionário de Matutinidade-Vespertinidade Horne-Ostberg
Fonte: Benedito-Silva AA et al., 1990.

(Continuação)

Questão 1		IB
Entre 5:00 e 6:30	5	A 4
Entre 6:31 e 7:45	4	A 4
Entre 07:46 e 9:45	3	A 3
Entre 9:46 e 11:00	2	A 2
Entre 11:01 e 12:00	1	A 1

Questão 8		IB
Nunca mais tarde	4	A 4
Menos que uma hora mais tarde	3	A 3
Entre uma e duas horas mais tarde	2	A 2
Mais do que duas horas mais tarde	1	A 1

Questão 15		IB
Das 08:00 às 10:00hs	4	A 4
Das 11:00 às 13:00hs	3	A 3
Das 15:00 às 17:00hs	2	A 2
Das 19:00 às 21:00hs	1	A 1

Questão 2		IB
Entre 20:00 e 21:00	5	A 4
Entre 21:01 e 22:15	4	A 4
Entre 22:16 e 0:30	3	A 3
Entre 0:31 e 1:45	2	A 2
Entre 1:46 e 3:00	1	A 1

Questão 9		IB
Estaria em boa forma	4	A 4
Estaria razoavelmente em forma	3	A 3
Acharia isso difícil	2	A 2
Acharia isso muito difícil	1	A 1

Questão 16		IB
Estaria em boa forma	1	A 4
Estaria razoavelmente em forma	2	A 3
Acharia isso difícil	3	A 2
Acharia isso muito difícil	4	A 1

Questão 3		IB
Nada dependente	4	A 4
Não muito dependente	3	A 3
Razoavelmente dependente	2	A 2
Muito dependente	1	A 1

Questão 10		IB
Entre 20:00 e 21:00	5	A 4
Entre 21:01 e 22:15	4	A 4
Entre 22:16 e 0:45	3	A 3
Entre 0:46 e 2:00	2	A 2
Entre 2:01 e 3:00	1	A 1

Questão 17		IB
04:01 às 08:00	5	A 4
08:01 às 09:30	4	A 4
09:31 às 14:00	3	A 3
14:01 às 17:00	2	A 2
17:01 às 04:00	1	A 1

Questão 4		IB
Nada fácil	1	A 1
Não muito fácil	2	A 2
Razoavelmente fácil	3	A 3
Muito fácil	4	A 4

Questão 11		IB
Das 08:00 às 10:00hs	6	A 4
Das 11:00 às 13:00hs	4	A 3
Das 15:00 às 17:00hs	2	A 2
Das 19:00 às 21:00hs	0	A 1

Questão 18		IB
05:00 às 07:59	5	A 4
08:00 às 09:59	4	A 4
10:00 às 16:59	3	A 3
17:00 às 21:59	2	A 2
22:00 às 04:59	1	A 1

Questão 5		IB
Nada alerta	1	A 1
Não muito alerta	2	A 2
Razoavelmente alerta	3	A 3
Muito alerta	4	A 4

Questão 12		IB
Nada cansado	0	A 1
Um pouco cansado	2	A 2
Razoavelmente cansado	3	A 3
Muito cansado	5	A 4

Questão 19		IB
Tipo matutino	6	-
Mais matutino que vespertino	4	-
Mais vespertino que matutino	2	-
Tipo vespertino	0	-

Questão 6		IB
Muito ruim	1	A 1
Não muito ruim	2	A 2
Razoavelmente bom	3	A 3
Muito bom	4	A 4

Questão 13		IB
Acordaria na hora normal, sem sono	4	A 4
Acordaria na hora normal, com sono	3	A 3
Acordaria na hora normal e dormiria novamente	2	A 2
Acordaria mais tarde do que seu costume	1	A 1

Pontuação final (16 a 86):	
Vespertino	16 – 30
Moderadamente vespertino	31 – 41
Indiferente	42 – 58
Moderadamente matutino	59 – 69
Matutino	70 – 86

Questão 7		IB
Muito cansado	1	A 1
Não muito cansado	2	A 2
Razoavelmente em forma	3	A 3
Em plena forma	4	A 4

Questão 14		IB
Só dormiria depois de fazer a tarefa	1	A 1
Tiraria uma soneca antes da tarefa e dormiria depois	2	A 2
Dormiria bastante antes e tiraria uma soneca depois	3	A 3
Só dormiria antes de fazer a tarefa	4	A 4

IB = Índice de Bimodalidade. Esta coluna se refere a consideração das questões para o calculo do índice de bimodalidade expresso na tabela 3.4

FIGURA 3.11 – Tabelas para pontuação dos itens Questionário de Matutinidade-Vespertinidade Horne--Ostberg
Fonte: Adaptada de Horne JA, Östberg O, 1976.

44 •• Seção I – Avaliação clínica

Em vista desse fato, Martynhak et al.[49] propuseram uma quarta categoria, chamada "bimodal". Esse padrão parece fazer parte do desenvolvimento e adaptação característicos da fase pré-púbere e adolescente[50]. Contudo, ainda não está bem estabelecida a associação dessa característica na população adulta. Em um estudo epidemiológico conduzido em São Paulo (Episono)[51], mostrou-se mais associado à SED e presença de apneia do sono; já em um estudo coreano, a distúrbios psiquiátricos e menor qualidade de vida[52]. Esses estudos mostraram uma frequência de 5 a 16% de bimodalidade na população estudada[49-52]. Investigações futuras poderão indicar melhor os aspectos associados à bimodalidade. O cálculo da bimodalidade se baseia num algoritmo expresso pela equação apresentada na Tabela 3.4. Os autores propõem que valores > 0 expressam a categoria "bimodal", sendo possível identificar o grau de bimodalidade de acordo com o resultado numérico obtido por esse cálculo (índice de bimodalidade)[49].

TABELA 3.4
Equação e variáveis do Índice de Bimodalidade
$\text{Índice de Bimodalidade} = (\Sigma A_1 \times \Sigma A_4)^2 - (\Sigma A_2 \times \Sigma A_3)^2$

A1: respostas tipo-vespertina; A4: respostas tipo-matutina; A2 e A3: respostas intermediárias.
Para esse cálculo, considerar questões de 1 a 18.
Fonte: Adaptada de Martynhak B et al., 2010.

O **Questionário de Cronotipo de Munique** (QCM)[45] fornece um parâmetro temporal do indivíduo associado ao sono que se relaciona com outros ritmos circadianos. Trata-se de um questionário composto por 10 itens de autopreenchimento, em que se solicita o preenchimento dos horários relacionados aos hábitos de sono, tais como horário de dormir, acordar, levantar-se da cama e duração do sono nos dias de atividades profissionais ou acadêmicas e nos dias livres, separadamente. A versão em português (Figura 3.12)[53] está disponível para acesso e avaliação de cronotipo pelas plataformas *online* criadas pelo próprio autor do QCM[54], nas quais também é possível acessar versões em outras línguas, e pelo Grupo Interdisciplinar de Pesquisa em Sono da Escola de Artes, Ciências e Humanidades da Universidade de São Paulo[55]. Essas plataformas visam esclarecer o público geral sobre o tema, facilitar a autoavaliação e reunir dados mundiais sobre cronotipo[54,55].

Tem-se como referência que o tempo e horário de sono nos dias livres são altamente influenciados pelo relógio circadiano. Assim, a tendência circadiana do indivíduo pode ser identificada a partir de uma fase do ciclo vigília-sono: o meio do sono nos dias livres[45]. Esse dado é obtido por meio de cálculos baseados nos valores fornecidos em cada uma das questões, balanceados em relação ao número de dias de atividades e dias livres, a fim de corrigir a eventual propensão de tempo total de sono aumentado nos dias livres como resposta ao débito de sono acumulado durante a semana. A fórmula do Meio de Sono nos dias livres corrigido (MSF_c) é fornecida na Tabela 3.5.

TABELA 3.5
Equação para correção do meio do sono nos dias livres
$MSF_c = MSF - 0,5^*[SD_f - (5^*SD_w + 2^*SD_f)/7]$

MSF_c: ponto médio do sono nos dias livres corrigido; MSF: ponto médio do sono nos dias livres; SD_f: duração do sono nos dias livres; SD_w: duração do sono nos dias de trabalho.
O uso de despertador nos dias livres e/ou o exercício de trabalho em turno alternado ou irregular nos últimos 3 meses inviabilizam o cálculo das variáveis.
Fonte: Adaptada de https://www.thewep.org/documentations/mctq.

Questionário Munich

Nome: _____ Idade: _____ Data de nascimento: _____

Gênero: ( ) M ( ) F Peso: _____ Altura: _____ Cidade: _____ UF: _____ País: _____

Estado Civil: ( ) Casado ( ) Separado/divorciado ( ) Viúvo ( ) Solteiro

Você tem alguma atividade regular de trabalho? (vale para dona de casa) ( ) Não ( ) Sim Se sim, quantos dias na semana? _____ dias

O questionário a seguir se refere ao seu comportamento de sono e vigília nos dias de trabalho e nos dias livres. Por favor, responda as questões de acordo com a sua rotina semanal, baseada nos seus hábitos recentes.
Todos os campos devem ser preenchidos, a menos que o contrário seja mencionado.

Ao informar seus horários, tome o cuidado de não utilizar dados ambíguos (ex.: use 23:00 ao invés de 11:00).

Dias de trabalho	Fora dos dias de trabalho
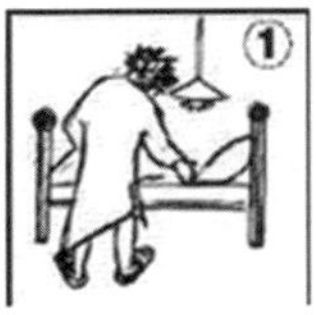 ① Vou para cama às ___:___ horas	Vou para cama às ___:___ horas
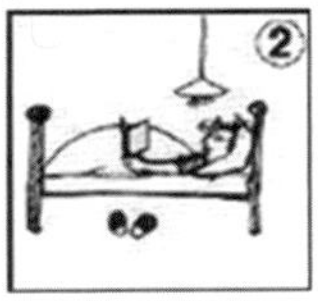 ② Algumas pessoas permanecem um tempo acordadas depois que vão se deitar.	Algumas pessoas permanecem um tempo acordadas depois que vão se deitar.
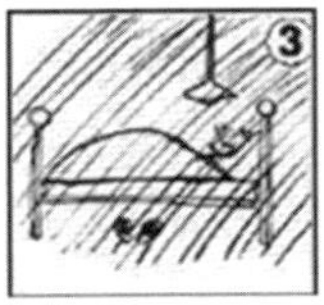 ③ Decido dormir às ___:___ horas	Decido dormir às ___:___ horas
 ④ Eu necessito de ___ minutos para adormecer	Eu necessito de ___ minutos para adormecer
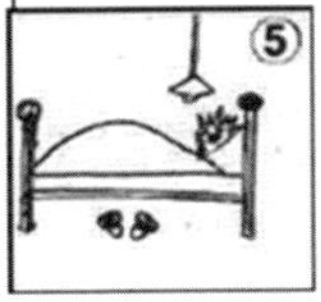 ⑤ Acordo às ___:___ horas ( ) Com despertador ( ) Sem despertador	Acordo às ___:___ horas ( ) Com despertador ( ) Sem despertador
 ⑥ Passados ___ minutos, me levanto	Passados ___ minutos, me levanto

Em média, quanto tempo você anda na rua exposto à luz do dia (sem um chapéu na cabeça)?

Nos dias de trabalho _____h_____minutos
Fora dos dias de trabalho _____h_____minutos

FIGURA 3.12 – Questionário de Cronotipo de Munique
Fonte: Adaptada de http://www.each.usp.br/gipso/mctq/.

Zavada et al.[56] demonstraram que o MSF_c obtido pelo QCM se apresenta como preditor do cronotipo e se correlaciona com o horário de pico da secreção da melatonina. Assim, o MSF_c obtido pelo QCM aponta como um substituto dos exames de análise da curva de melatonina secretada na saliva ou na urina. Os autores também verificaram que o MSF_c e o cronotipo autoavaliado, derivado do QCM, correlacionam-se com o cronotipo definido pelo escore do H&O (r = −0,7 e −0,8, respectivamente)[56], demonstrando que ambas as ferramentas são úteis na identificação do cronotipo. A vantagem do QCM sobre o H&O é a maior facilidade do seu preenchimento e o acesso à informação sobre o MSF_c. Esse dado pode ser útil nos casos em que a administração oral da melatonina ou o uso da terapia de luz possam ser recomendados, auxiliando na definição do melhor horário.

Os dados obtidos no QCM também permitem verificar o grau de descompasso entre o ritmo biológico e o ritmo exercido no cotidiano, tradicionalmente chamado de *jet lag* social, e que não deveria exceder 2 horas. O *jet lag* social pode ser calculado a partir da fórmula expressa na Tabela 3.6.

TABELA 3.6
Equação para definição do *jet lag* social

Jet lag social = MSF − MSW

MSF: ponto médio do sono nos dias livres; MSW: ponto médio do sono nos dias de atividade.
Fonte: Adaptada de https://www.thewep.org/documentations/mctq.

A duração e a fase do sono são manifestações fortemente dependentes da quantidade de sono obtida durante a semana e da quantidade de tempo de exposição à luz durante o dia[45]. Assim, para uma avaliação clínica mais detalhada, sugere-se adicionar questões sobre exposição à luminosidade (dias de atividade e dias livres), autoavaliação do cronotipo, uso de actigrafia e preenchimento de diário do sono durante um período mínimo de duas semanas. Essas informações nutrem o profissional sobre os hábitos diurnos e o padrão de sono do paciente, permitindo uma orientação mais adequada ao seu cronotipo e, portanto, promotora de um sono e de uma vigília de melhor qualidade.

8. Instrumentos diagnósticos na avaliação da Síndrome das Pernas Inquietas (SPI)

A SPI é um distúrbio do sono altamente prevalente e subdiagnosticado, caracterizado por uma sensação de urgência em mexer os membros, sobretudo as pernas, ao sentar-se ou deitar-se. Essa sensação é descrita como desconfortável e tende a aumentar no início da noite. A SPI, em geral, está associada a prejuízo do sono, levando à fadiga, prejuízos cognitivos, ansiedade, depressão e comprometimento da qualidade de vida. Apesar da observação de biomarcadores associados com a SPI, estudos demonstram que os diagnósticos baseados nesses resultados são pouco sensíveis e específicos. Assim, o diagnóstico da SPI é fundamentalmente clínico, baseado nos sintomas relatados pelo paciente, dependendo, portanto, de uma atenção clínica acurada e conhecimentos

Diários e escalas •• **47**

sobre o distúrbio em questão. Durante a avaliação clínica, é necessário considerar não apenas os sintomas diretos da SPI, mas o impacto na qualidade do sono, humor, cansaço, SED e cognição. O grau de comprometimento e de melhora desses sintomas pode variar entre os pacientes. O uso de instrumentos que acessem esses domínios é substancial no manejo da SPI. Por ainda não existir um questionário que ofereça cobertura total da gama de sintomas e gravidade de sua manifestação, recomenda-se documentar o relato do paciente em cada visita médica a respeito da gravidade dos seus sintomas ou o uso combinado de questionários que acessem esses aspectos sintomáticos associados à SPI[57]. A Tabela 3.3 reúne indicações de questionários utilizados para essas finalidades. O uso desses instrumentos de avaliação pode facilitar o processo de extração de informação médica pertinente.

A Escala Internacional de Graduação da Síndrome das Pernas Inquietas (EIGSPI) é amplamente usada nos estudos de triagem da SPI. Trata-se de uma escala com 10 itens que avalia a presença dos sintomas associados à SPI (seis itens: 1, 2, 4, 6, 7 e 8) e o impacto deles no humor e funcionamento diurno dos pacientes (três itens: 5, 9 e 10)[58,59]. Para cada questão, o paciente deve escolher uma das opções de respostas que varia de 0 (nenhum impacto) a 4 (muito impactante). A pontuação total varia de 0 a 40. Valores inferiores a 15 indicam critério de exclusão de SPI[57]. A aplicação deve ser feita na presença de um entrevistador. A avaliação das propriedades psicométricas da EIGSPI demonstrou confiabilidade e validade da pontuação total e das subescalas da EIGSPI: boa consistência interna (α Cronbach = 0,81), boa validade convergente (questão 3: 0,43; demais questões: > 0,69), validade discriminante e validade concorrente com escalas de avaliação do impacto dos sintomas de SPI no funcionamento da vida dos pacientes, nas queixas de sono[59] e com o nível de disfunção motora comumente encontrado entre os pacientes com SPI[57]. A EIGSPI também apresentou estabilidade teste-reteste[58], confiabilidade entre examinadores e se mostrou uma ferramenta capaz de medir resposta ao tratamento[59].

O processo de tradução para o português, adaptação transcultural para uso no Brasil e validação da EIGSPI foram conduzidos por Masuko et al., em 2008[60]. A versão brasileira da EIGSPI (Figura 3.13) demonstrou boa consistência interna (α Cronbach = 0,80) e validade convergente baseada nos critérios da Escala de Gravidade Johns Hopkins[60].

Em 2016, Kohnen et al.[61] desenvolveram o **Questionário Kohnen da Síndrome das Pernas Inquietas – Qualidade de Vida (QKSPI-Qol)**. Trata-se de uma escala de 12 itens para avaliar o impacto físico, mental, social e funcional da SPI e os comportamentos adotados para lidar com os sintomas. A pontuação geral varia de 0 a 60. A avaliação das propriedades psicométricas do QKSPI-Qol mostrou boa correlação dos itens com pontuação total, índice de homogeneidade adequado, boa consistência interna (α Cronbach = 0,88), validade concorrente como EIGSPI e outras escalas de avaliação de sintomas associados a SPI, validade discriminante, estabilidade teste-reteste e capacidade de medir resposta ao tratamento[61]. A confiabilidade, validade e cobertura de domínios da QKSPI-Qol indicam tratar-se de um instrumento promissor para auxílio no monitoramento dos sintomas da SPI. Contudo, não existem estudos de tradução, adaptação transcultural e validação da QKSPI-Qol para uso no Brasil. A Figura 3.14 apresenta uma versão traduzida para o português apenas a título de ilustração, não sendo recomendado seu uso clínico.

48 •• Seção I – Avaliação clínica

Escala Internacional de Graduação da Síndrome das Pernas Inquietas

Responder as 10 questões que se seguem, escolhendo apenas uma das 5 alternativas após cada pergunta.
A não ser que você receba outra orientação, ao responder cada questão, leve em consideração os seus sintomas da Síndrome das Pernas Inquietas que você apresentou principalmente nas duas últimas semanas.

1. Em geral, como você considera o desconforto da Síndrome das Pernas Inquietas nas suas pernas ou braços?

☐ Muito intenso (4) ☐ Intenso (3) ☐ Moderado (2) ☐ Leve (1) ☐ Nenhum (0)

2. Em geral, como você considera a necessidade de se mexer ou andar por causa dos seus sintomas da Síndrome das Pernas Inquietas?

☐ Muito grande (4) ☐ Grande (3) ☐ Moderada (2) ☐ Pequena (1) ☐ Nenhuma (0)

3. Em geral, quanto de alívio no desconforto das pernas ou braços você consegue ao andar?

☐ Nenhum alívio (4) ☐ Pouco alívio (3) ☐ Alívio moderado (2) ☐ Alívio total ou quase total (1) ☐ Sem sintomas de síndrome das pernas inquietas, portanto a questão não se aplica (0)

4. Em geral, qual a intensidade do seu distúrbio de sono por causa dos sintomas da Síndrome das Pernas Inquietas?

☐ Muito intenso (4) ☐ Intenso (3) ☐ Moderado (2) ☐ Leve (1) ☐ Nenhum (0)

5. Qual a intensidade do seu cansaço ou sonolência por causa dos sintomas da Síndrome das Pernas Inquietas?

☐ Muito intenso(a) (4) ☐ Intenso(a) (3) ☐ Moderado(a) (2) ☐ Leve (1) ☐ Nenhum(a) (0)

6. Em geral, qual a gravidade da sua Síndrome das Pernas Inquietas como um todo?

☐ Muito grave (4) ☐ Grave (3) ☐ Moderada (2) ☐ Leve (1) ☐ Nenhuma (0)

7. Com que freqüência você tem sintomas da Síndrome das Pernas Inquietas?

☐ De 6 a 7 dias por semana (4) ☐ De 4 a 5 dias por semana (3) ☐ De 2 a 3 dias por semana (2) ☐ 1 dia ou menos por semana (1) ☐ Nunca (0)

8. Quando você tem sintomas da Síndrome das Pernas Inquietas, qual a duração dos sintomas num dia corriqueiro?

☐ Dura 8hs ou mais nas 24hs do dia (4) ☐ Dura 3 a 8hs nas 24hs do dia (3) ☐ Dura 1 a 3hs nas 24hs do dia (2) ☐ Dura 1hora ou menos nas 24hs do dia (1) ☐ Nenhuma duração (0)

9. No geral, qual a intensidade do impacto dos seus sintomas da Síndrome das Pernas Inquietas na sua capacidade de realizar suas atividades diárias, como por exemplo, atividades familiares, no seu lar, na sociedade, na escola ou na vida profissional?

☐ Muito grande (4) ☐ Grande (3) ☐ Moderada (2) ☐ Pequena (1) ☐ Nenhuma (0)

10. Qual a intensidade do seu distúrbio de humor por causa dos sintomas da Síndrome das Pernas Inquietas, por exemplo, raiva, depressão, tristeza, ansiedade, irritação?

☐ Muito grande (4) ☐ Grande (3) ☐ Moderada (2) ☐ Pequena (1) ☐ Nenhuma (0)

Pontuação Gravidade:
00 a 10 Leve
11 a 20 Moderada
21 a 30 Grave
31 a 40 Muito Grave

FIGURA 3.13 – Escala Internacional de Graduação da Síndrome das Pernas Inquietas
Fonte: Masuko AH et al., 2008.

Diários e escalas •• **49**

Questionário Kohnen da Síndrome das Pernas Inquietas – Qualidade de Vida

Pedimos que avalie o impacto da Síndrome das Pernas Inquietas (SPI) neste questionário. Suas respostas permitirão que compreendamos melhor o progresso de sua doença e como você administra sua atividades cotidianas em relação a ela. Se você tiver alguma outra doença além da SPI, tente responder considerando apenas os efeitos da SPI na sua qualidade de vida.

Por favor, leia as questões a seguir com cuidado e marque apenas uma resposta para cada questão, escolhendo a opção que melhor se aplica a sua situação. Pode ser que atualmente seus sintomas sejam diferentes do que foi há um ano atrás ou antes de iniciar o tratamento. Para avaliar a questão sobre como está se sentindo no momento, pedimos que responda a todas as questões por um período de tempo que cubra as **últimas quatro semanas**.

Tópico 1: Efeito dos sintomas da SPI

1. Em que medida os sintomas da SPI atrapalham o seu sono?

☐ Nenhum pouco ☐ Muito levemente ☐ Levemente ☐ Moderadamente ☐ Muito ☐ Extremamente
Por exemplo: Dificuldades em adormecer; despertares noturnos; dores a noite; despertar precoce matutino.

2. Em que medida os sintomas da SPI prejudicam sua performance geral?

☐ Nenhum pouco ☐ Muito levemente ☐ Levemente ☐ Moderadamente ☐ Muito ☐ Extremamente
Por exemplo: Profissão ou trabalho doméstico; planejamento da rotina diária (ex. atividades sentadas pela manhã, caminhar a tarde) ou atividades de prazer.

3. Em que medida os sintomas da SPI prejudicam saúde mental / seu humor?

☐ Nenhum pouco ☐ Muito levemente ☐ Levemente ☐ Moderadamente ☐ Muito ☐ Extremamente
Por exemplo: desanimo, depressão, medo (ex. medo de ir para cama ou medo de piorar a SPI), agitação, tristeza devido ao progresso da doença, do uso de medicação, da mobilidade restringida.

4. Os sintomas da SPI prejudicam suas atividades sociais?

☐ Nenhum pouco ☐ Muito levemente ☐ Levemente ☐ Moderadamente ☐ Muito ☐ Extremamente
Por exemplo: Evitar ou reduzir atividades sociais com sua família ou outros por você não querer ser um peso aos demais ou por você não querer atrair atenção, uma vez que não pode se sentar ou precisa ficar de pé.

Tópico 2: Distúrbio do sono e seus efeitos

5. Em que medida a falta de sono ou o sono ruim prejudicam suas atividades cotidianas?

☐ Nenhum pouco ☐ Muito levemente ☐ Levemente ☐ Moderadamente ☐ Muito ☐ Extremamente
Por exemplo: Performance física diminuída; performance de trabalho profissional ou doméstico diminuída; dificuldades em planejar atividades diárias ou prejuízo nas suas atividades de lazer.

6. Em que medida a sonolência diurna prejudica sua saúde mental / seu humor?

☐ Nenhum pouco ☐ Muito levemente ☐ Levemente ☐ Moderadamente ☐ Muito ☐ Extremamente
Por exemplo: Sentimento de desgaste; sonolência; redução da resistência; falta de entusiasmo; desequilíbrio; nervosismo; perda de concentração ou exaustão.

Tópico 3: Efeitos de outros aspectos

7. Em que medida você se sente prejudicado pelos efeitos colaterais dos medicamentos para SPI?

☐ Nenhum pouco ☐ Muito levemente ☐ Levemente ☐ Moderadamente ☐ Muito ☐ Extremamente
Por exemplo: vomito e náusea; diarréia ou constipação; distúrbio do sono; vertigem; pernas pesadas ou inchadas; trasnpiração excessiva; boca seca, etc.
No caso de apresentar vários efeitos colaterais, favor marcar referente aos mais pronunciados.

8. Em que medida a dor nas pernas ou braços prejudicam seu bem estar ou suas atividades cotidianas?

☐ Nenhum pouco ☐ Muito levemente ☐ Levemente ☐ Moderadamente ☐ Muito ☐ Extremamente

Tópico 4: Seu jeito de gerenciar os sintomas da SPI

9. Se você adota um certo método para aliviar os sintomas: Qual o peso de realizar essas medidas?

☐ Não se aplica ☐ Muito leve ☐ Leve ☐ Moderado ☐ Muito pesado ☐ Extremamente pesado
Por exemplo: andar; levantar-se da cama durante a noite; massagear; embalsamar; resfriar ou aquecer as pernas; ginástica, etc.

10. Você evita certas atividades ou situações devido aos sintomas da SPI?

☐ Nunca ☐ Muito raramente ☐ Raramente ☐ As vezes ☐ Frequentemente ☐ Quase sempre
Por exemplo: Situação como sentar por longo período durante viagem de onibus, trem, carro ou voo; ir ao teatro ou cinema; ou evitar certas situações como estresse, movimento repetitivo ou agitação.

11. Se você mudou seu estilo de vida devido aos sintomas da SPI: Em que medida voce se sente aborrecido com isso?

☐ Não mudei nada ☐ Muito levemente ☐ Levemente ☐ Moderadamente ☐ Muito ☐ Extremamente
Por exemplo: Mudança na dieta (evitar ou restringir certos alimentos, álcool, nicotina ou cafeína); mudanças no sono; mudanças no trabalho profissional; evitar atividades sociais, etc.

Tópico 5: Ao final - Sua Qualidade de Vida geral

12. Em resumo: Em que medida os sintomas da SPI prejudicaram sua qualidade de vida nas últimas 4 semanas?

☐ Nenhum pouco ☐ Muito levemente ☐ Levemente ☐ Moderadamente ☐ Muito ☐ Extremamente

Favor considerar sua saúde física e mental; sua performance física e geral; suas atividades cotidianas e suas atividades sociais.

Pontuaçao final: varia de 0 a 0
As respostas para cada item vão de 0 (sem nenhum impacto) a 5 (impacto extremo).
Obs.: Esta figura serve apenas como ilustração do conteúdo abordado no questionário. A tradução apresentada não atende aos protocolos internacionais de tradução e adaptação transcultural requeridos para sua validação e futura aplicação em ambientes clínicos.

FIGURA 3.14 – Questionário Kohnen da Síndrome das Pernas Inquietas – Qualidade de Vida
Fonte: Adaptada de Kohnen R et al., 2016. Obs.: Não existem estudos de tradução, adaptação transcultural e validação deste questionário para uso no Brasil. Esta figura serve apenas como ilustração do conteúdo abordado no questionário. A tradução apresentada não atende aos protocolos internacionais de tradução e adaptação transcultural requeridos para sua validação e futura aplicação em ambientes clínicos.

9. Instrumentos diagnósticos na avaliação da narcolepsia

A narcolepsia é um distúrbio do sono que tem a SED como sintoma principal. Porém, outros sintomas podem estar associados, como alucinações hipnagógicas, paralisia do sono, fragmentação do sono e cataplexia (tipo 1). Em geral, o paciente com narcolepsia apresenta prejuízos de ordem psicológica, social, acadêmica, laboral e de segurança pessoal, como um desdobramento do quadro de SED intrínseco à narcolepsia, derivado das outras condições sintomáticas presentes e também do próprio manejo clínico. Reduzir ou regular esse sintoma é um dos aspectos mais desafiadores da intervenção terapêutica na narcolepsia. Nos últimos anos, diversas drogas foram desenvolvidas para tratá-la. Assim, monitorar a frequência e gravidade da SED e dos demais sintomas é substancial na prática da intervenção clínica da narcolepsia.

O Teste de Latências Múltiplas do Sono (TLMS), exame consagrado para confirmação do diagnóstico da narcolepsia, e a Escala de Sonolência de Epworth permitem a avaliação da gravidade da SED como resposta ao tratamento. Contudo, avaliam apenas a SED. Além disso, os resultados obtidos não necessariamente refletem a funcionalidade ou as queixas dos pacientes. Assim, para um monitoramento mais abrangente no que tange aos principais sintomas da narcolepsia, Dauvilliers et al.[62] desenvolveram, em 2017, a **Escala de Gravidade da Narcolepsia (EGN)**. Trata-se de instrumento breve, com 15 itens para avaliar a gravidade, frequência e consequência dos principais sintomas associados à narcolepsia tipo 1, a saber: sonolência excessiva diurna (sete itens), cataplexia (três itens), alucinações hipnagógicas (dois itens), paralisia do sono (dois itens) e fragmentação do sono (um item). A pontuação final desta escala varia de 0 a 57. Pontuações mais altas indicam presença de sintomas mais graves e frequentes.

O estudo das propriedades psicométricas da EGN demonstrou boa consistência interna (α Cronbach $= 0,75$), validade de conteúdo, com três fatores principais que demonstraram boa confiabilidade (α Cronbach entre $0,74$ e $0,85$), reprodutibilidade, tanto nos pacientes tratados como não tratados (coeficiente de correlação intragrupo $> 0,75$), validade discriminante e capacidade de medir efeito do tratamento e de diferenciar grupo tratado de não tratado[62]. Além disso, demonstrou validade convergente, indicando que pontuações maiores se correlacionam com maior SED subjetiva detectada pela Escala de Sonolência de Epworth e com menor média de latência do sono medida pelo TLMS[62].

Assim, a EGN se apresenta como uma ferramenta válida, confiável e útil no monitoramento sintomático dos pacientes de narcolepsia, com capacidade para detectar alterações clinicamente significativas da intervenção. Contudo, ainda não existem estudos disponíveis de tradução, adaptação transcultural e validação da EGN para uso no Brasil. A Figura 3.15 apresenta uma versão traduzida para o português apenas a título de ilustração, não sendo recomendado seu uso clínico. Nesse ínterim, sugere-se a adoção da Escala de Sonolência de Epworth para monitoramento da resposta ao tratamento. Apesar de os resultados dessa escala não mostrarem correlação com os resultados do TLMS[63], mostraram correlação com a EGN[62]. Além disso, seu uso é simples, barato e pode auxiliar na avaliação da SED do paciente, sem que seja um substituto de outras medidas de avaliação clínicas e objetivas[63.]

Diários e escalas ·· **51**

Escala de Gravidade da Narcolepsia

Para responder, favor considerar principalmente os sintomas que manifestou no <u>último mês</u>.

1. Você experimentou uma necessidade irresistível de dormir durante o dia? Se sim, quantas vezes?

☐ >1 episódio por dia(5) ☐ >1 episódio por semana (4) ☐ >1 episódio por mês(3) ☐ >1 episódio por ano(2) ☐ <1 episódio no ano (1) ☐ Nunca (0)

2. Você está preocupado sobre adormecer (sem perceber, de forma repentina...) durante o dia?

☐ Muito preocupado (3) ☐ Preocupado (2) ☐ Não muito preocuoado(1) ☐ Nada preocupado (0)

3. Qual o impacto dessas interrupções nas suas atividades/trabalho devido a esses ataques de sono diurnos?

☐ Muito importante (3) ☐ Importante (2) ☐ Moderadamente importante (1) ☐ Nada importante / Eu não tive novos episódios de sono (0)

4. Qual o impacto dessas interrupções da sua vida social e familiar devido a esses ataques de sono diurnos?

☐ Muito importante (3) ☐ Importante (2) ☐ Moderadamente importante (1) ☐ Nada importante / Eu não tive novos episódios de sono (0)

5. Como você geralmente se sente depois de ter um desses ataques de sono diurnos?

☐ Muito revigorado / sem novo ataque de sono (0) ☐ Revigorado (1) ☐ Cansado (2) ☐ Muito cansado (3)

6. Depois de um ataque de sono diurno, qual o tempo que leva para manifestar o próximo episódio?

☐ <1 hora (5) ☐ Entre 1 e 3 horas (4) ☐ Entre 3 e 6 horas (3) ☐ Entre 6 e 8 horas (2) ☐ >8 horas (1) ☐ Não acontece um novo episódio (0)

7. Em que medida esses episódios de sono repentinos durante o dia afetam sua capacidade de dirigir um carro?

☐ Extremamente (3) ☐ Muito (2) ☐ Não muito (1) ☐ Nada / Eu não diriio (0)

8. Com qual frequência você tem episódios de cataplexia generalizada quando experimenta emoções (rir, emoção intensa, surpresa) (cataplexia = perda do tônus muscular)?

☐ >1 episódio no dia (5) ☐ >1 episódio na semana (4) ☐ >1 episódio no mês (3) ☐ >1 episódio no ano (2) ☐ <1 episódio no ano (1) ☐ Nunca / sem cataplexia generalizada (0)

9. Com qual frequência você tem episódios parciais de cataplexia (somente rosto, pescoço, braços ou joelhos) quando experimenta emoções?

☐ >1 episódio no dia (5) ☐ >1 episódio na semana (4) ☐ >1 episódio no mês (3) ☐ >1 episódio no ano (2) ☐ <1 episódio no ano (1) ☐ Nunca / sem cataplexia parcial (0)

10. Em que medida sua vida social, familiar e seu trabalho são afetados por esses episódios de cataplexia?

☐ Extremamente (3) ☐ Muito (2) ☐ Não muito (1) ☐ Nada / sem cataplexia (0)

11. Com qual frequência você tem alucinações quando está iniciando o sono ou despertando?

☐ >1 episódio no dia (5) ☐ >1 episódio na semana (4) ☐ >1 episódio no mês (3) ☐ >1 episódio no ano (2) ☐ <1 episódio no ano (1) ☐ Nunca / sem alucinação (0)

12. Qual seu grau de incômodo com essas alucinações?

☐ Muito incomodado (3) ☐ Incomodado (2) ☐ Não muito incomodado(1) ☐ Nada incomodado / sem aluncinação (0)

13. Com qual frequência você tem paralisia do sono quando está iniciando o sono ou despertando?

☐ >1 episódio no dia (5) ☐ >1 episódio na semana (4) ☐ >1 episódio no mês (3) ☐ >1 episódio no ano (2) ☐ <1 episódio no ano (1) ☐ Nunca / sem paralisia do sono (0)

14. Qual seu grau de incômodo com esses episódios de paralisia do sono?

☐ Muito incomodado (3) ☐ Incomodado (2) ☐ Não muito incomodado(1) ☐ Nada incomodado / sem paralisia do sono (0)

15. Atualmente, o quanto seu sono noturno está perturbado?

☐ Extremamente (3) ☐ Muito (2) ☐ Não muito (1) ☐ Nada (0)

FIGURA 3.15 – Escala de Gravidade da Narcolepsia

Fonte: Adaptada de Dauvilliers Y et al., 2017. Obs.: Não existem estudos de tradução, adaptação transcultural e validação deste instrumento para uso no Brasil. Esta figura serve apenas como ilustração do conteúdo abordado no questionário. A tradução apresentada não atende aos protocolos internacionais de tradução e adaptação transcultural requeridos para sua validação e futura aplicação em ambientes clínicos.

Para o acompanhamento e orientação do sono do paciente narcoléptico, no que tange à higiene do sono, regularidade no ritmo vigília/sono e controle das escalas de cochilos propostas para o dia, sugere-se o uso do diário do sono no formato linear (Figura 3.4). Historicamente, antes de o TLMS ser introduzido como avaliação objetiva dos distúrbios de hipersonolência, os diários de sono eram adotados para garantir uma duração de sono

52 •• Seção I – Avaliação clínica

adequada. Nas hipersonolências, os diários de sono constituem ferramenta essencial para auxiliar no diagnóstico diferencial da síndrome de sono insuficiente e distúrbio do ritmo circadiano.

As recomendações da última edição da Classificação Internacional dos Distúrbios do Sono (CIDS-3) incluem o uso de diários de sono ao longo de sete dias, se possível associado ao uso de actigrafia, antes de realizar o TLMS[46].

10. Instrumentos diagnósticos na avaliação das parassonias

Parassonias constituem um grupo de distúrbios do sono que se caracterizam pela manifestação de eventos comportamentais ou experiências sensoriais que acontecem no início do sono, durante o sono ou ao despertar, podendo ser acompanhados de descargas autonômicas e/ou alterações perceptuais. A CIDS-3 categoriza as parassonias em três subgrupos: parassonias do sono REM, do sono NREM e outras parassonias[46].

A avaliação clínica diagnóstica das parassonias envolve o levantamento acurado da história associada ao sintoma, o exame físico e a averiguação do grau de risco físico ao qual o paciente ou acompanhante está submetido em decorrência da manifestação comportamental. Nesse levantamento clínico, os pais e/ou acompanhante de quarto podem descrever com maior acurácia características típicas dos eventos comportamentais, tais como: período do sono em que ocorrem, duração e frequência dos episódios, comportamentos característicos, incluindo olhos abertos ou fechados, idade de início, presença dos sintomas em membros da família, além de gatilhos potencialmente associados (privação do sono, padrão de ritmo biológico, outros distúrbios do sono, estresse emocional, febre, consumo de álcool, sedativos ou outros medicamentos e/ou presença de doenças, especialmente as neurológicas). Essa investigação é essencial para o diagnóstico diferencial das parassonias e algumas doenças neurológicas, cujos eventos comportamentais se sobrepõem ou se confundem com as parassonias.

Nesse tópico, serão brevemente descritas as parassonias para as quais a literatura dispõe de instrumentos validados para auxílio diagnóstico, monitoramento e avaliação do tratamento. Para maior entendimento sobre parassonias, sugerimos a leitura do Capítulo 15.

■ 10.1. Parassonias do Sono REM

O Distúrbio Comportamental do Sono REM (DCSR) tem como característica principal a atuação onírica durante o sono REM em decorrência de um prejuízo no circuito neurológico associado à produção de atonia muscular. Os comportamentos oníricos são, em geral, violentos, e o quadro de manifestação pode estar associado ao desenvolvimento de doenças neurológicas. O exame de polissonografia permite a confirmação desse diagnóstico. Contudo, as dificuldades de acesso a esse tipo de exame, dispendioso financeiramente e não facilmente acessível para a maioria dos brasileiros, aponta para a importância do uso de instrumentos que auxiliem na triagem de pacientes com suspeita de DCSR.

Informações obtidas por um parceiro de quarto ou de cama podem contribuir muito para essa avaliação inicial. Dois questionários simples demonstram acurácia apropriada no rastreio do DCSR, trata-se do **Distúrbio Comportamental do Sono REM – questão única (DCSR1Q)**[64] e do **Questionário de Sono Mayo**[65].

Diários e escalas •• **53**

O DCSR1Q foi desenvolvido por especialistas na área e validado em um estudo envolvendo 12 centros de sono estabelecidos no mundo[64]. Trata-se de uma única questão que investiga o comportamento clássico de atuação onírica do DCSR, para a qual o paciente deve responder "sim" ou "não" (Figura 3.16).

Distúrbio Comportamental do Sono REM - questão única
Alguém já te contou, ou você mesmo já suspeitou, que durante o sono parece "atuar seus sonhos" (por exemplo esmurrando ou espancando o ar; fazendo movimentos de corrida, etc)?
☐Sim ☐Não

Obs.: Esta figura serve apenas como ilustração do conteúdo abordado no questionário. A tradução apresentada não atende aos protocolos internacionais de tradução e adaptação transcultural requeridos para sua validação e futura aplicação em ambientes clínicos.

FIGURA 3.16 – Distúrbio Comportamental do Sono REM – questão única
Fonte: Adaptada de Postuma RB et al., 2012.

O estudo das propriedades psicométricas dessa questão demonstrou sensibilidade de 94% e especificidade de 87%[64]. O fato de ser de aplicação simples permite uma triagem facilitada dos casos suspeitos de DCSR e uma oportunidade de investigação epidemiológica na área da saúde.

O **Questionário de Sono Mayo**[65] também se apoia na investigação dessa característica central do DCSR. Contudo, a pergunta é direcionada para o acompanhante de quarto (Figura 3.17). Em caso positivo, investigam-se outras informações que permitam detalhar o quadro sintomático, tais como: tempo de ocorrência dos episódios, prejuízos físicos associados e relação entre comportamento e conteúdo onírico. O estudo das propriedades psicométricas do QSM demonstrou sensibilidade de 100% e especificidade de 95%[65].

Questionário de Sono Mayo
Você já notou se o paciente parece "atuar seus sonhos" enquanto está dormindo? (esmurrar ou espancar o ar, gritar ou clamar)
☐Sim ☐Não
Se sim, responda as questões a seguir:
a. Há quantos meses ou anos isto tem acontecido? _____
b. O paciente já se machucou com esses comportamentos (hematoma, cortes, ossos quebrados)?
☐Sim ☐Não
c. Algum parceiro de cama já se machucou devido a esses comportamentos (hematoma, golpe, cabelo puxado)?
☐Sim ☐Não
d. O paciente já te contou sobre sonhos em que está sendo perseguido, atacado ou que envolva a necessidade de se defender?
☐Sim ☐Não
e. Se o paciente acordou e contou sobre o sonho, os detalhes do sonho coincidiam com os movimentos feitos enquanto ele dormia?
☐Sim ☐Não

Obs.: Esta figura serve apenas como ilustração do conteúdo abordado no questionário. A tradução apresentada não atende aos protocolos internacionais de tradução e adaptação transcultural requeridos para sua validação e futura aplicação em ambientes clínicos.

FIGURA 3.17 – Questionário de Sono Mayo
Fonte: Adaptada de Boeve BF et al., 2013.

Ambos os questionários demonstram alta capacidade para identificar pacientes com suspeita de DCSR, com um custo baixo e fácil administração. Esses questionários se complementam no que tange a sua aplicação poder ser feita de forma direta para o paciente

54 •• Seção I – Avaliação clínica

ou para o acompanhante de quarto, nos casos em que o paciente esteja impedido de responder por algum prejuízo cognitivo ou limitação de saúde. Vale ressaltar que o resultado obtido por meio desses instrumentos não pode substituir a importância da avaliação clínica minuciosa, incluindo o exame de polissonografia para confirmação diagnóstica.

Ainda não existem estudos disponíveis de tradução, adaptação transcultural e validação do DCSR1Q ou do QSM para uso no Brasil. As Figuras 3.16 e 3.17 apresentam uma versão traduzida para o português apenas a título de ilustração, com restrições para seu uso clínico.

O Distúrbio de Pesadelo é caracterizado por episódios recorrentes de sonho emocionalmente perturbador, envolvendo sentimentos de ameaça, ansiedade, medo, raiva, terror, desconforto e/ou desgosto. Os episódios tendem a acontecer na segunda metade do período de sono. Diferentemente do DCSR, no pesadelo não acontece o fenômeno de atuar os sonhos. Em geral, os pacientes são capazes de relatar detalhes do conteúdo onírico ao despertarem dos sonhos. Em alguns casos, o grau de desconforto pode levá-los a um estado de alerta, inclusive mantendo a vigília como forma de evitar a manifestação de sonhos na retomada do sono.

Pesadelos ocasionais são mais frequentes em crianças, mas podem acontecer em qualquer idade, estando, em geral, associados a algum desconforto emocional vivido no dia. Quando se tornam frequentes, afetam a vigília com preocupações e estresse associados ao conteúdo onírico, podendo, inclusive, prejudicar a retomada do sono e, quando o estresse gerado pelo pesadelo prejudica o desempenho social, acadêmico, ocupacional ou funcional, adquirem proporções clinicamente significativas que podem afetar o humor e a cognição, com sintomas de SED, fadiga, ansiedade, insônia, impactando nas relações interpessoais e no desempenho das funções gerais, indicando necessidade de intervenção terapêutica. Em geral, a procura por tratamento se dá em decorrência do grau de prejuízo, sobretudo quando aumenta a frequência de manifestação do pesadelo. Assim, durante a avaliação clínica, é fundamental o levantamento dessas informações para registro no prontuário. Perguntas simples sobre características dos sonhos perturbadores, tais como: frequência dos pesadelos, se incomodam, em qual magnitude e se existe interesse em tratá-los para reduzir sua frequência ou até eliminá-los, podem ajudar o profissional a identificar o grau de sofrimento associado à manifestação desses eventos durante o sono[66].

Para a avaliação da frequência de eventos, o **Questionário de Frequência de Pesadelo (QFP)** é baseado em duas questões retrospectivas que estimam o número de noites e o número de eventos em que o pesadelo ocorreu, com base num período de três meses[67]. O processo de tradução para o português e adaptação transcultural para uso no Brasil do QFP foi conduzido por Conway, em 2007, junto com a equipe multidisciplinar de sono do Instituto do Sono/SP, não tendo passado por processo de validação estatística. A Figura 3.18 mostra a versão traduzida e adaptada para o português.

Apesar de haver uma tendência de os registros de pesadelo no QFP subestimarem o número de eventos quando comparados aos registros de pesadelo em diário de sono, observou-se correspondência satisfatória entre esses dois parâmetros, confirmando o critério de validade concorrente. O QFP também demonstrou estabilidade teste-reteste, sugerindo ser uma boa medida para quantificar pesadelos e acessar mudanças decorrentes da intervenção terapêutica.

Diários e escalas •• 55

Questionário de Frequência de Pesadelo

Nome: _____ Idade: _____ Data: ____/____/____

Parte I. Frequência por número de noites

Considerando os últimos 3 meses, favor estimar a **média** da frequência de noites em que experimenta pesadelos ou sonhos perturbadores, selecionando **uma** das categorias a seguir com base no **número de noites**.

Selecione apenas **uma** das quatro colunas listadas abaixo e então circule somente **uma** categoria:

Zero	Anualmente	Mensalmente	Semanalmente
0 noites	1 noite por ano	1 noite por mês	1 noite por semana
	2 noites por ano (1 a cada 6 meses)	2 noites por mês	2 noites por semana
	3 noites por ano (1 a cada 4 meses)	3 noites por mês	3 noites por semana
	4 noites por ano (1 a cada 3 meses)		4 noites por semana
	5 noites por ano		5 noites por semana
	6 noites por ano (1 a cada 2 meses)		6 noites por semana
	7 noites por ano		7 noites por semana
	8 noites por ano		
	9 noites por ano		
	10 noites por ano		
	11 noites por ano		

Parte II. Frequência atual do número de pesadelos e sonhos perturbadores

Considerando os últimos 3 meses, favor estimar a média da freqüência de noites em que experimenta pesadelos ou sonhos perturbadores, selecionando uma das categiorias a seguir com base no **número atual de eventos**.

Selecione apenas **uma** das quatro colunas listadas abaixo e então circule somente **uma** categoria:

Zero	Anualmente	Mensalmente	Semanalmente
0 pesadelos	1 pesadelo por ano	1 pesadelo por mês	1 pesadelo por semana
	2 pesadelos por ano (1 a cada 6 meses)	2 pesadelos por mês	2 pesadelos por semana
	3 pesadelos por ano (1 a cada 4 meses)	3 pesadelos por mês	3 pesadelos por semana
	4 pesadelos por ano (1 a cada 3 meses)		4 pesadelos por semana
	5 pesadelos por ano		5 pesadelos por semana
	6 pesadelos por ano (1 a cada 2 meses)		6 pesadelos por semana
	7 pesadelos por ano		7 pesadelos por semana
	8 pesadelos por ano		____ pesadelos por semana*
	9 pesadelos por ano		
	10 pesadelos por ano		
	11 pesadelos por ano		

* Se o número total de pesadelos e sonhos perturbadores é maior que 7 por semana, favor estimar a média atual da frequência semanal desses eventos e preencher o espaço em branco. (Por exemplo: algumas pessoas têm mais de um pesadelo ou sonho perturbador em uma mesma noite. Elas podem relatar 2 sonhos perturbadores por noite durante as 7 noites da semana. Neste caso, o número total de pesadelos por semana será 2 pesadelos x 7 noites = 14).

Obs.: Esta figura serve apenas como ilustração do conteúdo abordado no questionário. A tradução apresentada não atende aos protocolos internacionais de tradução e adaptação transcultural requeridos para sua validação e futura aplicação em ambientes clínicos.

FIGURA 3.18 – Questionário de Frequência de Pesadelo
Fonte: Adaptada de Krakow B et al., 2002. Obs.: Não existem estudos de tradução, adaptação transcultural e validação deste instrumento para uso no Brasil. Esta figura serve apenas como ilustração do conteúdo abordado no questionário. A tradução apresentada não atende aos protocolos internacionais de tradução e adaptação transcultural requeridos para sua validação e futura aplicação em ambientes clínicos.

■ 10.2. Parassonias do sono NREM

Na categoria de parassonias do sono NREM, destaca-se o grupo de distúrbios do despertar, que compreende o terror noturno, o sonambulismo e o despertar confusional, caracterizando um quadro de experiências mentais anormais e comportamentos complexos, não estereotipados, durante o sono, de ondas lentas, associados com limitação do funcionamento cognitivo, descargas adrenérgicas repentinas e, em geral, amnésia total ou parcial dos eventos. Estresse, emoções fortes, privação de sono e consumo de álcool são gatilhos para a manifestação desses eventos[68]. Em geral, as parassonias do Sono NREM causam SED, fadiga e redução da qualidade de vida[68,69].Os questionários auxiliam o profissional da saúde na identificação da manifestação e gravidade dessas características.

A **Escala Paris de Avaliação da Gravidade do Distúrbio de Despertar (EPGTD)** foi desenvolvida por um grupo de especialistas na área com o objetivo de auxiliar no diagnóstico, monito-

56 •• Seção I – Avaliação clínica

ramento e avaliação dos efeitos do tratamento[70]. Trata-se de um questionário composto por três partes, que incluem: a) Episódios noturnos: caracterização dos comportamentos (17 itens); b) Frequência dos episódios ao longo do último ano; e c) Efeitos/Consequências dos comportamentos anormais (cinco itens) (Figura 3.18). Essa escala pode ser preenchida pelo próprio paciente num intervalo de 2 a 7 minutos. A pontuação total varia de 0 a 50. A Figura 3.19 apresenta uma versão traduzida para o português apenas a título de ilustração, sendo restrito seu uso clínico.

Escala Paris de Avaliação da Gravidade do Transtorno de Despertar

Durante o último ano, voce exibiu algum dos comportamentos abaixo durante a noite, enquanto estava dormindo?
Por favor, marque a resposta correspondente:

A. Durante episódios noturnos

	Nunca	Algumas vezes	Frequentemente
1. Eu gritei	☐	☐	☐
2. Eu sentei na minha cama	☐	☐	☐
3. Eu bati ou chutei algo ou alguém	☐	☐	☐
4. Eu caí da cama	☐	☐	☐
5. Eu saí do meu quarto	☐	☐	☐
6. Eu desci ou subi as escadas	☐	☐	☐
7. Eu saí da minha casa	☐	☐	☐
8. Eu abri uma janela	☐	☐	☐
9. Eu escalei por uma janela	☐	☐	☐
10. Eu manuseei ou mexi em objetos leves (chinelos, objetos pequenos)	☐	☐	☐
11. Eu manuseei ou mexi em objetos pesados (luminária, vaso, móvel)	☐	☐	☐
12. Eu quebrei um objeto, janela, parede	☐	☐	☐
13. Eu peguei objetos afiados (facas, ferramentas)	☐	☐	☐
14. Eu manipulei objetos que poderiam produzir fogo (fósforo, isqueiro, fogão a gás, forno)	☐	☐	☐
15. Eu toquei em coisas que estavam em janelas ou aberturas (cortina, veneziana, maçaneta)	☐	☐	☐
16. Eu preparei ou ingeri comida ou bebida	☐	☐	☐
17. Eu realizei um ato sexual sem vontade deliberada	☐	☐	☐

B. Frequência dos episódios anormais ao longo do último ano

☐ Dois ou mais episódios por noite
☐ Um episódio por noite
☐ Ao menos um episódio por semana
☐ Ao menos um episódio por mês
☐ Ao menos um episódio por ano
☐ Menos de um episódio por ano
☐ Nunca tive nenhum evento motor durante a noite

C. Efeitos/Consequências dos comportamentos anormais

	Nunca	Algumas vezes	Frequentemente
18. Eu perturbei o sono de outra pessoa	☐	☐	☐
19. Eu me feri	☐	☐	☐
20. Eu machuquei outra pessoa	☐	☐	☐
21. Eu fico cansado no dia seguinte	☐	☐	☐
22. Eu fico psicologicamente abalado (sentimento de vergonha, ansiedade, medo de ir para a cama etc)	☐	☐	☐

Computo da pontuação:
Parte A e parte C: Nunca = 0, Algumas vezes = 1, Frequentemente = 2
Parte B: Dois ou mais episódios por noite = 6, Um episódio por noite = 5, Um ou mais episódios por semana = 4, Um ou mais episódios por mês = 3, Um ou mais episódios por ano = 2, Menos de um episódio por ano = 1, Nunca tive nenhum evento motor durante a noite = 0

Obs.: Esta figura serve apenas como ilustração do conteúdo abordado no questionário. A tradução apresentada não atende aos protocolos internacionais de tradução e adaptação transcultural requeridos para sua validação e futura aplicação em ambientes clínicos.

FIGURA 3.19 – Escala Paris de Avaliação da Gravidade do Distúrbio de Despertar
Fonte: Adaptada de Arnulf I et al., 2014. Obs.: Não existem estudos de tradução, adaptação transcultural e validação deste instrumento para uso no Brasil. Esta figura serve apenas como ilustração do conteúdo abordado no questionário. A tradução apresentada não atende aos protocolos internacionais de tradução e adaptação transcultural requeridos para sua validação e futura aplicação em ambientes clínicos.

A avaliação das propriedades psicométricas da EPGTD mostrou validade aparente e validade concorrente com a complexidade dos comportamentos exibidos durante o sono de ondas lentas, obtidos por meio da videopolissonografia. O item 21 apresentou correlação positiva com a Escala de Sonolência de Epworth. A análise fatorial da escala identificou um modelo de dois fatores: "deambulação" (itens 5-7, 13, 14, 16 e 17) e "comportamentos violentos/manuseio" (itens 1-4, 8-12 e 15), ambos demonstrando poder discriminativo entre a população com sonambulismo ou terror noturno e controles (normais, pacientes com DCSR e pacientes que manifestaram episódios de sonambulismo ou terror noturno no passado). A pontuação total mais elevada se mostra mais associada à manifestação de comportamentos mais violentos, os quais se mostraram mais frequentes em homens. O melhor ponto de corte da escala é 13/14, com uma sensibilidade de 83,6% e especificidade de 87,8%. A EPGTD também apresentou boa consistência interna ($\alpha > 0{,}7$) e estabilidade teste-reteste, sugerindo ser uma boa medida para acessar mudanças ao longo do tempo[70].

Devido aos prejuízos associados às parassonias, sugere-se a avaliação da SED, da fadiga, dos sintomas depressivos e a avaliação da qualidade de vida como forma de monitoramento dos sintomas associados às causas e/ou efeitos dos Pesadelos e do Distúrbio do Despertar. Os questionários sugeridos na Tabela 3.3 podem ser adotados para essa finalidade.

■ Referências

1. Buysse DJ, Reynolds CF, Monk TH, Berman SR, Kupfer DJ. The Pittsburgh Sleep Quality Index (PSQI): A new instrument for psychiatric research and practice. Psychiatry Research. 1989;28(2):193-213.
2. Bertolazzi AN, Fagondes SC, Hoff LS, Dartora EG, Miozzo IC, Barba ME, Barreto SS. Validation of the Brazilian Portuguese version of the Pittsburgh Sleep Quality Index. Sleep Medicine. 2011;(12):70-5.
3. Johns MW. A new method for measuring daytime sleepiness: the Epworth sleepiness scale. Sleep. 1991;14(6):540-5.
4. Bertolazzi NA, Fagondes SC, Hoff LS, Pedro VD, BarretoSS, Johns MW. Validação da escala de sonolência de Epworth em português para uso no Brasil. J Bras Pneumol. 2009;35(9):877-883.
5. Carney CE, Buysse DJ, Ancoli-Israel S, Edinger JD, Krystal AD, Lichstein KL, Morin CM. The consensus sleep diary: standardizing prospective sleep self-monitoring. Sleep. 2012;35(2):287-302.
6. Natale V, Léger D, Bayon V, Erbacci A, Tonetti L, Fabbri M, Martoni M. The Consensus Sleep Diary: Quantitative Criteria for Primary Insomnia Diagnosis. Psychosomatic Medicine. 77. 2015:413-418.
7. Kapur VK, Auckley DH, Chowdhuri S, Kuhlmann DC, Mehra R, Ramar K, Harrod CG. Clinical practice guideline for diagnostic testing for adult obstructive sleep apnea: an american academy of sleep medicine clinical practice guideline. J Clin Sleep Med. 2017;13(3):479-504.
8. Myers KA, Mrkobrada M and Simel DL. Does This Patient Have Obstructive Sleep Apnea? The Rational Clinical Examination Systematic Review. JAMA 310. 2013;(7):732-741.
9. Netzer NC, Stoohs RA, Netzer CM, Clark K, Strohl KP. Using the Berlin Questionnaire to identify 514 patients at risk for the sleep apnea syndrome. Ann Intern Med. 1999;131(7):485-91.
10. Chung F, Yegneswaran B, Liao P, Chung SA, Vairavanathan S, Islam S et al. STOP questionnaire: A tool to screen patients for obstructive sleep apnea. Anesthesiology. 2008;108:812-21.
11. Senaratna CV, Perret JL, Matheson MC, Lodge CJ, Lowe AJ, Cassim R, Russell M, Burgess J, Hamilton GS, Dharmage SC, Validity of the Berlin questionnaire in detecting obstructive sleep apnea: A systematic review and meta-analysis, Sleep Medicine Reviews. 2017; doi: 10.1016/j.smrv.2017.04.001.
12. Vaz AP et al. Translation of Berlin Questionnaire to Portuguese language and its application in OSA identification in a sleep disordered breathing clinic. Rev Port Pneumol. 2011.
13. Nagappa M, Liao P, Wong J, Auckley, D, Ramachandran SK, Memtsoudis S, Mokhlesi B, Chung F. Validation of the STOP-Bang Questionnaire as a Screening Tool for Obstructive Sleep Apnea among Different Populations: A Systematic Review and Meta-Analysis. Plos One 2015;10(2).
14. Chung F, Abdullah HR, Liao P. STOP-Bang Questionnaire: A Practical Approach to Screen for Obstructive Sleep Apnea. Chest 2016;149(3):631-8.
15. Fonseca LB, Silveira EA, Lima NM, Rabahi MF. STOP-Bang questionnaire: translation to Portuguese and cross-cultural adaptation for use in Brazil. J Bras Pneumol. 2016;42(4):266-272.

58 •• Seção I – Avaliação clínica

16. Edinger JD, Buysse DJ, Deriy L, Germain A, Lewin DS, Ong JC, Morgenthales TI. Quality Measures for the Care of Patients with Insomnia. Journal of Clinical Sleep Medicine. 2015;11(3):311-334.
17. Bastien CH, Vallieres A, Morin CM. Validation of the Insomnia Severity Index as an outcome measure for insomnia research. Sleep Med. 2001;2(4):297-307.
18. Castro LS. Adaptação e Validação do Índice de Gravidade de Insônia (IGI): caracterização populacional, valores normativos e aspectos associados. [Dissertação] Universidade Federal de São Paulo – Escola Paulista de Medicina; 2011.
19. Morin CM. Dysfunctional Beliefs and Attitudes about Sleep. Preliminary scale development and description. The Behavior Therapist. 1994:163-4.
20. Edinger JD, Wohlgemuth WK, Radtke RA, Marsh GR, Quillian E. Does cognitive-behavioral insomnia therapy alter dysfunctional beliefs and attitudes about sleep? Sleep. 2001;(24):591-9.
21. Espie CA, Inglis, SJ, Harvey L, Tessier S. Insomniacs' attributions psychometric properties of the dysfunctional beliefs and attitudes about sleep scale and the sleep disturbance questionnaire. J Psychosom Res. 2000;(48):141-8.
22. Morin CM, Blais FC, Savard J. Are changes in beliefs and attitudes about sleep related to sleep improvements in the treatment of insomnia? Behavioral Research Therapy. 2002;(40):741-752.
23. Edinger JD, Wohlgemuth WK. Psychometric comparisons of the standard and abbreviated DBAS-10 versions the dysfunctional beliefs and attitudes about sleep questionnaire. Sleep Medicine. 2001; 2(6):493-500.
24. Chung KF, Ho FY, Yeung WF. Psychometric Comparison of the Full and Abbreviated Versions of the Dysfunctional Beliefs and Attitudes about Sleep Scale. Journal of Clinical Sleep Medicine. 2016; 12(6):821-8.
25. Levenson JC, Troxel WM, Begley A, Hall M, Germain A, Monk TH, Buysse DJ. A Quantitative Approach to Distinguishing Older Adults with Insomnia from Good Sleeper Controls. Journal of Clinical Sleep Medicine. 2013;9(2).
26. Maich KH, Lachowski AM, Carney CE. Psychometric Properties of the Consensus Sleep Diary in Those with Insomnia Disorder. Behav Sleep Med. 2016;00:1-18.
27. Krupp LB, Pollina DA. Mechanisms and management of fatigue in progressive neurological disorders. Curr Opin Neurol. 1996;9:456-40.
28. Valderramas S, Feres AC, Melo A. Reliability and validity study of a Brazilian-Portuguese version of the fatigue severity scale in Parkinson's disease patients. Arq. Neuro-Psiquiatr. 2012;70(7).
29. Smets EMA, Garssen B, Bonke B, De Haes JCJM. The Multidimensional Fatigue Inventory (MFI) psychometric qualities of an instrument to asses fatigue. J Psychosom Res. 1995;39:315-325.
30. Baptista RL, Biasoli I, Adriana Scheliga A, Soares A, Brabo E, Morais JC, Werneck GL, Spector N. Psychometric Properties of the Multidimensional Fatigue Inventory in Brazilian Hodgkin's Lymphoma Survivors. Journal of Pain and Symptom Management. 2012;44(6):908-915.
31. Lipp M. Manual do Inventário de Sintomas de Stress para Adultos de Lipp (ISSL). São Paulo: Casa do Psicólogo; 2000.
32. Beck AT, Epstein N, Brown G, Steer RA. An inventory for measuring clinical anxiety: Psychometric properties. Journal of Consulting and Clinical Psychology. 1988;56(6):893-7.
33. Cunha JC. Escalas Beck – Adaptação Brasileira: Casa do Psicólogo; 2001.
34. Beck AT, Steer RA, Brown GK. BDI-II, Beck Depression Inventory: Manual. Psychological Corporation; 1996.
35. Gorenstein C, Pang WY, Argimon IL, Werlang BS. BDI-II – Inventário de depressão de Beck – Adaptação Brasileira. Casa do Psicólogo; 2011.
36. Ware JE, Kosinki M, Gandek B. SF-36 Health Survey: Manual & Interpretation Guide. Lincoln RI: Quality Metric; 2000.
37. Laguardia J, Campos MR, Travassos C, Najar AL, Anjos LA, Vasconcellos MM. Dados normativos brasileiros do questionário Short Form-36 versão 2. Rev Bras Epidemiol. 2013;16(4):889-97.
38. Fleck MP, Louzada S, Xavier M, Chachamovich E, Vieira G, Santos L et al. Application of the Portuguese version of the instrument for the assessment of quality of life of the World Health Organization (WHOQOL-100). Revista de Saude Publica.1999;33(2):198-205.
39. The WHOQOL Group. Development of the World Health Organization WHOQOL-BRIEF quality of life assessment. Psychological Medicine. 1998;28(3):551-8.
40. Cruz LN, Polanczyk CA, Camey SA, Hoffmann JF, Fleck MP. Quality of life in Brazil: normative values for the WHOQOL-bref in a southern general population sample.Qual Life Res. 2011;20(7):1123-9.
41. Kyle SD, Miller CB, Rogers Z, Siriwardena N, MacMahon KM, Espie CA. Sleep Restriction Therapy for Insomnia is Associated with Reduced Objective Total Sleep Time, Increased Daytime Somnolence, and Objectively Impaired Vigilance: Implications for the Clinical Management of Insomnia Disorder. Sleep. 2014;37(2):229-37.

Diários e escalas •• **59**

42. Naren G. In the Zzz Zone: The Effects of Z-Drugs on Human Performance and Driving. Journal of medical toxicology. 2013;9(2):163-71.
43. Greenblatt DJ, Roth T. Zolpidem for insomnia. Expert Opin. Pharmacother. 2012;13(6):879-93.
44. Lader M. Benzodiazepines revisited – will we ever learn? Addiction. 2011;106:2086-2109.
45. Roenneberg T, Wirz-Justice A, Merrow M. Life between Clocks: Daily Temporal Patterns of Human Chronotypes. Journal of Biological Rhythms. 2003;18(1):80-90.
46. American Academy of Sleep Medicine. *International Classification of Sleep Disorders* – Third edition (ICSD-3); 2014.
47. Horne JA, Östberg O. A self-assessment questionnaire to determine morningness-eveningness in human circadian rhythms. Intl J Chronobiol. 1976;4:97-110.
48. Benedito-Silva AA, Menna-Barreto L, Marques N, Tenreiro S. A self-assessment questionnaire for the determination of morningness-eveningness types in Brazil. Prog. Clin. Biol. Res. 1990;341B:89-98.
49. Martynhak B, Louzada FM, Pedrazzoli M, Araujo JF. Short communication does the chronotype classification need to be updated? Preliminary findings. Chronobiology International. 2010;27(6):1329-34.
50. Randler C, Vollmer C. Epidemiological Evidence for the Bimodal Chronotype Using the Composite Scale of Morningness. Chronobiology International. 2012;29(1):1-4.
51. Tempaku PF, Arruda JR, Mazzotti DR, Gonçalves BS, Pedrazzoli M, Bittencourt L, Tufik S. Characterization of bimodal chronotype and its association with sleep: A population-based study, Chronobiology International. 2017;34(4):504-510.
52. Kim WH, Jung DY, Lee JY, Chang SM, Jeon H, Lee JY, Cho SJ et al. Lifetime prevalence of psychiatric morbidities, suicidality, and quality of life in a community population with the bimodal chronotype: A nationwide epidemiologic study, Chronobiology International. 2017; 10:1-8.
53. Levandovski R, Dantas G, Fernandes LC, Caumo W, Torres I, Roenneberg T, Hidalgo MP, Allebrandt KV Depression scores associate with chronotype and social jetlag in a rural population. ChronobiologyInternational. 2011;28(9):771-8.
54. Munich Chrono Type Questionnaire (MCTQ) – Ludwig-Maximiliams-Universität München. Available from: https://www.bioinfo.mpg.de/mctq/core_work_life/core/introduction.jsp?language=por_b
55. Questionário de Cronotipo baseado no MCTQ – Grupo Interdisciplinar de Pesquisa em Sono da Escola de Artes, Ciências e Humanidades da Universidade de São Paulo. Disponível em: www.each.usp.br/gipso/mctq
56. Zavada A, Gordijn MC, Beersma DG, Dann S, Roenneberg T. Comparison of the Munich ChronoType Questionnaire with the Horne-Ostberg'sMorningness-Eveningness score. Chronobiology International. 2005;22(2):267-78.
57. Trotti LM, Goldstein CA, Harrod CG, Koo BB, Sharon D, Zak R, Chervin RD. Quality Measures for the Care of Adult Patients with Restless Legs Syndrome. Journal of Clinical Sleep Medicine. 2015; 11(3):293-310.
58. Walters AS, LeBrocq C, Dhar A, Hening W, Rosen R, Allen RP, Trenkwalder C. Validation of the International Restless Legs Syndrome Study Group rating scale for restless legs syndrome. Sleep Med. 2003;4(2):121-32.
59. Abetz L, Arbuckle R, Allen RP, Garcia-Borreguero D, Hening W, Walters AS, Mavraki E, Kirsch JM. The reliability, validity and responsiveness of the International Restless Legs Syndrome Study Group rating scale and subscales in a clinical-trial setting. Sleep Med. 2006;7(4):340-9.
60. Masuko AH, Carvalho LB, Machado MA, Morais JF, Prado LB, Prado GF. Translation and validation into the Brazilian Portuguese of the restless legs syndrome rating scale of the International Restless Legs Syndrome Study Group. Arq Neuropsiquiatr. 2008;66(4):832-6.
61. Kohnen R, Martinez-Martin P, Benes H, Trenkwalder C, Högl B, Dunkl E, Walters AS.Validation of the Kohnen Restless Legs Syndrome – Quality of Life instrument. Sleep Medicine. 2016;24:10-17.
62. Dauvilliers Y, Beziat S, Pesenti C, Lopez R, Barateau L, Carlander B, Luca G et al. Measurement of narcolepsy symptoms The Narcolepsy Severity Scale. Neurology. 2017;88(4).
63. Krahn LE, Hershner S, Loeding LD, Maski KP, Rifkin DI, Selim B, Watson NF. Quality Measures for the Care of Patients with Narcolepsy. Journal of Clinical Sleep Medicine. 2015;11(3):333-55.
64. Postuma RB, Arnulf I, Hogl B, Iranzo A, Miyamoto T, Dauvilliers Y, Oertel W et al. A Single-Question Screen for REM Sleep Behavior Disorder: A Multicenter Validation Study. Movement Disorder. 2012;27(7):913-16.
65. Boeve BF; Molano JR; Ferman TJ; Lin SiongChi; Bieniek K; Tippmann-Peikert M; Boot B; St. Louis EK; Knopman DS; Petersen RC; Silber MH. Validation of the Mayo Sleep Questionnaire to screen for REM sleep behavior disorder in a community-based sample. Journal of Clinical Sleep Medicine. 2013;9(5):475-80.
66. Belicki K. The Relationship of Nightmare Frequency to Nightmare SutTering with Implications for Treatment and Research. Dreaming. 1992;2(3):143-8.

60 •• Seção I – Avaliação clínica

67. Krakow B, Schrader R, Tandberg D, Hollifield M, Koss MP, Yau CL, Cheng DT. Nightmare frequency in sexual assault survivors with PTSD. Journal of Anxiety Disorders. 2002;16(2):175-90.
68. Lopez R, Jaussent I, Scholz S, Bayard S, Montplaisir J, Dauvilliers Y. Functional impairment in adult sleepwalkers: a case-control study. Sleep. 2013;36(3):345-51.
69. Oudiette D, Leu S, Pottier M, Buzare MA, Brion A, Arnulf I. Dreamlike mentations during sleepwalking and sleep terrors in adults. Sleep. 2009;32(12):1621-7.
70. Arnulf I, Zhang B, Uguccioni G, Flamand M, Noël de Fontréaux A, Leu-Semenescu S, Brion A. A scale for assessing the severity of arousal disorders. Sleep. 2014;37(1):127-36.

Seção II
Métodos de avaliação complementar

Aspectos técnicos do laboratório de sono

4

Rogerio Santos-Silva
Lia Rita Azeredo Bittencourt

Cada laboratório para diagnóstico e tratamento dos distúrbios do sono tem a responsabilidade de seguir as regulamentações federais, estaduais e municipais às quais estão sujeitos. Devem, portanto, atuar de forma ética, que envolve lidar com seres humanos. O laboratório poderá ser instalado em um hospital, em uma clínica e/ou em uma instituição de ensino e pesquisa, sendo de caráter público ou privado.

Recomenda-se que o laboratório mantenha as cópias de todas as regulamentações e licenças de funcionamento, bem como contratos firmados com outros serviços (transporte de pacientes e hospitais para atendimento de emergência, outros médicos e profissionais consultores).

1. Estrutura Física de um Laboratório de Sono

■ 1.1. O local

O local onde funciona um laboratório de sono deve estar de acordo com as normas de segurança (de construção civil, instalações elétricas e hidráulicas) e estar o mais equipado possível em sua estrutura, com material que proporcione boa qualidade do registro polissonográfico (isolamento de interferências externas).

A presença de detectores e extintores de incêndio, devidamente avaliados quanto à reposição e data limite de vencimento, é obrigatória, de acordo com projeto que segue a regulamentação de lei.

O local onde funciona o laboratório deve ser de fácil acesso para qualquer tipo de paciente, com sinalização bem definida para que não haja dificuldade ou perda de tempo para acessar o local. Sugere-se que a identificação do laboratório seja elaborada para que o cliente possa obter acesso mesmo a distância e à noite, condições que prejudicam a visualização pelo paciente. Em instituições e hospitais, sugere-se que na entrada, nos corredores e nas vias de acesso (escadas, elevadores e rampas) haja orientações de como chegar ao laboratório do sono.

64 •• Seção II – Métodos de avaliação complementar

É obrigatório, caso o local do laboratório não seja no térreo, que pacientes com deficiências físicas tenham acesso por elevadores ou rampas.

Sugere-se que o laboratório tenha um estacionamento para os carros dos clientes ou convênio com uma empresa que forneça esse serviço.

■ 1.2. Os quartos de dormir

Os quartos de dormir, onde o exame de polissonografia é realizado, devem oferecer segurança, conforto, dignidade e privacidade aos pacientes.

É obrigatório que haja um quarto para cada paciente, que esteja localizado no mesmo andar da sala de registro de polissonografia, que é o local onde o técnico acompanha o exame. Recomenda-se que a dimensão seja de 3 por 4 metros e que a distância entre o quarto e sala de registro não seja superior a 5 metros.

Sugere-se que o banheiro seja próximo ao quarto ou, de preferência, acoplado (suíte). A proporção não deve ultrapassar um banheiro para cada dois pacientes. As condições de funcionamento elétrico-hidráulico e as condições de limpeza e manutenção devem ser periodicamente verificadas. O chuveiro é opcional.

As roupas de cama, banho e, eventualmente, materiais para higiene pessoal devem ser fornecidos pelo laboratório.

Pelo menos um quarto de dormir e um banheiro devem possuir estruturas de apoio e segurança para deficientes físicos.

No quarto de dormir, são consideradas essenciais as condições que permitam atenuar o som (portas, janelas e pisos antirruídos), controlar a temperatura (aparelho de condicionador de ar quente/frio) e a luminosidade (uso de *dimer*/cortinas).

A cama de dormir deve ser ampla, resistente e com colchão e travesseiro confortáveis. Sugere-se que no quarto tenha um local para armário de roupas e uma porta/gaveta com chave ou cofre, para que o paciente guarde seus pertences de valor.

Não se recomenda televisão ou equipamento de som no quarto.

■ 1.3. Central de registro

É o local onde o técnico acompanha o registro durante o período da polissonografia. Deverá ser separada do quarto de dormir. Esse local deve ser confortável, permitindo que o técnico acompanhe o exame adequadamente. Os equipamentos devem estar dispostos de uma maneira que o técnico possa utilizá-los confortavelmente. Monitor de imagem/som e sistema de comunicação com o quarto do paciente devem estar presentes.

A distância dessa sala até o quarto não deve ser superior a cinco metros, para que o técnico possa chegar rápido em caso de emergência.

As bancadas para os computadores devem estar dispostas na altura adequada para que o técnico sentado, em uma cadeira confortável, possa apoiar os antebraços sobre as mesas.

A altura dos monitores de imagens provenientes dos quartos de dormir deve ser adequada para que o técnico não precise fletir a cabeça durante a observação do paciente.

O sistema de intercomunicação entre a central de registro e o quarto do paciente deve permitir que o paciente se comunique com o técnico em caso de emergência ou para qual-

Aspectos técnicos do laboratório de sono •• **65**

quer dúvida/necessidade, além de permitir que o técnico se comunique com o paciente durante qualquer esclarecimento e para a execução da calibração biológica.

■ 1.4. Outros cômodos do laboratório do sono

1.4.1. Sala de espera

Uma antessala é recomendada para que o paciente aguarde ser recebido e encaminhado para seu quarto pelo técnico. Essa sala pode ser usada para atividades recreativas como ler, ver TV, ouvir som e conversar com outros pacientes e/ou familiares. Durante o dia, poderá ser utilizada por pacientes que estejam em outros atendimentos (por exemplo, nos intervalos do teste das múltiplas latências do sono ou para atendimento na clínica de aparelhos de Pressão Aérea Positiva – PAP).

1.4.2. Copa

Uma copa/cozinha para os técnicos e funcionários do laboratório é indispensável, preferencialmente próxima à central de registros. Uma sala com mesa para refeições e lanches permite maior conforto aos pacientes. Entretanto, as refeições aos pacientes (café da manhã ou almoço, no caso de teste de latências múltiplas do sono) podem ser oferecidas nos quartos de dormir.

1.4.3. Banheiro/vestiário

Banheiros/vestiários exclusivos para técnicos e funcionários são recomendados, preferencialmente no mesmo andar da sala de registro.

2. Equipamentos

O laboratório do sono deve proporcionar todos os recursos para o diagnóstico e ajuste do tratamento dos diversos distúrbios do sono. O registro polissonográfico deverá ser feito de acordo com a suspeita diagnóstica, propiciando as medidas necessárias para elucidar todas as hipóteses diagnósticas.

O laboratório de sono deve estar apto para realizar polissonografia de noite inteira, polissonografia diurna, polissonografia de "noite partida" para diagnóstico e tratamento da Apneia Obstrutiva do Sono (AOS) (*split-night*), polissonografia para ajuste de pressão de aparelhos PAP (com equipamento automático, de pressão contínua e/ou dois níveis de pressão), teste de latências múltiplas do sono e teste de manutenção da vigília.

■ 2.1. Polissonígrafo

O equipamento de registro digital da polissonografia, chamado de polígrafo ou polissonígrafo, deve apresentar qualidade mínima para identificação das atividades bioelétricas necessárias para o estagiamento do sono e reconhecimento dos eventos associados ao sono. O polissonígrafo deve incluir canais de registro dos seguintes parâmetros fisiológicos recomendados para avaliação durante a polissonografia: eletroencefalograma (EEG), eletro-oculograma (EOG), eletromiograma (EMG) do queixo e do músculo tibial anterior, fluxo aéreo, esforço respiratório, posição corporal e eletrocardiograma (ECG). A montagem da polissonografia pode, opcionalmente, incluir o registro de outras variáveis, tais como

66 •• Seção II – Métodos de avaliação complementar

outros grupos musculares (masseter e membros superiores), o ronco, a pressão parcial de dióxido de carbono (PCO_2), entre outras[1].

Para identificação das variáveis fisiológicas durante o sono, as atividades bioelétricas são coletadas e condicionadas pela utilização de amplificadores diferenciais que compõem os equipamentos de registro. Dependendo das características das variáveis a serem registradas, serão utilizados amplificadores de corrente alternada (AC) para atividades que apresentem frequências com variações rápidas no tempo, ou amplificadores de corrente direta (DC) para atividades que variem lentamente no tempo.

A resolução mínima do polissonígrafo deve ser de 12 bits por amostra, e a frequência de amostragem para cada variável fisiológica registrada durante o exame deve estar de acordo com as recomendações descritas na Tabela 4.1.

TABELA 4.1 Valores de frequência de amostragem		
Canal de registro	**Frequência de amostragem (Hz)***	
	Desejável	**Mínima**
Eletroencefalograma	500	200
Eletro-oculograma	500	200
Eletromiograma	500	200
Eletrocardiograma	500	200
Fluxo aéreo (termistor/termopar, pressão nasal, fluxo do equipamento PAP), capnógrafo	100	25
Esforço respiratório (cintas pletismografia por indutância respiratória), pressão esofágica	100	25
Oximetria, PCO_2 transcutâneo	25	10
Ronco	500	200
Posição corporal	1	1

Fonte: Adaptada de Berry RB et al., 2018.

A amplitude (altura) das ondas registradas na polissonografia, que é geralmente medida em microvolts (μV), é essencial para o reconhecimento dos padrões específicos de cada evento observado durante o sono. A amplitude (pico a pico) é dada pela medida do ponto mais negativo da onda ao mais positivo (por convenção, em EEG, a porção negativa da onda tem deflexão para cima e a porção positiva tem deflexão para baixo). A amplitude de visualização das ondas deve ser determinada pela utilização de um dispositivo do equipamento de registro, denominado "sensibilidade" ou "ganho". Esse dispositivo altera a quantidade de μV por milímetro (ou centímetro) que é visualizada em cada canal de registro. Vale lembrar que esse dispositivo não altera a voltagem da atividade registrada, mas, sim, a sua aparência na tela do computador. Por exemplo, uma onda que tenha 10 μV será visualizada com amplitude de 1 cm se a sensibilidade do canal for ajustada em 10 μV/cm, mas a mesma onda será visualizada com amplitude de 0,5 cm, caso a sensibilidade do canal seja ajustada em 20 μV/cm. A Tabela 4.2 apresenta as sensibilidades recomendadas para o registro de cada variável fisiológica avaliada na polissonografia.

A identificação das frequências das atividades bioelétricas registradas durante a polissonografia também é essencial para o registro do sono. A unidade de frequência é Hz (ou ciclos por segundo). As principais faixas de frequência observadas na polissonografia estão descritas na Figura 4.1. De maneira geral, um sinal registrado na polissonografia é originado pela diferença de potencial entre duas regiões onde foram colocados dois eletrodos. Esse sinal é composto por um conjunto de ondas com frequências variadas e, via de regra, inclui as atividades de interesse, mas também outras atividades com frequências que não têm interesse clínico e/ou que atrapalham na identificação do sinal de interesse. Os equipamentos de registro apresentam dispositivos que permitem a eliminação de atividades que compõem o sinal e que não interessam para identificação dos padrões do traçado. Esses dispositivos são chamados de filtros. Por exemplo, a atividade elétrica cerebral espontânea, captada pelo EEG, é composta de potenciais elétricos de amplitudes e frequências variadas e apenas uma parte dessas atividades tem relevância clínica para sua identificação. Dessa forma, a adequada identificação dos grafoelementos do EEG durante o sono é facilitada pelo registro de uma faixa específica de frequências. O dispositivo que elimina as baixas frequências que compõem o sinal visualizado é chamado de "filtro de baixa frequência". Por outro lado, a eliminação das atividades rápidas, isto é, de altas frequências, que compõem o sinal, é dada pelo "filtro de alta frequência". Por exemplo, um canal de registro que tenha o filtro de alta frequência ajustado em 70 Hz, atenuará atividades acima de 70 Hz, que fazem parte daquele sinal. A unidade de medida dos filtros de baixa frequência também é Hz. A Tabela 4.2 mostra o conjunto de filtros recomendado para cada variável avaliada na polissonografia. Alguns equipamentos apresentam, no lugar do filtro de baixa frequência, outro tipo de dispositivo, chamado de "constante de tempo". A constante de tempo também tem, em última análise, a função de atenuar as atividades de baixas frequências que compõem o sinal registrado, porém sua unidade de medida é dada em segundos.

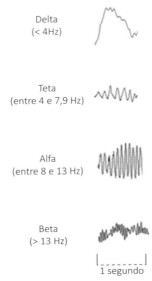

FIGURA 4.1 – Valores e exemplos das faixas de frequência observadas no eletroencefalograma
Fonte: Elaborada pelos autores.

TABELA 4.2
Conjunto de filtros e sensibilidade utilizado na polissonografia

		Filtro de baixa frequência (Hz)	Filtro de alta frequência (Hz)	Sensibilidade (μV/mm)
Eletroencefalograma		0,3	35	7
Eletro-oculograma		0,3	35	7
Eletromiograma		10	100	3
Eletrocardiograma		0,3	70	30
Termistor/termopar		0,1	15	30*
Pressão nasal		DC ou ≤ 0,03	100	30*
Fluxo do equipamento PAP		DC	DC	30*
Pletismografia por indutância respiratória		0,1	15	10*
Ronco		10	100	5*

DC: corrente direta; *: variável.
Fonte: Adaptada de Berry RB et al., 2018.

Os sistemas digitais de registro devem incluir as seguintes características:

1. Um dispositivo que permite a aplicação de um sinal de calibração visual (na tela) padrão, negativo, de 50 μV, para todos os canais, para demonstração da amplitude, polaridade e configurações de filtros para cada parâmetro registrado.

2. Um filtro separado de 60 Hz para cada um dos canais.

3. Capacidade de selecionar frequências de amostragem para cada canal.

4. Um método de medir a impedância atual de cada eletrodo individual contra uma referência (a referência pode ser a soma de todos os outros eletrodos aplicados).

5. Capacidade de manter e visualizar os dados da maneira exata em que foram gravados pelo técnico durante o registro (ou seja, reter e exibir todas as mudanças de derivações, ajustes de sensibilidade, configurações de filtro, resolução temporal etc.).

6. A capacidade de manter e visualizar os dados da maneira exata que apareceram quando do foram estagiados (ou seja, reter e exibir todas alterações de derivações, ajustes de sensibilidade, configurações de filtro, resolução temporal etc.).

7. Um filtro para a coleta de dados que simule funcionalmente ou replique (estilo analógico) uma resposta convencional das frequências de ondas, em vez de remover todas as atividades e harmônicas dentro da faixa de banda especificada.

8. Um seletor de eletrodos com a flexibilidade de escolher e/ou alterar derivações de entrada de sinal sem depender de uma referência comum.

Para exibição e manipulação de exibição da polissonografia, os sistemas digitais de registro devem incluir os seguintes recursos:

1. O monitor de vídeo do equipamento digital para visualização e estagiamento dos dados originais da polissonografia deve apresentar, no mínimo, 15 polegadas de tamanho, com resolução horizontal de 1.600 pixels e vertical de 1.050 pixels.

Aspectos técnicos do laboratório de sono ·· **69**

2. Histograma com estágios, eventos respiratórios, movimento das pernas, saturação de oxi-hemoglobina, posição corporal (exemplo: supino, prono, lateral) e despertares, com capacidade de posicionamento do cursor e de ser visualizado em outra página.

3. Capacidade de visualizar uma tela em uma escala de tempo que vai desde a noite inteira até janelas menores de cinco segundos.

4. Os dados da gravação do vídeo devem ser sincronizados com a polissonografia e devem ter precisão de pelo menos um quadro de vídeo por segundo.

5. Rolagem automática das páginas.

6. Tecla de controle de canal desligado.

7. Tecla de controle de inverter sinal ou de alternância.

8. Alterar ordem de canal por clique e arraste.

9. Mostrar perfis de configuração (incluindo cores), que podem ser acionados a qualquer momento.

10. Transformação Rápida de Fourier ou análise espectral no intervalo especificado (omitindo segmentos marcados como artefato).

Para análise digital da polissonografia, os sistemas digitais de registro devem incluir a capacidade de identificar se o estagiamento do sono foi feito visualmente ou por um sistema automático. Além disso, podem incluir, de acordo com a demanda, a capacidade de acionar ou não acionar as marcações de:

1. Padrões de identificação de decisões de estágio de sono (por exemplo, fuso do sono, complexo K, alfa, delta etc.).

2. Padrões de identificação da análise de eventos respiratórios (por exemplo, apneias, hipopneias, dessaturações).

3. Padrões de identificação da análise de movimentos (por exemplo, movimentos periódicos de pernas).

O laboratório do sono deve disponibilizar, pelo menos, um jogo completo de periféricos de reserva para cada leito (eletrodos, sensor de fluxo aéreo, cintas, sensor de oxímetro, microfone, sensor de posição corpórea).

Todo material deve ser conferido por um técnico responsável durante o dia para que esteja em boas condições de uso durante a noite.

■ 2.2. Sistema de monitorização de imagem e som

É recomendado que o quarto de dormir possua uma câmara com sistema infravermelho (que permite visualizar a imagem no escuro), para monitorizar o paciente e seu comportamento durante o sono. Esse aparelho deve ser programado para projetar a imagem em um monitor que permanecerá na central de registros (1 monitor/paciente), sob a monitorização permanente do técnico. Não é recomendada a visualização do paciente através de janelas ou portas entre o quarto de dormir e a central de registro.

O sistema de transmissão de som proveniente do quarto de dormir deve ser acoplado a alto-falantes na central de registros. Isso permitirá ao técnico ouvir, identificar e relatar o ronco, ruídos e sonilóquios.

70 •• Seção II – Métodos de avaliação complementar

Na central de registros deve haver um sistema de vídeo que permita a gravação de imagem e som quando o técnico achar necessário ou houver solicitação médica. As imagens podem ser armazenadas se necessário.

Todos esses equipamentos devem ser periodicamente testados e mantidos em bom estado de funcionamento.

■ 2.3. Sistema de intercomunicação

A comunicação entre o paciente e o técnico deverá ser bidirecional, precisa e rápida, permitindo o atendimento ao paciente com segurança e em tempo hábil, principalmente nos casos de emergência. Além disso, deve permitir que o técnico realize a calibração biológica dos registros.

Existem vários dispositivos, e aqueles usados em hospitais permitem a comunicação de forma relativamente eficaz.

■ 2.4. Equipamentos de tratamento

É fundamental que o laboratório do sono tenha pelo menos um equipamento de pressão contínua em vias aéreas – do inglês *Continuous Positive Airway Pressure* (CPAP) – e/ou de pressão positiva em dois níveis (BiPAP ou VPAP), com controle remoto (para que o ajuste seja feito a distância, pelo técnico, fora do quarto de dormir).

Alguns laboratórios de sono disponibilizam uma unidade de CPAP autoajustável, no intuito de minimizar o trabalho do técnico quando há necessidade de acompanhamento de dois pacientes com ajuste de pressão de PAP.

O laboratório de sono pode dispor de outros arsenais terapêuticos, como aclimatação e acompanhamento de terapia com equipamentos PAP, fototerapia, orientações de exercício físico e de higiene do sono, indicações de aparelhos intraorais, técnicas de relaxamento e terapia cognitiva.

■ 2.5. Equipamentos de ressuscitação cardiopulmonar

Cada laboratório do sono deve ter um aparato de emergência contendo:

1. desfibrilador automático;
2. prancha de madeira para apoio do paciente;
3. ambú (adulto e pediátrico);
4. máscaras oronasais (adulto e pediátrica);
5. cânulas orotraqueais (adulto e pediátrica);
6. laringoscópio (adulto e pediátrico);
7. aspirador (sempre checado quanto à carga da bateria);
8. seringas, agulhas, jalecos e escalpes de números diversos;
9. sondas nasogástricas e uretrais;
10. cateteres de aspiração;
11. equipos e frascos de soro;
12. medicação especial para ressuscitação cardiopulmonar (atualizar de acordo com o prazo de vencimento);

■ 2.6. Oxigênio

O laboratório do sono deve apresentar oxigênio em gás, em forma de torpedo, fonte canalizada ou concentrador, além de um fluxômetro e recipiente de umidificação.

■ 2.7. Inaladores

Para administrar medicação via inalatória, recomenda-se ter um inalador elétrico, fonte de ar comprimido ou mesmo as medicações em aerossóis.

■ 2.8. Outros aparelhos

Além do polissonígrafo, o laboratório do sono pode dispor de alguns equipamentos, que incluem: sistema de polissonografia portátil (monitor portátil completo ou para registro de variáveis respiratórias), oxímetro, esfigmomanômetro (ou aparelho de registro contínuo de pressão arterial), estetoscópio, otoscópio, lanterna, espátulas (para visualização da orofaringe, por exemplo).

2.8.1. Monitores portáteis para diagnóstico ambulatorial da apneia do sono

O estudo ambulatorial pode ser usado como uma alternativa à polissonografia completa para o diagnóstico da AOS em pacientes adultos que encontram os critérios de elegibilidade. A fim de determinar a elegibilidade, é necessária uma avaliação global do sono, realizada pelo clínico especialista em sono. O estudo ambulatorial pode ser utilizado como uma alternativa à polissonografia para o diagnóstico de AOS quando existe uma elevada probabilidade pré-teste para a presença de síndrome da AOS moderada ou grave. Estudos ambulatoriais podem ser realizados em pacientes internados no hospital, no próprio laboratório do sono ou em casa. Muitas vezes, o estudo ambulatorial pode ser indicado quando a polissonografia não é possível, por exemplo, devido à imobilidade do paciente ou fatores médicos. O estudo ambulatorial também pode ser utilizado para monitorar tratamentos não PAP para a AOS, como os aparelhos orais. O estudo ambulatorial não deve ser utilizado como triagem diagnóstica para a população assintomática, bem como em pacientes que apresentem algumas comorbidades médicas, como doenças pulmonares (moderada a grave), doenças neuromusculares, insuficiência cardíaca congestiva e suspeita de hipoventilação noturna, que podem confundir a interpretação dos dados recebidos a partir da avaliação de um número limitado de variáveis fisiológicas[2]. Poucos estudos foram realizados na população pediátrica e em pacientes com mais de 65 anos, e, portanto, devemos ser cuidadosos na indicação desses monitores portáteis em tais populações[2]. Não é apropriada a utilização de estudos com monitores portáteis para diagnóstico de AOS em pacientes com suspeita de outras doenças do sono, tais como apneia central, movimento periódico de membros, insônia, parassonias, distúrbios do ritmo circadiano e narcolepsia[2]. Há um grande e crescente número de diferentes monitores portáteis disponíveis para o estudo ambulatorial, mas, para o diagnóstico da AOS, devem ser registrados o fluxo aéreo, esforço respiratório e a oxigenação do sangue. Os requisitos técnicos dos monitores usados no estudo ambulatorial para o diagnóstico da AOS foram publicados pela Academia Americana de Medicina do Sono[2-4].

2.8.1.1. Classificação dos monitores portáteis

Os monitores portáteis usados em estudos ambulatoriais para diagnóstico da AOS foram originalmente classificados com base no número e tipo de canais de registro[5]:

72 •• Seção II – Métodos de avaliação complementar

- **Monitor Tipo 2:** polissonografia ambulatorial completa (pelo menos sete canais de registro são monitorados, incluindo avaliação do sono pelo EEG, EOG, EMG do queixo, além das variáveis para avaliação cardiorrespiratória).
- **Monitor Tipo 3:** dispositivos com número limitado de canais de registro (normalmente de quatro a sete canais, incluindo apenas as variáveis para avaliação cardiorrespiratória).
- **Monitor Tipo 4:** apenas um ou dois canais de registro, geralmente incluindo a oximetria como um dos parâmetros avaliados.

Observação:

O **Monitor Tipo 1** foi definido como a polissonografia completa, de noite inteira, assistida e realizada no laboratório do sono.

Uma classificação mais recente (SCOPER) dos monitores portáteis foi baseada nos diferentes tipos de avaliação dos seguintes parâmetros: sono, cardiovascular, oximetria, posição, esforço e respiração (Tabela 4.3)[3]. Essa classificação permite a identificação de quais parâmetros o monitor portátil é capaz de registrar.

TABELA 4.3

Classificação SCOPER dos monitores portáteis para investigação da apneia obstrutiva do sono, baseada na avaliação dos seguintes parâmetros: sono, cardiovascular, oximetria, posição, esforço e respiração

Sono	Cardiovascular	Oximetria	Posição	Esforço	Respiratório
S_1 – Sono por 3 canais de EEG*com EOG e EMG de queixo	C_1 – mais de 1 eletrodo – pode avaliar outras derivações	O_1 – Oximetria (dedo ou orelha) com amostragem padrão	P_1 – Vídeo ou medida visual de posicionamento	E_1 – 2 cintas de esforço respiratório RIP	R_1 – Pressão nasal e termistor
S_2 – Sono por menos de 3 canais de EEG* com ou sem EOG ou EMG de queixo	C_2 – Tonometria arterial periférica	O_{1x} – Oximetria (dedo ou orelha) sem amostragem padrão (marcação manual) ou não descrita	P_2 – Sem medida visual de posicionamento	E_2 – 1 cinta de esforço respiratório RIP	R_2 – Pressão nasal
S_3 – Substituto do sono – exactigrafia	C_3 – Medida padrão de EEG (1 eletrodo)	O_2 – Oximetria a partir de local alternativo (ex.: fronte)		E_3 – Esforço derivado (ex. fronte *versus* pressão, FVP	R_3 – Termistor
S_4 – Outra avaliação do sono	C_4 – Frequência cardíaca derivada (geralmente da oximetria)	O_3 – Outra oximetria		E_4 – Outra medida de esforço (incluindo cinta piezo)	R_4 – CO_2 exalado (EndTidal) $ETCO_2$
	C_5 – Outro tipo de medida cardíaca				R_5 – Outro tipo de monitorização respiratória

Amostragem padrão da oximetria é definida como média de 3 segundos com a taxa mínima de amostragem de 10 Hz (desejável 25 Hz).

*: 3 canais de EEG definidos como frontal, central e occipital; EEG: eletroencefalografia; EOG: eletro-oculografia; EMG: eletromiografia; ECG: eletrocardiografia; RIP: pletismografia respiratória por indutância.

Fonte: Traduzido de Collop et al., 2011.

2.8.1.2. Instrumentação

O monitor portátil utilizado para estudo ambulatorial deve ser escolhido com cuidado. Os fatores a serem considerados são: a facilidade de uso pelo paciente, parâmetros de registro, facilidade de transmissão dos dados, capacidade de personalização da exibição dos dados brutos e do relatório, custo do dispositivo, custo dos itens consumíveis (cânulas, sensores descartáveis), recursos do banco de dados, bem como a disponibilidade de suporte técnico.

Como descrito, há uma grande variedade de tipos de monitores portáteis e fabricantes. É imperativo que as recomendações do fabricante e as instruções de utilização sejam seguidas pelo usuário no laboratório do sono.

2.8.1.3. Parâmetros fisiológicos de registro

2.8.1.3.1. Para monitores Tipo 2

Os eletrodos de EEG devem ser colocados de acordo com o Sistema Internacional 10-20 de colocação de eletrodos (ver Capítulo 5). As derivações recomendadas de EEG são F4-M1, C4-M1 e O2-M1, gravados com frequência de amostragem mínima de 200 Hz e com impedância menor ou igual a 5 kilo-ohms. As configurações de filtros para o EEG são: filtro de baixa frequência = 0,3 Hz e filtro de alta frequência = 35 Hz.

Os eletrodos EOG devem ser colocados em E1 e E2 e ambos referidos com M2, de acordo com a descrição no Capítulo 5. O EOG deve ser gravado com uma frequência de amostragem mínima de 200 Hz e com impedância menor ou igual a 5 kilo-ohms. As configurações de filtros para o EOG são: filtro de baixa frequência = 0,3 Hz e filtro de alta frequência = 35 Hz.

A colocação dos eletrodos do EMG do queixo deve seguir a descrição no Capítulo 5, e o registro deve ser gravado com uma frequência de amostragem mínima de 200 Hz, com impedância menor ou igual a 5 kilo-ohms. As configurações de filtros para o EMG são: filtro de baixa frequência = 10 Hz e filtro de alta frequência = 100 Hz.

2.8.1.3.2. Para monitores tipos 3 e 4

O modo mais comum de registro do fluxo aéreo em estudos ambulatoriais é a utilização do transdutor de pressão nasal. O uso de um sensor térmico oronasal é opcional nos monitores portáteis. A utilização do sensor térmico oronasal torna mais precisa a detecção de apneias, uma vez que a respiração oral não é registrada quando utilizados apenas sensores para detecção de fluxo aéreo nasal.

O sensor de esforço respiratório recomendado é a pletismografia respiratória de indutância com sinal calibrado ou não calibrado. A frequência de amostragem mínima aceitável para identificação de eventos respiratórios é de 25 Hz. As configurações de filtros para os parâmetros de esforço respiratório são: filtro de baixa frequência = 0,1 Hz e filtro de alta frequência = 15 Hz.

A oximetria de pulso é recomendada para avaliação da saturação de oxi-hemoglobina. Os sensores de dedo podem ser reutilizáveis ou descartáveis, mas em ambos os casos é importante a fixação segura ao dedo. A queda do sensor ou a desconexão do oxímetro são as razões mais comuns para o fracasso do estudo ambulatorial. A frequência de amostragem mínima aceitável para identificação de eventos respiratórios é de 10 Hz.

74 •• Seção II – Métodos de avaliação complementar

A frequência de amostragem mínima aceitável para registro do sensor de posição do corpo é de 1 Hz.

A medida da frequência cardíaca (de pulso) é geralmente derivada do oxímetro de pulso. A frequência de amostragem mínima aceitável é de 10 Hz. A observação da frequência de pulso derivada do sinal de oximetria pode ajudar na detecção de artefatos do oxímetro.

A derivação D2 modificada é recomendada para registro do ECG. A frequência de amostragem mínima aceitável é de 200 Hz. As configurações de filtro para ECG são: filtro de baixa frequência = 0,3 Hz e filtro de alta frequência = 70 Hz.

O ronco pode ser derivado do sinal do transdutor de pressão nasal ou pode ser registrado como um canal separado, pelo uso de um sensor piezoelétrico ou microfone, com ou sem saída de decibelímetro. A frequência de amostragem mínima aceitável é de 200 Hz. As configurações de filtros são: filtro de baixa frequência = 10 Hz e filtro de alta frequência = 100 Hz.

2.8.1.4. Inicialização do monitor portátil

A maioria dos monitores portáteis requer o recarregamento ou a substituição das baterias. Além disso, os dados de estudos anteriores devem ser salvos antes de uma nova gravação poder ser adquirida. Geralmente, uma vez que o monitor portátil é conectado a um computador e ao *software* do fabricante, as informações do paciente podem ser inseridas, e o monitor portátil pode ser inicializado para coletar novos dados. Os monitores portáteis podem ser ajustados para que o registro comece em um horário programado (geralmente baseado no horário habitual do sono do paciente) ou pode ser iniciado manualmente pelo paciente, na hora de dormir. É importante saber a capacidade de tempo máximo de gravação, que pode variar de uma a sete (ou mais) noites de registro, dependendo do monitor portátil.

2.8.1.5. Metodologia para instrução e educação do paciente

O momento da entrega do monitor portátil é uma oportunidade para garantir que o paciente seja devidamente instruído sobre como usar o aparelho em casa e de como envolvê-lo ao laboratório do sono. O fornecimento de informações sobre os sintomas da AOS, consequências para a saúde e benefícios do tratamento podem ajudar a definir o cenário de um exame bem-sucedido e da aceitação e adesão ao tratamento.

A instrução sobre a forma de colocar o monitor portátil pode ser realizada utilizando diferentes modalidades. Instruções escritas com diagramas e figuras de cada componente e o procedimento passo a passo devem ser entregues ao paciente para que leve para casa. Muitos fabricantes fornecem instruções em vídeo, com acesso *online* ou em um arquivo digital.

A demonstração em forma de vídeo ou feita pelo profissional responsável pela entrega do monitor portátil deve ser acompanhada pelo paciente, permitindo que ele coloque os sensores nele mesmo. Esse procedimento permite que o paciente perceba as dificuldades e esclareça dúvidas sobre a colocação do monitor portátil e dos sensores. Permite também que o profissional corrija qualquer colocação realizada de forma incorreta.

A entrega do monitor portátil pode ser feita pelo correio ou por outra pessoa, mas é preferido que o paciente receba pessoalmente, para garantir que a interação com ele permita a exploração física do equipamento e dos componentes, além de permitir que ele tenha a oportunidade de fazer perguntas. Quando os monitores portáteis forem enviados por correio, todas as informações devem ser disponibilizadas em materiais impressos e/ou gravadas. É importante que o paciente receba um número de telefone disponível 24 horas para suporte técnico caso ocorram dúvidas ou problemas durante o exame.

2.8.1.6. Documentação

Todas as informações do paciente (dados pessoais, história clínica, resultados de exames anteriores, encaminhamento e pedido médico etc.) devem estar disponíveis e revisadas antes da entrega do monitor portátil. O laboratório do sono pode exigir que o paciente assine um documento afirmando quando e onde ele deve devolver o aparelho, que pode incluir os termos e taxas em caso de necessidade de substituição do monitor portátil.

Questionários pré e pós-sono devem ser entregues ao paciente e devem ser devolvidos juntamente com o monitor portátil para auxiliar na interpretação dos dados coletados, realizada pelo médico que irá analisar e laudar o exame.

2.8.1.7. Devolução do monitor portátil e acesso aos dados do registro

A devolução rápida do monitor portátil é desejada para permitir que o equipamento esteja disponível para uso posterior e para agilizar a interpretação do exame, diagnóstico e tratamento. Se possível, os dados coletados devem ser verificados no momento da devolução para identificação do "tempo de monitoramento" (TM), que é o tempo total de registro menos o tempo com artefatos somando ao tempo em o paciente estava em vigília, conforme determinado por actigrafia, sensor de posição do corpo, padrão respiratório ou diário preenchido pelo paciente. Essa identificação imediata permitirá que o paciente retorne com o monitor portátil para repetição do exame quando uma falha muito importante na coleta dos dados for detectada (TM muito reduzido). O monitor portátil será conectado ao *software* do fabricante e os dados coletados serão enviados para revisão manual. Os dados brutos podem também ser disponibilizados remotamente em um *site* ou servidor seguro.

2.8.1.8. Estagiamento dos dados coletados pelo monitor portátil

O profissional responsável pelo estagiamento avalia se o TM mínimo de coleta de dados (definido pelo laboratório do sono) foi atingido. O fabricante pode fornecer uma análise automática dos dados brutos, mas um profissional experiente deve verificar e editar manualmente os resultados. Além do TM mínimo, os eventos respiratórios, as dessaturações de oxi-hemoglobina e os períodos de falha/artefatos devem ser marcados com precisão. Todo o estagiamento dos dados coletados pelo monitor portátil deve ser executado em conformidade com as recomendações determinadas para a polissonografia completa.

Observações:

1. Se o sono não é registrado pelo monitor portátil, deve-se marcar um evento respiratório como hipopneia se todos os seguintes critérios forem atendidos:

    a. Presença de uma queda maior que 30% na amplitude do canal recomendado para registro do fluxo aéreo.

    b. A duração da queda da amplitude é maior ou igual a 10 segundos.

    c. Ocorrência de uma dessaturação maior ou igual a 3% com relação ao valor da saturação de oxi-hemoglobina pré-evento.

2. Nos exames com uso de monitor portátil que registra a tonometria arterial periférica, a identificação dos eventos respiratórios deve ser feita com base na avaliação da tonometria arterial periférica, dessaturação de oxi-hemoglobina e alterações do ritmo cardíaco derivadas de oximetria de pulso.

2.8.1.9. Informações que devem ser descritas no resultado do estudo ambulatorial

2.8.1.9.1. Parâmetros gerais

De acordo com o manual da Academia Americana de Medicina do Sono[1], os parâmetros gerais recomendados devem ser indicados no resultado do estudo ambulatorial. Os parâmetros opcionais podem ser monitorados, a critério do clínico ou investigador e, se monitorados, devem ser relatados.

1. Tipo de monitor portátil [RECOMENDADO].
2. Tipo(s) de sensor(es) de fluxo aéreo [RECOMENDADO].
3. Tipo de sensor(s) de esforço respiratório (simples ou duplo) [RECOMENDADO].
4. Saturação de oxi-hemoglobina [RECOMENDADO].
5. Frequência cardíaca (registrada pelo ECG ou derivada do oxímetro) [RECOMENDADO].
6. Posição do corpo [OPCIONAL].
7. Método de determinação da vigília/sono ou do TM [OPCIONAL].

    Observação: o sono deve ser determinado pelo registro do EEG, EOG e EMG do queixo. O método utilizado para determinar o TM deve ser especificado no relatório.
8. Ronco (sensor acústico, piezoelétrico ou obtido a partir do transdutor de pressão nasal) [OPCIONAL].

2.8.1.9.2. Parâmetros a serem registrados se o sono NÃO for registrado

1. Horário de início do registro (horas:minutos) [RECOMENDADO].
2. Horário do término do registro (horas:minutos) [RECOMENDADO].
3. Tempo Total de Registro (TTR), em minutos (incluindo vigília e artefatos) [RECOMENDADO].
4. Tempo de Monitoramento (TM), em minutos (tempo usado para calcular o índice de evento respiratório) [RECOMENDADO].

    Observações:
    - O tempo de monitoramento (TM) é o cálculo do tempo total de registro menos o tempo com artefatos somado ao tempo em que o paciente estava em vigília, conforme determinado por actigrafia, sensor de posição do corpo, padrão respiratório ou diário do paciente (TM = TTR − [tempo artefatos + tempo vigília]). O método utilizado para determinar o TM deve ser descrito no resultado do exame.
    - O Índice de Evento Respiratório (IER) é o cálculo do número total de eventos respiratórios (vezes 60) dividido pelo tempo de monitoramento (IER = [número total de eventos respiratórios x 60]/TM em minutos). Pode ser descrito no laudo que o IER é um valor substituto do índice de apneia-hipopneia (IAH).
5. Frequência cardíaca (média, mais alta, mais baixa) [RECOMENDADO].
6. Número de eventos respiratórios [RECOMENDADO].

    6a. Número de apneias [RECOMENDADO].

    6b. Número de hipopneias [RECOMENDADO].

    6c. Número de apneias obstrutivas, centrais e mistas [OPCIONAL].

Aspectos técnicos do laboratório de sono •• **77**

7. Índice de evento respiratório (IER) com base no tempo de monitoramento (TM) = (número de eventos respiratórios × 60)/TM em minutos [RECOMENDADO].
8. IER na posição supina e não supina [OPCIONAL].
9. Índice de apneia central (IAC) = (número de apneias centrais × 60)/TM em minutos [OPCIONAL].
10. Saturação de oxi-hemoglobina (descrever pelo menos um dos três valores a seguir) [RECOMENDADO].
    10a. Índice de dessaturação de oxi-hemoglobina (IDO) ≥ 3 = (número de dessaturações de oxi-hemoglobina ≥ 3% × 60)/TM em minutos.
    10b. Valor médio, valor máximo e valor mínimo da saturação de oxi-hemoglobina.
    10c. Porcentagem de tempo com valor da saturação de oxi-hemoglobina igual ou inferior a 88% ou outros limiares.
11. Ocorrência de ronco [OPCIONAL]

2.8.1.9.3. Parâmetros a serem registrados se o sono FOR registrado

1. Horário de início do registro (horas:minutos) [RECOMENDADO].
2. Horário do término do registro (horas:minutos) [RECOMENDADO].
3. Tempo total de registro (TTR), em minutos (incluindo vigília e artefatos) [RECOMENDADO].
4. Tempo Total de Sono (TTS), em minutos [RECOMENDADO].
Observações:
5. Frequência cardíaca (média, mais alta, mais baixa) [RECOMENDADO].
6. Número de eventos respiratórios [RECOMENDADO].
    6a. Número de apneias [RECOMENDADO].
    6b. Número de hipopneias [RECOMENDADO].
    6c. Número de apneias obstrutivas, centrais e mistas [OPCIONAL].
7. Índice de apneias + hipopneias (IAH) = (apneias + hipopneias × 60)/TTS em minutos [RECOMENDADO].
8. IAH na posição supina e não supina [OPCIONAL].
9. Índice de apneia central (IAC) = (número de apneias centrais × 60)/TTS em minutos [OPCIONAL].
10. Saturação de oxi-hemoglobina (descrever pelo menos um dos três valores a seguir) [RECOMENDADO].
    10a. Índice de dessaturação de oxi-hemoglobina (IDO) ≥ 3 = (número de dessaturações oxi-hemoglobina ≥ 3% × 60)/TTS em minutos.
    10b. Valor médio, valor máximo e valor mínimo da saturação de oxi-hemoglobina.
    10c. Porcentagem de tempo com valor da saturação de oxi-hemoglobina igual ou inferior a 88% ou outros limiares.
11. Ocorrência de ronco [OPCIONAL].

2.8.1.9.4. Resumo/Conclusões do estudo ambulatorial

1. Data do exame.
2. Qualidade técnica do registro.

78 •• Seção II – Métodos de avaliação complementar

2a. Documentar necessidade de repetição devido a falhas técnicas.

2b. Limitações do estudo.

3. Interpretação do tempo de sono (se avaliado).

4. Ocorrência de ronco.

5. Interpretação do IER (com base no TM) ou do IAH (se o sono for registrado).

5a. O estudo sugere ou não o diagnóstico de AOS.

5b. Indicação da gravidade da AOS.

5c. Se o estudo for inconclusivo, recomendar polissonografia completa no laboratório do sono (se clinicamente indicado).

6. Nome impresso, assinatura e CRM do médico especialista em sono que interpretou os resultados do exame.

2.8.1.10. Segurança do monitor portátil

O uso e a manutenção dos monitores portáteis e dos sensores devem seguir as normas definidas pelo fabricante. Todo o monitor portátil deve ser visualmente inspecionado, e tais inspeções devem ser regularmente documentadas pelo laboratório do sono. Todos os equipamentos eletrônicos utilizados na realização de estudos ambulatoriais devem ser testados, para segurança, por um engenheiro biomédico ou elétrico credenciado, pelo menos uma vez por ano.

2.8.1.11. Controle de infecções

As precauções universais para evitar a propagação de doenças infecciosas devem ser tomadas no estudo ambulatorial. Lavar as mãos frequentemente é essencial para a proteção do paciente e do técnico e deve ser feito antes e depois de qualquer contato com o paciente. O técnico deve usar luvas ao manusear equipamentos contaminados.

2.8.1.12. Descontaminação dos equipamentos

Todos os equipamentos e sensores que entrarem em contato com o paciente devem ser tratados como contaminados pelo laboratório de sono. Equipamentos limpos e sujos devem ser mantidos em áreas distintas. Todos os equipamentos sujos devem ser lavados e desinfetados após cada utilização, de acordo com as orientações do fabricante. Resíduos de cola e pasta devem ser removidos dos sensores, e a "maleta" de transporte também deve ser limpa e desinfetada.

3. Estrutura pessoal

O grupo de profissionais envolvidos em um centro de sono (diretor médico, administrador, médicos, técnicos de polissonografia e tecnologia da informação, recepcionistas, secretárias e serventes) deve estar ciente do objetivo do centro e estar envolvido no bom atendimento, na ética e respeito com os pacientes.

Treinamentos pré-admissional e de reciclagem devem ser cumpridos. Reuniões entre os membros devem ser encorajadas. O objetivo é uniformizar e resolver os problemas em cada grupo, além da troca de informações.

Aspectos técnicos do laboratório de sono •• **79**

■ 3.1. Diretor médico

Cada centro deve ter um médico designado como diretor médico, que deverá garantir que a documentação do registro de cada paciente permita um diagnóstico apropriado, opções terapêuticas e um seguimento adequado.

Esse médico deverá ter sido aprovado no exame de Certificação em Medicina do Sono da sua área de atuação. Cabem a esse profissional todas as responsabilidades médicas e legais quanto à equipe sob sua direção e aos pacientes do laboratório.

Todos os demais profissionais do laboratório do sono estão sob a direção desse médico, que determinará a qualificação e os critérios que deverão ser preenchidos por esses membros.

■ 3.2. Equipe médica

Cada laboratório deverá ter uma previsão de quantos profissionais médicos são necessários para seu funcionamento, bem como em quais áreas específicas dentro da Medicina do Sono eles devem atuar.

Os médicos devem ser escolhidos pelo diretor médico. Devem estar substancial e crescentemente envolvidos com as atividades do laboratório, avaliando os pacientes encaminhados (diferentemente dos médicos consultores, que enviam pacientes ao centro ou fazem avaliações específicas dentro de suas especialidades).

O médico da equipe deve obter todos os dados do paciente referentes a anamnese e exame físico geral, além dos dados direcionados à história e exame físico de distúrbios do sono. Esse profissional deverá conduzir os testes diagnósticos ou terapêuticos ou recomendar o tratamento (se for o caso).

Caso o paciente tenha sido indicado por outro médico, algum membro da equipe médica deverá obter as informações relevantes e elaborar a montagem polissonográfica adequada. Nesse caso, verificar se o teste diagnóstico solicitado é adequado e se deve ser complementado. Sempre que necessário, fornecer informações sobre o diagnóstico, podendo sugerir conduta terapêutica ao médico solicitante.

Todos os pacientes que permanecerão no laboratório do sono deverão ser vistos por um dos médicos da equipe, podendo ser feita essa avaliação antes do início da polissonografia.

Durante a permanência do paciente no laboratório, toda e qualquer ocorrência é responsabilidade da equipe médica. Recomenda-se, portanto, que o médico permaneça em contato com a equipe de técnicos, mesmo a distância (por telefone ou celular).

Os médicos do laboratório do sono devem estar envolvidos em todas as decisões relacionadas aos pacientes: condução do exame, mudanças nas rotinas dos exames, estabelecer exames complementares à polissonografia clássica, decidir quanto aos procedimentos terapêuticos durante o registro.

É de responsabilidade médica a revisão dos registros polissonográficos, que podem ser previamente estagiados por um técnico treinado, além da conclusão e assinatura dos laudos.

Os médicos do laboratório do sono devem se responsabilizar, junto ao supervisor técnico, pelo treinamento, reciclagem e conduta dos técnicos.

80 •• Seção II – Métodos de avaliação complementar

■ 3.3. Equipe de técnicos em polissonografia

3.3.1. Supervisor técnico

Em todo laboratório do sono, recomenda-se que um técnico escolhido pelo diretor médico seja o supervisor dos demais técnicos. Esse profissional deverá ter sido treinado, ter experiência e dominar todos os procedimentos realizados no laboratório. Esse profissional deve estar atualizado e estar periodicamente sendo reciclado. Recomenda-se que o supervisor técnico seja aprovado na Prova de Habilitação para Técnico em Polissonografia realizada pela Associação Brasileira do Sono.

Cabe ao supervisor treinar e reciclar os demais técnicos junto à equipe médica. É de sua responsabilidade a qualidade dos procedimentos técnicos realizados no laboratório, a escala dos técnicos, bem como os assuntos administrativos relacionados. O supervisor técnico deverá zelar pelo bom relacionamento entre os técnicos.

3.3.2. Técnico em polissonografia

Os técnicos em polissonografia deverão ser selecionados pelo diretor médico e pelo supervisor técnico entre pessoas que receberam treinamento específico para essa função, estando obrigatoriamente incluídos o treinamento e a atualização periódica em atendimento básico de suporte de vida.

Esses profissionais são responsáveis pelos registros do sono, devendo zelar pela qualidade do exame, acurácia e segurança do paciente.

Recomenda-se formação mínima no Ensino Médio e ser habilitado (ou elegível) como técnico em polissonografia pela Associação Brasileira do Sono.

Os técnicos em polissonografia deverão cumprir uma escala noturna, com folgas proporcionais à carga horária de trabalho.

Sugere-se que cada técnico acompanhe, no máximo, dois pacientes por período de trabalho.

Dependendo do laboratório do sono, é necessário que técnicos diurnos realizem os testes do dia, além da manutenção do laboratório. Técnicos treinados em estagiar a polissonografia podem ser envolvidos nessa função.

3.3.2.1. Atribuições práticas do técnico em polissonografia

3.3.2.1.1. Coleta e análise das informações sobre o paciente

1. Verificar o pedido médico da polissonografia.
2. Ajudar o paciente e conferir o preenchimento dos relatórios.
3. Verificar o uso de medicações.
4. Anotar os dados e conferir a documentação do registro.
5. Explicar o procedimento e orientar o paciente sobre o procedimento e sobre o laboratório do sono.

3.3.2.1.2. Procedimentos de preparação do registro polissonográfico

1. Preparar e calibrar os equipamentos de registro para determinar seu funcionamento adequado.

2. Aplicar os eletrodos e sensores de acordo com os procedimentos padronizados.
3. Realizar as calibrações biológicas apropriadas para garantir os registros adequados.
4. Realizar a rotina de colocação da máscara e adaptação do paciente para ajuste de equipamentos PAP.

3.3.2.1.3. Procedimentos do registro

1. Seguir os protocolos de procedimentos (tais como: teste de latências múltiplas do sono, estudos de parassonias/epilepsia, titulação de PAP, aparelho intraoral, administração de oxigênio etc.) para garantir a coleta adequada dos dados.
2. Seguir os procedimentos de "Boa Noite" para estabelecer e documentar os valores basais (tais como: posição corporal, saturação de oxi-hemoglobina, frequências cardíaca e respiratória etc.).
3. Realizar a aquisição dos dados da polissonografia e monitorizar a qualidade do registro para garantir traçados sem artefatos. Identificar e relatar anormalidades no registro.
4. Documentar as observações de rotina, incluindo estágios de sono, intercorrências clínicas, variações de procedimentos e outros eventos significativos, para facilitar o estagiamento e interpretação dos resultados da polissonografia.
5. Monitorar com as intervenções apropriadas (incluindo ações necessárias para segurança do paciente e intervenções terapêuticas, tais como titulação de PAP, aparelho intraoral, administração de oxigênio etc.).
6. Seguir os procedimentos de "Bom Dia" para verificar a integridade dos dados adquiridos e completar o processo de coleta dos dados (por exemplo, repetir as calibrações dos equipamentos e biológicas, instruir o paciente sobre o preenchimento dos questionários etc.).
7. Demonstrar conhecimento e habilidade necessários para reconhecer e promover os cuidados no tratamento, avaliação e educação de pacientes pediátricos, adolescentes, adultos e idosos.

3.3.2.2. Atribuições profissionais do técnico em polissonografia

As atribuições profissionais dos técnicos em polissonografia envolvem:

1. Cumprir leis, regulamentos e/ou padronizações aplicáveis, incluindo aquelas de segurança e de controle de infecções.
2. Participar dos cuidados e manutenção dos equipamentos.
3. Manter atualizado o certificado do curso Suporte Básico de Vida ou equivalente.
4. Demonstrar efetiva habilidade de comunicação escrita e falada.

■ 3.4. Secretaria

Para um bom funcionamento de um laboratório do sono, sugere-se que um profissional seja designado para o agendamento específico dos exames de polissonografia.

Esse profissional deve estar familiarizado com o funcionamento do laboratório. Cabe a ele agendar o número de pacientes adequado para as instalações, devendo estar informado quanto ao número disponível de leitos por noite. É de sua responsabilidade dar orientações aos pacientes quanto ao dia, horário, endereço e recomendações para o exame.

82 •• Seção II – Métodos de avaliação complementar

Sugere-se que a secretaria do laboratório tenha uma linha telefônica direta para contato com pacientes e com os demais membros da equipe.

Cabe a esse profissional se responsabilizar pelas documentações necessárias para o exame e, se for o caso, pela entrega dos resultados.

■ 3.5. Outros profissionais

Recomenda-se que um laboratório do sono tenha ou mantenha um contato com pessoal especializado em informática e eletrônica.

Equipes de limpeza, hotelaria e alimentação são desejáveis para a boa qualidade de serviço.

■ 3.6. Segurança

Todo laboratório do sono deve ter um profissional treinado em segurança durante as 24 horas.

4. Relacionamento com outros profissionais e instituições

■ 4.1. Equipe de consultores

Os consultores podem incluir médicos de diversas especialidades que pedem ou fornecem avaliação para os estudos e pacientes desse serviço. São consultores nas áreas de: pneumologia, neurologia, neurofisiologia, psiquiatria, cardiologia, endocrinologia, reumatologia, otorrinolaringologia, clínica médica e pediatria.

Outros profissionais poderão dar suporte ao diagnóstico, tratamento e acompanhamento de pacientes com distúrbios do sono, como: assistentes sociais, biólogos, biomédicos, dentistas, educadores físicos, enfermeiros, fisioterapeutas, fonoaudiólogos, nutricionistas, psicólogos etc.

■ 4.2. Serviço de emergência

O laboratório de sono deve apresentar um contrato (escrito e firmado) com um serviço de atendimento hospitalar de emergência. O local de atendimento de emergência pode ser no próprio hospital onde está inserido o laboratório de sono ou em outro estabelecimento, preferencialmente, próximo ao laboratório de sono.

O laboratório de sono deve ter uma linha telefônica direta com o serviço de emergência. O número da linha deve ficar claramente exposto na central de registros, para que o técnico tenha acesso rápido.

O transporte do paciente do laboratório de sono para o serviço de emergência deve ser feito por ambulância, sendo que a prestação desse serviço deve estar estabelecida no contrato.

Todo laboratório de sono deve ter um plano bem estabelecido e documentado de atendimento às emergências médicas, para que os profissionais tenham acesso sempre que necessário.

Todas as equipes médicas e técnicas do laboratório de sono devem ser treinadas e atualizadas periodicamente para o atendimento de emergência.

Todo o material de ressuscitação, incluindo medicações, deve ser verificado periodicamente quanto ao funcionamento e validade.

Diante de uma emergência, cabe ao técnico que está assistindo o paciente seguir o protocolo de emergência do laboratório, que deve incluir a comunicação ao serviço de emergência e ao médico responsável pelo laboratório e iniciar o atendimento básico de emergência.

A responsabilidade de qualquer evento e conduta com o paciente é da equipe médica do laboratório, incluindo o diretor médico.

■ 4.3. Instituição de ensino

Caso o laboratório do sono esteja inserido em uma instituição de ensino, por exemplo, uma universidade (privada ou pública), cabe aos profissionais do laboratório elaborar planos de educação sobre Medicina do Sono. Essa educação deve englobar médicos de diversas especialidades, alunos de graduação, especialização e pós-graduação.

É desejável que o laboratório do sono se envolva em estratégias de ensino sobre Medicina do Sono para o público leigo, incluindo crianças, adolescentes e idosos.

Espera-se e recomenda-se que a equipe do laboratório do sono se empenhe nas pesquisas, inovação e difusão dos conhecimentos de sono e seus distúrbios.

5. Arquivos de prontuários e exames

Os prontuários e questionários preenchidos pelos pacientes deverão conter todas as informações necessárias para elaboração do diagnóstico, planos de tratamento e acompanhamento. Deverão ser arquivados durante pelo menos cinco anos.

A polissonografia deverá ser gravada respeitando o horário de sono do paciente e o seu registro deve ser precedido de calibração, bem como estar identificada, de boa qualidade e livre de artefatos. Anotações técnicas periódicas durante a noite devem sempre ser feitas. Sistemas digitais de registro devem ter alta resolução, taxa de amostragem considerável e capacidade de exposição de épocas de 30 segundos (ver item 2.1). Os técnicos e médicos deverão estar bem familiarizados com o sistema de polissonografia utilizado. O registro deve ser gravado permitindo revisão e deverá ser armazenado em dispositivos digitais, de fácil acesso, por pelo menos cinco anos.

6. Estagiamento e laudo de polissonografia

O estagiamento do sono e a marcação de eventos associados deverão ser feitos por um profissional treinado (médico ou técnico), época por época, de acordo com o manual da Academia Americana de Medicina do Sono[1] (ver Capítulo 6), levando-se em consideração as suas revisões periódicas.

O estagiamento do sono e análise dos seus eventos **não** poderão ser feitos automaticamente pelo computador, sem revisão humana, por profissional treinado.

Cabe ao médico do laboratório do sono rever e corrigir o estagiamento e análise dos eventos. É de inteira responsabilidade desse profissional a interpretação, conclusão e assinatura do exame de polissonografia.

84 •• Seção II – Métodos de avaliação complementar

■ 6.1. Descrição dos dados do laudo da polissonografia

De acordo com as recomendações do manual da Academia Americana de Medicina do Sono[1], o laudo da polissonografia deve incluir a descrição dos seguintes dados:

6.1.1. Estagiamento do sono [RECOMENDADO]

1. Boa noite: horário que as luzes foram apagadas (hora:minutos).
2. Bom dia: horário que as luzes foram acesas (hora:minutos).
3. Tempo total de registro (TTR): tempo desde o "boa noite" até o "bom dia" (em minutos).
4. Tempo total do sono (TTS): tempo estagiado como N1, N2, N3 e REM (em minutos).
5. Latência do sono: tempo entre "boa noite" até a 1ª época de qualquer estágio do sono (em minutos).
6. Latência do sono REM: tempo entre a "latência do sono" e a 1ª época de sono REM (em minutos).
7. Tempo de vigília após o início do sono: tempo de vigília durante o TTR, excluindo-se a "latência do sono" (em minutos). Nota: o tempo desconectado após o "boa noite" deve ser incluído.
8. Eficiência do sono (em %): TTS/TTR x 100.
9. Tempo em cada estágio do sono (em minutos).
10. Porcentagem do TTS em cada estágio: Tempo em cada estágio do sono (em minutos)/ TTS x 100.

6.1.2. Despertares [RECOMENDADO]

1. Número de despertares.
2. Índice de despertares: (número de despertares x 60)/TTS.

6.1.3. Eventos cardíacos [RECOMENDADO]

1. Frequência cardíaca média durante o sono.
2. Frequência cardíaca máxima durante o sono.
3. Frequência cardíaca máxima durante o registro.

6.1.4. Movimentos [RECOMENDADO]

1. Número de movimentos periódicos de pernas durante o sono.
2. Número de movimentos periódicos de pernas durante o sono associados com despertares.
3. Índice de movimentos periódicos de pernas durante o sono (número de movimentos periódicos de pernas durante o sono x 60/TTS).
4. Índice de movimentos periódicos de pernas durante o sono associados com despertares (número de movimentos periódicos de pernas durante o sono associados com despertares x 60/TTS).

6.1.5. Eventos respiratórios

1. Número de apneias obstrutivas [RECOMENDADO].

2. Número de apneias mistas [RECOMENDADO].
3. Número de apneias centrais [RECOMENDADO].
4. Número de hipopneias [RECOMENDADO].
5. Número de hipopneias obstrutivas [OPCIONAL].
6. Número de hipopneias centrais [OPCIONAL].
7. Número de apneias + hipopneias [RECOMENDADO].
8. Índice de apneias (IA) (número de obstrutivas + centrais + mistas x 60/TTS) [RECO-MENDADO].
9. Índice de hipopneias (IH) (número de hipopneias x 60/TTS) [RECOMENDADO].
10. Índice de apneias e hipopneias (IAH) (número de apneias + hipopneias x 60/TTS) [RE-COMENDADO].
11. Índice de apneias e hipopneias obstrutivas (número de apneias obstrutivas + apneias mistas + hipopneias obstrutivas x 60/TTS) [OPCIONAL].
12. Índice de apneias e hipopneias centrais (número de apneias centrais + hipopneias centrais x 60/TTS) [OPCIONAL].
13. Número total de despertares associados ao esforço respiratório (RERA) [OPCIONAL].
14. Índice de RERA (número de RERA x 60/TTS) [OPCIONAL].
15. Índice de distúrbio respiratório (IDR) (IAH + índice RERA) [OPCIONAL].
16. Número de dessaturações da oxi-hemoglobina $\geq 3\%$ [RECOMENDADO].
17. Índice de dessaturações da oxi-hemoglobina $\geq 3\%$ (número de dessaturações da oxi--hemoglobina $\geq 3\%$ x 60/TTS) [RECOMENDADO].
18. Valor médio da saturação de oxi-hemoglobina [RECOMENDADO].
19. Valor mínimo da saturação de oxi-hemoglobina durante o sono [RECOMENDADO].
20. Porcentagem do TTS com saturação de oxi-hemoglobina $< 88\%$ em adultos e $< 90\%$ em crianças [RECOMENDADO].
21. Ocorrência de hipoventilação durante estudo diagnóstico: em adultos [OPCIONAL]; em crianças [RECOMENDADO].
22. Ocorrência de Respiração de Cheyne-Stokes em adultos [RECOMENDADO] Obser-vação: o relato é requerido apenas se houver presença de apneias centrais durante o registro.
23. Duração da Respiração de Cheyne-Stokes (porcentagem absoluta ou porcentagem do TTS ou número de eventos de Respiração de Cheyne-Stokes [RECOMENDADO].
24. Ocorrência de respiração periódica em crianças [RECOMENDADO].
25. Ocorrência de ronco [OPCIONAL].

6.1.6. Resumo e conclusões da polissonografia
1. Achados associados com distúrbios do sono [RECOMENDADO].
2. Anormalidades do EEG [RECOMENDADO].
3. Anormalidades do ECG [RECOMENDADO].
4. Observações comportamentais [RECOMENDADO].
5. Descrição e resumo gráfico das variáveis registradas durante o TTR [RECOMENDADO].

Observação:

* A distribuição dos gráficos dependerá de cada tipo de equipamento de registro, mas deve conter, pelo menos, a representação do hipnograma, despertares, movimentos periódicos de pernas, posição na cama, saturação de oxi-hemoglobina e eventos respiratórios. É opcional representar graficamente a medida de pressão parcial de dióxido de carbono, pressão de PAP e vazamento da máscara.

■ Referências

1. American Sleep Disorders Association. Practice parameters for use of portable recording in the assessment of obstructive sleep apnea. Sleep. 1994;17(4):372-7.
2. Berry RB, Brooks R, Albertario CL, Harding SM et al. for the American Academy of Sleep Medicine. The AASM Manual for the Scoring of Sleep and Associated Events: Rules, Terminology and Technical Specifications. Version 2.5. Darien, IL: American Academy of Sleep Medicine. 2018.
3. Collop NA, Anderson WM, Boehlecke B, Claman D, Goldberg R, Gottlieb DJ, Hudgel D, Sateia M, Schwab R. Clinical guidelines for the use of unattended portable monitors in the diagnosis of obstructive sleep apnea in adult patients. Journal of Clinical Sleep Medicine. 2007;3:737-47.
4. Collop NA, Tracy SL, Kapur V, Mehra R, Kuhlmann D, Fleishman SA, Ojile JM. Obstructive sleep apnea devices for out-of-center (OOC) testing: technology evaluation. Journal of Clinical Sleep Medicine. 2011;7(5):531-48.
5. Kapur VK, Auckley DH, Chowdhuri S, Kuhlmann DC, Mehra R, Ramar K, Harrod CG. Clinical Practice Guideline for Diagnostic Testing for Adult Obstructive Sleep Apnea: An American Academy of Sleep Medicine Clinical Practice Guideline. J Clin Sleep Med. 2017;13(3):479-504.
6. Siegel JD, Rhinehart E, Jackson M, Chiarello L and the Healthcare InfectionControl Practices Advisory Committee, 2007 Guideline for Isolation Precautions: Preventing Transmission of Infectious Agents in Healthcare Settings. Atlanta (GA): Centers for Disease Controland Prevention, 2007 [cited 2017 May 17]. Available from: http://www.cdc.gov/hicpac/pdf/isolation/Isolation2007.pdf.

Aspectos técnicos da polissonografia

5

Rogerio Santos-Silva

De acordo com a Academia Americana de Medicina do Sono, a polissonografia é considerada método "padrão-ouro" para diagnóstico dos distúrbios do sono[1]. O registro polissonográfico é realizado num laboratório especializado, durante uma noite inteira de sono, com acompanhamento de um técnico treinado[2,3].

Os parâmetros fisiológicos recomendados para registro durante a polissonografia incluem o eletroencefalograma (EEG), eletro-oculograma (EOG), eletromiograma (EMG) do queixo e do músculo tibial anterior, fluxo aéreo, esforço respiratório, posição corporal e eletrocardiograma (ECG). A montagem da polissonografia pode, opcionalmente, incluir o registro de outras variáveis, tais como o ronco, EMG do masseter, pressão parcial do dióxido de carbono exalada, entre outras[4]. Tais variáveis fisiológicas devem ser contínua e simultaneamente registradas durante o sono, preferencialmente respeitando os horários habituais de dormir e acordar do paciente ou voluntário de pesquisa. As características do equipamento de registro da polissonografia, recomendadas para aquisição e reconhecimento adequado das variáveis bioelétricas durante o sono, estão descritas no Capítulo 4, item 2.1: Polissonígrafo.

1. Preparação do paciente/voluntário para colocação dos eletrodos e sensores

O sucesso da polissonografia começa antes da chegada do paciente/voluntário ao laboratório do sono. É essencial que o técnico saiba como colocar os eletrodos e como usar o equipamento de registro do sono para obter sinais adequados. Mas isso não é suficiente. O técnico também deve criar um ambiente que torna o sono provável de ocorrer. Isso significa que o técnico deve abordar as necessidades de conforto do paciente/voluntário, incluindo a necessidade de reduzir a ansiedade sobre o exame. Cada paciente/voluntário é diferente, e o técnico deve estar ciente de que essas diferenças existem e se preparar para potenciais problemas que podem ocorrer durante a noite de registro. A recepção do paciente/voluntário pelo técnico é essencial, e as primeiras impressões do

88 •• Seção II – Métodos de avaliação complementar

paciente/voluntário sobre o laboratório são sempre importantes. Os técnicos devem ter boa apresentação pessoal, com aparência profissional. Isso pode ser feito com o uso de um jaleco sobre a roupa casual ou uso de uniforme. O uso de crachá em local visível é útil. O laboratório também deve mostrar-se profissional e limpo, evitando a presença de roupa de cama/banho suja nos corredores ou pilhas de registros/prontuários de pacientes/voluntários nas mesas. Alguns laboratórios estão localizados dentro de hospitais e podem utilizar um padrão de cama de hospital. Alguns laboratórios podem querer tornar o quarto do hospital um pouco mais "doméstico", usando uma cama tradicional com um edredom ou colcha. A cama deve ser adequada para receber pacientes/voluntários obesos. Os laboratórios podem adotar uma decoração parecida com a de um hotel, o que pode tornar o paciente/voluntário mais confortável e menos ansioso. Depois de uma breve apresentação pessoal ("Eu sou Joaquim e serei o técnico que acompanhará seu sono nesta noite."), o técnico deve envolver o paciente/voluntário em alguma conversa pouco estressante, que pode incluir uma discussão leve sobre o tempo ou um programa de televisão. Devem ser evitadas questões polêmicas, como política ou religião. É importante fazer uma apresentação do espaço físico do laboratório ao paciente/voluntário: saídas, banheiro, sistema de intercomunicação e a sala de controle onde o técnico vai acompanhá-lo durante toda a noite. Muitos laboratórios têm formulários ou questionários que o paciente/voluntário preenche antes de ir para o quarto ou antes da preparação da polissonografia. Para o técnico, essas informações são importantes e podem ajudá-lo no entendimento sobre como preparar a montagem do registro, o que esperar daquele estudo do sono no decorrer da noite e na prevenção ou procedimento em caso de emergência. Depois que o paciente/voluntário respondeu aos questionários, eventualmente com a ajuda do técnico, e teve alguns minutos para conhecer e se adaptar ao ambiente do laboratório do sono, é hora de colocar os eletrodos e sensores. Para a maioria dos pacientes/voluntários, esta será a sua primeira experiência de dormir num laboratório do sono. Os eletrodos, sensores e equipamentos podem ser assustadores para muitos pacientes/voluntários. O técnico deve explicar o que está fazendo e responder às eventuais questões em um tom calmo e reconfortante.

2. Colocação de eletrodos e sensores

■ 2.1. Eletroencefalograma

Para o registro do EEG, os eletrodos devem ser colocados no couro cabeludo, de acordo com o Sistema 10-20 de colocação de eletrodos[5] (ver descrição no item 3). O uso dessa técnica garante o preciso posicionamento dos eletrodos, independentemente do tamanho da cabeça do paciente/voluntário. É recomendada a colocação das derivações F4-M1, C4-M1 e O2-M1 (M1 = mastoide esquerdo). Os eletrodos F3, C3, O1 e M2 (M2 = mastoide direito) devem ser colocados como reserva e podem ser utilizados no caso de artefatos nos eletrodos recomendados. A região da pele em que o eletrodo será colocado deve ser adequadamente preparada, para que seja removida a oleosidade natural, pelo uso de gaze umedecida em álcool. Deve-se também fazer ligeira abrasão com pasta abrasiva ou com gaze seca. A abrasão é indispensável para o adequado registro da atividade bioelétrica. A impedância máxima recomendada é de 5 kilo-ohms. Os eletrodos (cúpula) devem ser preenchidos com pasta condutora e podem ser fixados com fita adesiva (por exemplo, micropore). A preparação inadequada da pele para receber os eletrodos e/ou o uso de eletrodos quebrados podem ser fontes de artefatos, que atrapalham a aquisição do sinal bioelétrico e a análise do registro. Além disso, caso o técnico precise recolocar qualquer eletrodo durante a noite, pode haver prejuízo da qualidade do sono do paciente/voluntário.

■ 2.2. Eletro-oculograma

O EOG permite a observação dos movimentos rápidos dos olhos, que ajudam na identificação do sono REM, além dos movimentos lentos dos olhos, característicos da transição da vigília para o sono. As derivações do EOG registram a diferença de potencial do globo ocular, sendo a córnea positiva em relação à retina. Para o registro do EOG, um eletrodo é colocado um centímetro abaixo e um centímetro lateral do canto externo do olho esquerdo (E1) e outro eletrodo é posicionado um centímetro acima e um centímetro lateral do canto externo do olho direito (E2). Ambos são referidos com M2 e fixados com fita adesiva. Essa disposição dos eletrodos permite que os movimentos oculares sejam sempre identificados como uma deflexão fora de fase das atividades registradas nos canais de EOG. A região da pele onde o eletrodo será colocado também deve ser adequadamente preparada, pelo uso de gaze umedecida em álcool. Como a pele dessa região é relativamente delicada, a abrasão pode ser feita, mas de maneira muito cuidadosa, evitando o risco de ferimentos. A impedância máxima recomendada é de 5 kilo-ohms.

■ 2.3. Eletromiograma

Os eletrodos para EMG devem ser colocados sobre a pele previamente preparada, pelo uso de gaze umedecida em álcool. Deve-se também fazer ligeira abrasão com pasta abrasiva ou com gaze seca. Os eletrodos (cúpula) devem ser preenchidos com pasta condutora e podem ser fixados com fita adesiva (por exemplo, micropore).

A avaliação do EMG da região mento/submentoniana durante o sono é recomendada para observação da diminuição característica do tônus muscular que normalmente ocorre durante o sono REM. Para isso, três eletrodos são colocados no queixo (Figura 5.1): o 1º eletrodo é posicionado na linha média do queixo, um centímetro acima do osso da mandíbula; o 2º é colocado dois centímetros abaixo do osso da mandíbula e dois centímetros à direita da linha média; e o 3º eletrodo é fixado dois centímetros abaixo do osso da mandíbula e dois centímetros à esquerda da linha média. Apenas dois eletrodos são utilizados para esse registro, e o 3º eletrodo serve como reserva para casos de artefatos com um dos outros dois eletrodos. A impedância máxima recomendada é de 5 kilo-ohms.

Para a identificação dos movimentos periódicos de pernas, eletrodos de superfície devem ser colocados no centro do músculo tibial anterior, separados por uma distância de 2 a 3 cm. Ambas as pernas devem ser registradas, e canais separados para cada perna são recomendados. A colocação de um eletrodo em cada perna para o registro de um único canal pode ser aceitável, mas essa montagem pode reduzir o número de movimentos de perna detectados. O uso de filtros de 60 Hz (notch filter) deve ser evitado. Impedâncias menores que 5 kilo-ohms são preferidas, mas são dificilmente obtidas. Assim, impedâncias aceitáveis devem estar abaixo de 10 kilo-ohms. O registro dos movimentos de membros superiores pode ser feito se clinicamente indicado. A Figura 5.2 mostra a representação da colocação dos eletrodos no músculo tibial anterior e no músculo extensor dos dedos.

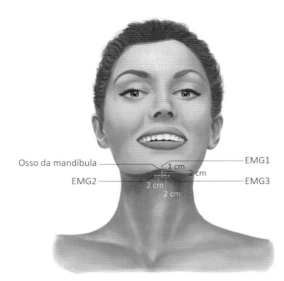

FIGURA 5.1 – Montagem recomendada para a colocação dos eletrodos de eletromiograma (EMG) da região mento/submentoniana. São colocados três eletrodos: o primeiro deve ser posicionado a um centímetro acima da linha média do osso da mandíbula (EMG1), e os outros dois eletrodos colocados a dois centímetros abaixo da linha média do osso da mandíbula, sendo que um deles é posicionado a dois centímetros para a direita (EMG2) e o outro a dois centímetros para a esquerda (EMG3)
Fonte: Adaptada de Berry RB et al., 2018.

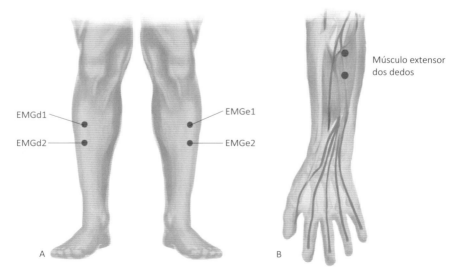

FIGURA 5.2 – Em A, posição dos eletrodos para o registro do eletromiograma (EMG) dos músculos tibiais anteriores. Dois eletrodos de superfície devem ser colocados no centro do músculo tibial anterior de cada perna, separados por uma distância de 2 a 3 cm. EMGd1 e EMGd2: eletrodos para registro eletromiográfico da perna direita; EMGe1 e EMGe2: eletrodos para registro eletromiográfico da perna esquerda. Em B: posição dos eletrodos para o registro eletromiográfico dos membros superiores, colocados sobre o músculo extensor dos dedos
Fonte: Adaptada de Berry RB et al., 2018.

Para marcação de bruxismo, é recomendada a avaliação do aumento da amplitude do canal do EMG do queixo. Entretanto, eletrodos adicionais para registro do masseter podem ser incluídos a critério clínico.

Mais detalhes da monitorização do EMG para avaliação dos movimentos anormais durante o sono serão fornecidos no Capítulo 8.

■ 2.4. Eletrocardiograma

Um canal de ECG deve ser registrado durante a polissonografia. É recomendada a colocação de dois eletrodos sobre o tórax do paciente/voluntário, usando uma derivação D2 modificada (Figura 5.3), de forma que um eletrodo seja colocado próximo ao ombro direito e outro deve ser posicionado paralelamente ao quadril esquerdo, na altura das últimas costelas, sempre após preparo prévio da região da pele que receberá os eletrodos. Eletrodos adicionais para registro do ECG podem ser colocados a critério do investigador ou clínico. Há evidências de que o uso dos eletrodos padrão para registro do ECG diminui a quantidade de artefatos em comparação ao uso de eletrodos de cúpula[4]. Descrição mais detalhada do registro do ECG poderá ser encontrada no Capítulo 9.

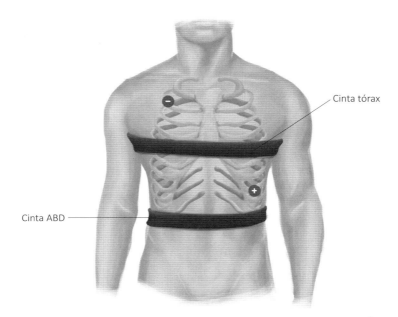

FIGURA 5.3 – Posição recomendada para colocação de eletrodos de eletrocardiograma (pontos "negativo" e "positivo"). A figura inclui a posição das cintas para registro de esforço respiratório torácico e abdominal
Fonte: Elaborada pelo autor.

■ 2.5. Fluxo aéreo

Durante a polissonografia para diagnóstico, o uso de sensor de temperatura para avaliação do fluxo aéreo (termistor ou termopar) é recomendado para a identificação das apneias. Quando o sensor de temperatura não estiver funcionando ou apresentar sinal não confiável, pode-se, alternativamente, utilizar o registro da cânula de pressão nasal, da

92 •• Seção II – Métodos de avaliação complementar

somatória derivada das cintas de pletismografia respiratória por indutância (RIPsum) (calibrado ou não) ou do RIPflow (calibrado ou não). O RIPsum é a somatória dos sinais das cintas de pletismografia por indutância torácica e abdominal, sendo que as excursões do sinal representam a estimativa do volume respiratório expirado. O RIPflow é um derivativo de tempo do RIPsum, e a excursão do sinal representa a estimativa de fluxo aéreo. Em crianças, a curva derivada do registro da pressão parcial do dióxido de carbono exalada pode ser utilizada para identificação de apneia.

Para a identificação de hipopneias durante uma polissonografia para diagnóstico, o uso da cânula de pressão nasal (com ou sem transformação em raiz quadrada) é recomendado para o registro do fluxo aéreo. Quando o sinal da cânula de pressão nasal não estiver funcionando ou não for confiável, pode-se, alternativamente, utilizar o sensor de temperatura RIPsum (calibrado ou não) ou RIPflow (calibrado ou não).

Durante uma polissonografia para titulação de PAP, o uso de sinal de fluxo aéreo derivado do equipamento de PAP é recomendado para a identificação das apneias e hipopneias.

■ 2.6. Esforço respiratório

Para monitoramento do esforço respiratório, recomenda-se o uso de um dos seguintes sensores: manometria esofágica ou cintas torácica e abdominal de pletismografia respiratória por indutância (sinal calibrado ou não). A Figura 5.3 mostra a posição para colocação das cintas.

■ 2.7. Saturação de oxi-hemoglobina

Para registro da saturação de oxi-hemoglobina, deve-se usar a oximetria de pulso com período máximo aceitável de amostragem ≤ 3 segundos, a uma frequência cardíaca de 80 batimentos por minuto. A qualidade do registro da saturação de oxi-hemoglobina depende de fatores como o posicionamento e o tamanho corretos do sensor. A presença de esmalte de unha de cor escura também pode impedir a mensuração adequada da saturação de oxi-hemoglobina quando o sensor é colocado no dedo. O tamanho do sensor deve ser adequado para o tamanho/faixa etária do paciente/voluntário.

■ 2.8. Ronco

Embora o registro de ronco seja opcional pela Academia Americana de Medicina do Sono[4], caso seja decidido registrar o ronco durante a polissonografia, é recomendada a utilização do sensor acústico (microfone), piezoelétrico ou sinal derivado da cânula de pressão nasal. Os sensores de ronco geralmente são colocados no pescoço. A localização não é crítica para o registro, mas o técnico pode testar o funcionamento, solicitando que o paciente/voluntário fale algumas palavras ou simule o ronco.

■ 2.9. Medidas da pressão do gás carbônico (PCO_2)

A identificação de hipoventilação durante o sono requer a determinação de pressão parcial arterial do dióxido de carbono ($PaCO_2$) pela análise de uma amostra de sangue arterial. Entretanto, devido à dificuldade óbvia em se obter sangue arterial durante o sono, a Academia Americana de Medicina do Sono sugere a utilização de medidas substitutivas, tais como pressão parcial do dióxido de carbono exalada ($P_{ET}CO_2$) (capnografia) e pressão parcial do dióxido de carbono transcutânea ($P_{TC}CO_2$) durante a polissonografia[4].

Descrições mais detalhadas das técnicas de registro das variáveis respiratórias durante a polissonografia podem ser encontradas no Capítulo 7.

■ 2.10. Sequência de colocação de eletrodos e sensores

Não há uma ordem definida para a colocação dos eletrodos, mas muitos técnicos colocam primeiro os eletrodos de EEG e vão se movendo para baixo, para a colocação dos eletrodos dos olhos, queixo, ECG e pernas. Em crianças, alternativamente, recomenda-se colocar dos sensores menos intrusivos para os mais intrusivos (por exemplo, os eletrodos nasais são colocados no final da preparação). As etapas a seguir descrevem um esquema de colocação "de cima para baixo":

a. Medir a cabeça (sistema internacional 10-20 de colocação de eletrodos).

b. Preparar a pele nos locais dos eletrodos de EEG.

c. Colocar os eletrodos do EEG.

d. Preparar a pele nos locais de eletrodos EOG.

e. Colocar os eletrodos EOG.

f. Preparar a pele do queixo nos locais de eletrodos para EMG do queixo.

g. Colocar os eletrodos para EMG do queixo.

h. Colocar a cânula de pressão nasal.

i. Colocar o termistor (ou termopar) oronasal.

j. Colocar o sensor de ronco no pescoço.

k. Preparar a pele para os eletrodos de ECG.

l. Colocar os eletrodos de ECG.

m. Colocar as cintas no tórax e abdômen (pletismografia por indutância).

n. Colocar o sensor de posição.

o. Preparar a pele para os eletrodos de EMG nas pernas esquerda e direita.

p. Colocar os eletrodos de EMG nas pernas esquerda e direita.

q. Colocar o sensor de oxímetro de pulso.

Na tentativa de aliviar o desconforto causado pelos eletrodos e sensores durante o registro do sono, pode-se amarrá-los na parte de cima da cabeça, como um "rabo de cavalo". Essa estratégia permite que o paciente/voluntário tenha os movimentos mais livres durante a noite.

A maioria dos laboratórios exige que os técnicos usem luvas durante a preparação da polissonografia. Isso protege o técnico e o paciente/voluntário. O técnico deve lavar as mãos antes de colocar as luvas. As luvas devem ser calçadas antes de começar a medir a cabeça do paciente/voluntário. As recomendações para o exame devem incluir uma solicitação para que o paciente/voluntário venha ao laboratório do sono com os cabelos limpos. O uso de gel, pomada ou *spray* pode aumentar a impedância dos eletrodos e resultar em artefatos durante a gravação. Se o paciente/voluntário não puder vir com os cabelos limpos, o técnico pode permitir que ele lave a cabeça durante o banho no laboratório do sono, antes da colocação dos eletrodos.

3. Sistema internacional 10-20 de colocação de eletrodos de EEG

A medição da cabeça é um passo crítico na colocação dos eletrodos de EEG. A colocação com erro de um ou dois centímetros pode fazer diferença na gravação. Mesmo para o técnico mais experiente, é sempre necessário medir a cabeça, para preservar a precisão das posições dos eletrodos. Para melhores resultados, deve-se usar: 1) uma fita métrica milimetrada flexível, 2) um lápis de cera, dermatográfico ou outro marcador que pode ser facilmente removido da pele e 3) grampos (ou *clips*) de cabelo para pacientes/voluntários com cabelos longos.

A medição para a colocação dos eletrodos para EEG usa o Sistema Internacional 10-20 de colocação de eletrodos[5]. Esse sistema de medição usa porcentagens da distância entre pontos de referência do crânio para colocar os eletrodos sobre certas estruturas cerebrais. Os locais dos eletrodos são nomeados de acordo com as estruturas cerebrais onde são colocados: frontal (F), central (C), occipital (O), temporal (T), parietal (P), fronto-polar (FP). Os eletrodos colocados na linha média da cabeça são chamados de eletrodos "z" ou "zero". Para os eletrodos posicionados sobre o hemisfério cerebral esquerdo são dados números ímpares; para os eletrodos sobre o lado direito são dados números pares. A Figura 5.4 mostra as posições dos eletrodos utilizados em EEG. Um "eletrodo de referência" deve também ser colocado em algum lugar da cabeça. Esse eletrodo é também chamado de "terra" e geralmente é posicionado na testa do paciente/voluntário.

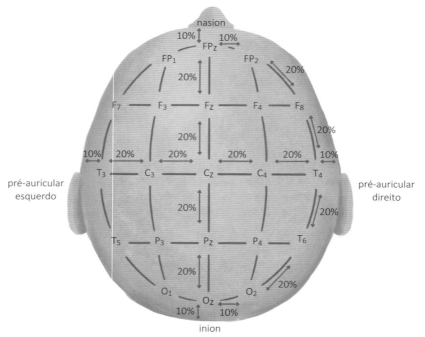

FIGURA 5.4 – Posição de todos os eletrodos para registro do eletroencefalograma, de acordo com o Sistema Internacional 10-20
Fonte: Adaptada de Jasper HH, 1958.

Aspectos técnicos da polissonografia •• **95**

O sistema 10-20 de colocação de eletrodos é usado para fazer uma grade sobre o crânio. Os eletrodos são colocados a 10 ou 20% da distância entre pontos de referência. Há muitas vantagens em usar esse processo. A colocação é padrão e independente do tamanho da cabeça, para que os eletrodos possam ser colocados sempre na mesma posição em crianças e adultos. O uso de um sistema padrão de colocação de eletrodos também significa que um técnico, em qualquer lugar do mundo, sabe que o eletrodo F3 está posicionado sobre o córtex frontal no lado esquerdo do cérebro.

■ 3.1. Medição

Começar com a medida da frente para trás da cabeça. O násio é a ponte do nariz (entre as sobrancelhas) e ínion é a protuberância no centro da região de trás da cabeça, um pouco acima do pescoço. A fita de medição deve ser posicionada como mostrado pela linha tracejada na Figura 5.5. Medir a distância entre o násio e o ínion. Se, por exemplo, a distância do násio até o ínion é de 36 centímetros, a medida de 10% é de 3,6 centímetros. Mantendo a fita no lugar, voltada para o ínion, deve-se medir 10% a partir do násio e fazer uma pequena linha horizontal com o marcador. Esse é o ponto FPz. Em seguida, continuando no sentido do ínion, medir 7,2 cm acima do ponto FPz e fazer outra linha horizontal. Esse ponto é Fz e é a 20% (3,6 cm x 2) a partir de FPz e 30% a partir do násio. Marcar o ponto a 50% (18 cm), que é a linha horizontal do ponto Cz. Virar a fita, dessa vez no sentido do ínion para o násio e medir 10% a partir do ínion para marcar o Oz. Em seguida, subir 20% de Oz para Pz. O ponto Pz não é utilizado na polissonografia padrão, mas pode ser usado em registros de pacientes/voluntários com suspeita de crises noturnas, nos quais todos os eletrodos de EEG devem ser colocados. Uma única medição não é suficiente para localizar todos os pontos dos eletrodos. O próximo passo envolve a medida da distância entre o ponto pré-auricular da esquerda até o ponto pré-auricular da direita, passando pelo Cz (Figura 5.6). O ponto pré-auricular é geralmente marcado sobre o tragus (estrutura cartilaginosa que se destaca na saída do canal auditivo). Supondo que essa medida é de 38 cm, o ponto de 50% será a 19 cm. Marcar esse ponto com uma pequena linha na direção da frente para trás. Com essa nova marca, será formada uma cruz, considerando aquela marca horizontal que foi feita a 50% da medida entre násio ao ínion. O ponto de cruzamento entre as linhas é o Cz (Figura 5.7). O Cz não é usado na montagem da polissonografia, mas é referência para outras medidas. Marcar os pontos a 20% da marca de Cz para ambos os lados. Estes são C3 e C4. Marcar 10% acima dos pontos pré-auriculares de cada lado (T3 e T4). Essas marcas serão usadas para determinar a medida da circunferência da cabeça (Figura 5.8). Inicialmente, passar a fita pelas marcas FPz, T3 e Oz. Não usar os pontos sobre o násio e ínion, porque sua medição seria sobre as orelhas e daria uma leitura falsa. Supondo que essa distância entre FPz e Oz seja 27 cm, seguindo a medida com a fita direcionada para a esquerda, marcar o ponto FP1 a 10% (2,7 centímetros). Seguindo para a esquerda, medir o ponto F7, que fica a 20% (5,4 cm) a partir do FP1. A próxima marcação deve cruzar o ponto medido a 10% acima da linha pré-auricular esquerda, confirmado o ponto T3. Seguindo em direção ao Oz, medir mais 20%, para marcar o T5, e mais 20% para marcar o O1. A medida entre FPz e Oz, passando pelo T4, deve ser feita da mesma forma que a medida do lado esquerdo, marcando FP2, F8, T4, T6 e O2. Certificar-se de que os eletrodos occipitais estão 10% acima do ínion. Há uma tendência de se colocar os eletrodos occipitais mais baixos do que deveriam, e isso reduz a quantidade de atividade cerebral gravada por eles. As próximas medidas são para marcação de F3 e F4, necessárias para montagem recomendada para registro de EEG na polissonografia[4]. Para isso, deve-se medir com um traço horizontal o ponto a 50% entre FP1 e C3, e entre FP2 e C4 (Figura 5.9). A medição final deve marcar um traço na direção da frente para trás no ponto a 50% entre F7 e Fz, e entre F8 e Fz. O ponto central da cruz formada pelos traços será as posições de F3 e F4 (Figura 5.10). A marcação de P3 e P4 segue essa mesma estratégia de medição na região posterior da cabeça.

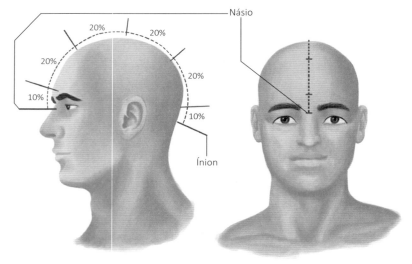

FIGURA 5.5 – Medição da linha longitudinal de eletrodos para registro do eletroencefalograma, de acordo com o Sistema Internacional 10-20. Deve-se medir a distância entre o násio e o ínion e calcular 10 ou 20% do valor total para a marcação dos pontos dessa linha
Fonte: Adaptada de Jasper HH, 1958.

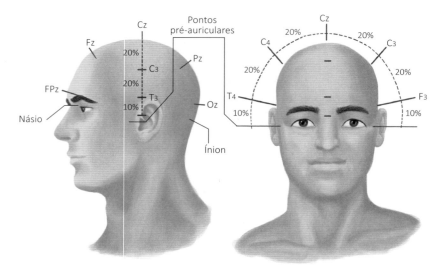

FIGURA 5.6 – Medição da linha transversal de eletrodos para registro do eletroencefalograma, de acordo com o Sistema Internacional 10-20. Deve-se medir a distância entre os pontos pré-auriculares direito e esquerdo e calcular 10 ou 20% do valor total para a marcação dos pontos dessa linha
Fonte: Adaptada de Jasper HH, 1958.

Aspectos técnicos da polissonografia •• **97**

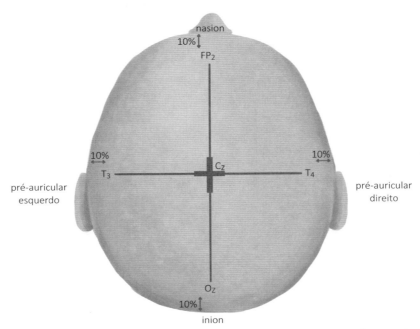

FIGURA 5.7 – Ponto de cruzamento entre as linhas longitudinal e transversal pelo Sistema Internacional 10-20, determinando a localização precisa do ponto Cz
Fonte: Adaptada de Jasper HH, 1958.

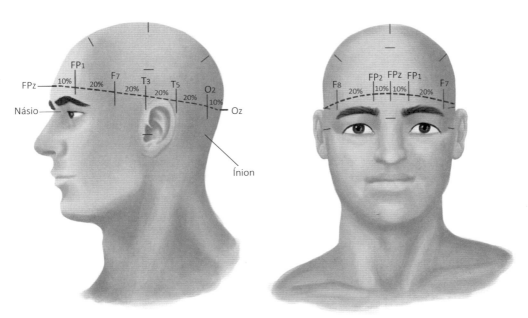

FIGURA 5.8 – Medição da linha circular de eletrodos para registro do eletroencefalograma, de acordo com o Sistema Internacional 10-20. Deve-se medir a distância entre os pontos FPz e Oz e calcular 10 ou 20% do valor total para a marcação dos pontos dessa linha pelo lado direito e esquerdo
Fonte: Adaptada de Jasper HH, 1958.

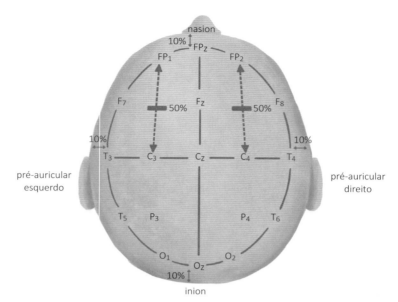

FIGURA 5.9 – A posição de F3 é equidistante entre FP1 a C3 e F7 a Fz. F4 é o ponto médio entre FP2 a C4 e F8 e Fz. Recomenda-se medir com um traço horizontal o ponto a 50% entre FP1 e C3, e entre FP2 e C4. Da mesma forma, P3 e P4 são os pontos médios da região parietal de ambos os lados (P3 entre C3 a O1 e T5 e Pz; P4 entre C4 a O2 e T6 e Pz)

Fonte: Adaptada de Jasper HH, 1958.

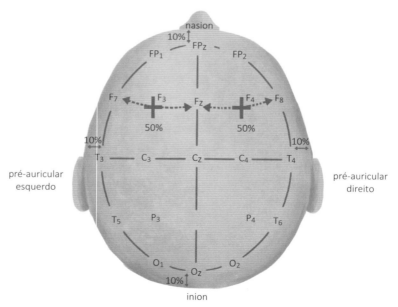

FIGURA 5.10 – A medição final para localização de F3 e F4 deve marcar um traço na direção da frente para trás no ponto a 50% entre F7 e Fz, e entre F8 e Fz. O ponto central da cruz formada pelos traços será a posição de F3 e F4

Fonte: Adaptada de Jasper HH, 1958.

4. Verificação da impedância

Como descrito anteriormente, é recomendado que a impedância dos eletrodos esteja abaixo de 5 kilo-Ohms. Muitos equipamentos modernos de registro apresentam diferentes mecanismos de verificação da impedância. Alguns apresentam indicadores luminosos da medida da impedância na caixa de eletrodos. Outros mostram a impedância no próprio registro na tela do computador. No caso de impedâncias acima do recomendado, em qualquer eletrodo, o técnico deve:

1. Verificar se o eletrodo está conectado à entrada designada na caixa de eletrodos. Isso parece bobagem, mas, às vezes, o eletrodo é colocado na entrada errada ou não é conectado. O técnico também pode verificar se a entrada está limpa e se não há algo bloqueando.

2. Pressionar o eletrodo na posição da pele. A presença de bolhas de ar ou contato físico pobre com a pele podem aumentar a impedância. A pressão e o movimento do eletrodo podem ser suficientes para restabelecer o contato.

3. Se a impedância ainda estiver muito alta, retirar o eletrodo, limpar a pele novamente e recolocá-lo. A segunda rodada de preparação da pele pode ser suficiente para remover a oleosidade e pele morta, o que permite um bom contato.

4. Se os métodos descritos não funcionarem, é hora de trocar o eletrodo. Uma pequena quebra no fio pode impedir o contato adequado. A quebra ocorre na maioria das vezes, na junção entre o fio e a cúpula, ou na junção entre o fio e a extremidade do conector que encaixa na entrada da caixa de eletrodos.

Se o técnico verificar que a impedância de todos os eletrodos está muito alta, há três causas prováveis:

1. A caixa de entrada não está devidamente conectada ao cabo do equipamento ou o cabo não está conectado corretamente no computador de gravação.

2. O eletrodo terra não está devidamente conectado ao paciente/voluntário.

3. Os eletrodos não estão conectados corretamente ao paciente/voluntário.

O técnico deve então verificar as conexões e recolocar o eletrodo terra para remediar as causas 1 e 2. O problema 3 pode ser causado pela presença de creme/gel para cabelo ou para pele, ou excesso de oleosidade ou suor. Pode ser necessário lavar o cabelo ou remover a oleosidade com algodão ou gaze embebidos em álcool.

Além disso, o técnico deve verificar a presença de algum "ruído" elétrico. O ruído é geralmente dado por uma contaminação da rede de energia elétrica, o que significa a intrusão de uma atividade de 60 Hz sobre um sinal bioelétrico esperado. Se o técnico perceber a presença de ruído elétrico, deve-se tentar reduzir a impedância, ainda que ela esteja no intervalo aceitável de menos de 5 kilo-Ohms.

Depois de se assegurar de que as impedâncias estão dentro dos limites, o técnico deve tranquilizar o paciente/voluntário, informando que pode movimentar-se de um lado para outro da cama, sem que os eletrodos sejam desconectados. Os próximos passos do técnico envolvem a calibração do equipamento e a calibração biológica e devem ser realizados na sala de controle enquanto o técnico observa o registro na tela do computador. O técnico deve comunicar-se com o paciente/voluntário usando um intercomunicador.

Os valores de impedância dos eletrodos de EEG, EOG e EMG devem ser checados e documentados no registro antes do "Boa Noite" e após o "Bom Dia". Além disso, em caso de artefatos durante o registro, as impedâncias devem ser checadas e documentadas.

5. Calibração do equipamento

Muitos laboratórios realizam uma calibração do equipamento de registro no início e no final da polissonografia. Essa calibração deve ser gravada e consiste no envio de um sinal elétrico conhecido (por exemplo, uma onda de 50 μV) para todos os canais de registro. Isso garante que os amplificadores e filtros estão funcionando corretamente. A calibração do sistema assegura que os registros começaram e terminaram com as mesmas configurações.

6. Calibração biológica

A calibração biológica consiste numa série de comandos dados ao paciente/voluntário para testar o sinal captado, ou seja, se os eletrodos estão registrando o sinal esperado e de maneira adequada. Além disso, permite a coleta dos sinais fisiológicos durante a vigília que poderão ser comparados com períodos durante o sono. Essa prática é altamente indicada para evitar intercorrências durante o registro. O técnico deverá informar o paciente/voluntário sobre a necessidade de realizar cada movimento, alternando com períodos de relaxamento, que lhe serão solicitados. O técnico deve dar as seguintes instruções ao paciente/voluntário: "Antes de começar o exame, preciso verificar se os eletrodos e sensores estão funcionando adequadamente. Permaneça relaxado durante os testes".

O técnico poderá realizá-los da seguinte forma:

a. Registrar o mínimo de 30 segundos do EEG com o paciente acordado, quieto e com olhos abertos.

b. Registrar o mínimo de 30 segundos do EEG com o paciente quieto e com olhos fechados.

c. Pedir para o paciente olhar para cima e para baixo sem mover a cabeça (5 vezes).

d. Pedir para o paciente olhar para a esquerda e para a direita sem mover a cabeça (5 vezes).

e. Pedir para o paciente piscar (5 vezes).

f. Pedir para o paciente para apertar, ranger os dentes e/ou mastigar (5 segundos).

g. Pedir para o paciente simular o ronco (5 segundos).

h. Pedir para o paciente respirar normalmente para garantir que os sinais dos canais de fluxo aéreo estejam sincronizados.

i. Pedir para o paciente segurar a respiração (10 segundos).

j. Pedir para o paciente respirar normalmente e depois fazer uma grande inspiração e expiração para verificar e anotar no registro a polaridade da deflexão do sinal.

k. Pedir para o paciente respirar somente pelo nariz (10 segundos).

l. Pedir para o paciente respirar somente pela boca (10 segundos).

m. Pedir para o paciente respirar fundo e expirar lentamente (expiração prolongada, por cerca de 10 segundos).

n. Pedir para o paciente flexionar/levantar os dedos do pé esquerdo (5 vezes).

o. Pedir para o paciente flexionar/levantar os dedos do pé direito (5 vezes).

p. Se os membros superiores forem registrados, pedir para o paciente flexionar/levantar os dedos da mão esquerda/direita (5 vezes).

q. Ajustar o sinal do ECG para que a onda R tenha deflexão para cima.

r. Pedir para o paciente alternar entre os decúbitos corporais e testar funcionamento do sensor de posição.

À medida que essas instruções são dadas ao paciente, o técnico deverá observar o traçado e documentar as respostas, diretamente no aparelho ou no relatório técnico, corrigindo os artefatos pela troca ou reposicionamento do eletrodo ou do sensor.

Assim como a documentação dos valores de impedância dos eletrodos, recomenda-se que a calibração biológica seja realizada e gravada antes do "Boa noite" e após o "Bom dia".

7. Início e acompanhamento da polissonografia

Após a colocação de todos os eletrodos e sensores e a conclusão do procedimento de biocalibração, é hora de começar efetivamente o registro. O início do registro deve ser documentado pelo técnico como o horário de "Boa noite" ou de "luzes apagadas". Essa é uma informação essencial e determina o horário em que o registro deverá começar a ser analisado após a finalização do período de aquisição.

Durante toda a duração do registro, o técnico deve documentar, em intervalos regulares ao longo da noite, a ocorrência de intercorrências, eventos ou artefatos, além das medidas que foram tomadas por ele para solução dos eventuais problemas. Essa documentação é essencial para análise posterior da polissonografia e, no mínimo, proporciona uma indicação de que o técnico está acordado durante todo o exame. Uma breve anotação do técnico pode aumentar consideravelmente a quantidade e qualidade das informações da polissonografia. Por exemplo, mesmo que o registro do ronco seja objetivamente realizado, a anotação, pelo técnico, sobre a presença de ronco agrega informação útil durante a análise e conclusão do exame pelo médico. Na maior parte das vezes, o técnico, durante a noite, é os "olhos" e "ouvidos" do médico que analisa a polissonografia. Muitos laboratórios usam uma câmera de vídeo para registrar o comportamento dos pacientes/voluntários e um microfone no quarto para gravar tudo o que o paciente/voluntário pode dizer. A observação visual do paciente/voluntário é essencial para diagnóstico de alguns distúrbios do sono (Distúrbio Comportamental do Sono REM e Bruxismo, por exemplo) e ajuda na identificação e marcação de eventos motores e rítmicos durante o sono. No entanto, a resolução do vídeo é muitas vezes deficiente, e os detalhes do comportamento do paciente/voluntário podem ser perdidos. É importante que os comentários do técnico sejam detalhados e específicos, principalmente em pacientes/voluntários com parassonias ou convulsões. Muitos sistemas de registro permitem teclas programáveis como atalho para anotações do técnico no próprio traçado, facilitando a documentação durante a polissonografia.

Além de reconhecer as atividades normais e anormais que ocorrem durante o sono e de reconhecer e saber como solucionar os potenciais artefatos, o técnico deve estar preparado para proceder nos casos de emergência com o paciente/voluntário durante a polissonografia. O técnico deve ter sempre atualizado seu curso de suporte básico de vida ou de ressuscitação cardiorrespiratória. O laboratório também deveria incluir, no manual de políticas e procedimentos, uma padronização para situações de emergência durante a polissonografia.

8. Titulação de Pressão Aérea Positiva (PAP) durante a polissonografia

A pressão positiva na via aérea superior é um dos tratamentos padronizados e indicados para pacientes com Distúrbios Respiratórios do Sono (DRS). De acordo com a recomendação da Academia Americana de Medicina do Sono, um técnico treinado deve realizar, durante a polissonografia, a determinação da pressão necessária para eliminar os

102 ·· Seção II – Métodos de avaliação complementar

eventos respiratórios anormais durante o sono, que incluem a apneia e hipopneia obstrutivas do sono, RERA e ronco (Kushida et al., 2008).

O técnico deve estar preparado para o ajuste de equipamentos de PAP na modalidade de "pressão contínua" (CPAP) ou em "dois níveis" (BiNível). O CPAP é o equipamento mais frequentemente utilizado no tratamento dos DRS, sendo que o técnico determina, durante a polissonografia, uma única pressão fixa que irá eliminar os eventos respiratórios anormais durante o sono. O equipamento BiNível pode ser utilizado quando o paciente demonstra dificuldade em se adaptar a uma pressão fixa alta durante a expiração. Neste caso, o equipamento permite que o técnico, durante a polissonografia, aumente separadamente a pressão inspiratória, diferente e maior que a pressão expiratória. O aparelho servoventilador (SV) utiliza uma válvula controlada por computador, que ajusta, respiração por respiração, a pressão na via aérea superior necessária para manter a ventilação constante. Essa modalidade pode ser benéfica para pacientes com apneia central induzida pelo tratamento com PAP e para pacientes com padrões respiratórios periódicos, tais como a respiração de Cheyne-Stokes e apneia central, geralmente observados em pacientes com insuficiência cardíaca. Recentemente, no entanto, houve resultados contrários à servoventilação como primeira escolha em tais situações, e mais estudos serão necessários para esclarecer sua indicação.

As diretrizes clínicas da Academia Americana de Medicina do Sono (Kushida et al., 2008) indicam que a titulação manual da PAP durante a polissonografia é o método de escolha para determinação da pressão terapêutica em pacientes com DRS. A elaboração do presente documento foi baseada nas recomendações da Academia Americana de Medicina do Sono para ajuste manual de PAP (Kushida et al., 2008).

A presente diretriz aborda o uso de equipamentos de PAP e titulação manual da pressão para pacientes adultos (com 12 anos ou mais) e pediátricos (com menos de 12 anos de idade) com apneia obstrutiva do sono. Essas recomendações não se aplicam em pacientes com outras condições associadas, como doença neuromuscular ou doença pulmonar intrínseca. Essas orientações não envolvem a titulação de PAP em casa, nem o uso de equipamento SV ou de ajuste automático de pressão (aPAP).

■ 8.1. Técnicas de registro

A titulação de PAP, em polissonografia de noite inteira ou de "noite dividida" (*split-night*), deve ser efetuada utilizando equipamentos de polissonografia com configuração mínima requerida (ver Capítulo 4), no laboratório do sono, sendo que os resultados deverão ser validados, interpretados e relatados por um médico do sono certificado.

O sensor de fluxo aéreo recomendado para uso durante a titulação de PAP é o sinal do fluxo aéreo derivado do equipamento de PAP, registrado em amplificador de corrente direta (DC). A utilização de um sensor térmico oral-nasal ou de cânula de pressão nasal sob a máscara não é recomendada. A frequência de amostragem mínima aceitável para a aquisição de variáveis respiratórias é de 25 Hz. A frequência de amostragem preferida é de 100 Hz, o que melhora a capacidade de avaliar artefatos e visualizar oscilações cardiogênicas. As configurações de filtros para os parâmetros de esforço respiratório são: filtro de baixa frequência = 0,1 Hz e filtro de alta frequência de 15 Hz. Para avaliação da saturação de oxi-hemoglobina, recomenda-se o uso de oxímetro de pulso com um tempo médio maior, de três segundos. A frequência de amostragem mínima recomendada é de 10 Hz, e a preferida é de 25 Hz, o que melhora a capacidade de reconhecer artefatos.

Aspectos técnicos da polissonografia •• **103**

■ 8.2. Descrição e metodologia para titulação manual de PAP

Os seguintes protocolos de titulação devem ser usados, em conjunto com protocolos próprios de cada laboratório do sono, para alcançar uma titulação apropriada para cada paciente. Variações significativas do protocolo devem ser documentadas pelo técnico, com justificação adequada.

8.2.1. Titulação de CPAP

Os valores mínimos e máximos de pressão de CPAP estabelecidos para tratamento de AOS variam de acordo com a idade do paciente e devem ser considerados de acordo a descrição apresentada na Tabela 5.1.

TABELA 5.1 Valores de pressão de CPAP de acordo com a idade		
Idade	< 12 anos	≥ 12 anos
Pressão mínima (cmH$_2$O)	4	4
Pressão máxima (cmH$_2$O)	15	20

Fonte: Adaptada de Kushida et al., 2008.

Durante a titulação de CPAP na polissonografia, o técnico deve aumentar a pressão de 1 em 1 cmH$_2$O, com intervalo não inferior a cinco minutos, quando forem observados os eventos descritos na Tabela 5.2.

TABELA 5.2 Eventos que devem ser observados para aumento da pressão	
< 12 anos	≥ 12 anos
1 apneia obstrutiva	2 apneias obstrutivas
1 hipopneia	3 hipopneias
3 RERA	5 RERA
1 minuto de ronco alto ou inequívoco	3 minutos de ronco alto ou inequívoco

Fonte: Adaptada de Kushida et al., 2008.

A pressão ideal será alcançada quando forem observados os seguintes parâmetros:

a. **Titulação ótima:**
   1. O Índice de Distúrbio Respiratório (IDR) é menor que cinco por hora, por um período de pelo menos 15 minutos na pressão selecionada e dentro do limite de vazamento aceitável pelo fabricante do equipamento PAP.
   2. A saturação de oxi-hemoglobina é superior a 90% na pressão selecionada.
   3. O sono REM, em posição supina e na pressão selecionada, não é continuamente interrompido por despertares.

b. **Titulação boa:**
   1. O IDR é menor que 10 por hora (ou é reduzido em 50% se o IDR basal era < 15 por hora), por um período de pelo menos 15 minutos na pressão selecionada e dentro do limite de vazamento aceitável pelo fabricante do equipamento PAP.

104 •• Seção II – Métodos de avaliação complementar

2. A saturação de oxi-hemoglobina é superior a 90% na pressão selecionada.

3. O sono REM, em posição supina e na pressão selecionada, não é continuamente interrompido por despertares.

c. Titulação adequada:

1. O IDR NÃO é menor que 10 por hora, mas é reduzido em 75% do valor basal.

2. Os critérios de titulação ótima ou boa foram atendidos, mas não há uma amostra de sono REM na posição supina e com a pressão selecionada.

d. Titulação inaceitável:

- Não satisfaz nenhum dos critérios descritos. A repetição da titulação deve ser considerada.

8.2.2. Titulação de BiNível

Em determinados casos de exames para titulação de CPAP, alguns laboratórios recomendam, nas situações descritas a seguir, a mudança de CPAP para BiNível:

1. Quando o paciente se queixa de desconforto ou é intolerante com altas pressões de CPAP (isso deve ser documentado no registro).

2. Dependendo da orientação do médico solicitante ou responsável pelo laboratório do sono, quando o nível de CPAP atinge 15 cmH2O e os eventos respiratórios continuam (isso deve ser documentado no registro).

Os valores mínimos e máximos de pressões de BiNível e o delta entre a pressão inspiratória e expiratória, considerados para tratamento de AOS, variam de acordo com a idade do paciente e devem ser considerados de acordo a descrição apresentada na Tabela 5.3.

TABELA 5.3 Valores de pressão e delta entre a pressão inspiratória e expiratória, de acordo com a idade		
Idade	< 12 anos	≥ 12 anos
Pressão mínima (cmH$_2$O)	IPAP = 8; EPAP = 4	IPAP = 8; EPAP = 4
Pressão máxima (cmH$_2$O)	IPAP = 20	IPAP = 30
Diferença I/E mínima (cmH$_2$O)	4	4
Diferença I/E máxima (cmH$_2$O)	10	10

Fonte: Adaptada de Kushida et al., 2008.

São recomendações para titulação de BiNível:

1. O técnico deve começar com EPAP em 4 cmH$_2$O ou no nível de CPAP em que as apneias obstrutivas foram eliminadas. Ajustar o IPAP em 4 cmH$_2$O acima do valor inicial do EPAP.

2. Aumentar as pressões IPAP e EPAP de 1 em 1 cmH$_2$O, com intervalo não inferior a cinco minutos, quando forem observados os eventos descritos na Tabela 5.4.

3. Aumentar apenas a pressão IPAP de 1 em 1 cmH$_2$O, com intervalo não inferior a cinco minutos, quando forem observados os eventos descritos na Tabela 5.5.

TABELA 5.4
Eventos que devem ser observados para aumento da pressão inspiratória e expiratória

< 12 anos	≥ 12 anos
1 apneia obstrutiva	2 apneias obstrutivas

Fonte: Adaptada de Kushida et al., 2008.

TABELA 5.5
Eventos que devem ser observados para aumento da pressão inspiratória

< 12 anos	≥ 12 anos
1 hipopneia	3 hipopneias
3 RERAs	5 RERAs
1 minuto ronco de alto ou inequívoco	3 minutos de ronco alto ou inequívoco

Fonte: Adaptada de Kushida et al., 2008.

A titulação ideal deverá alcançar todos os mesmos parâmetros observados para ajuste do CPAP descritos no item 8.2.1.

■ 8.3. Determinação da pressão ótima

Para uma titulação de PAP ser bem-sucedida, o paciente deve ser capaz de dormir. Assim, se o paciente acordar e se queixar de que a pressão está muito alta, a pressão deve ser reduzida a um nível em que o paciente seja capaz de voltar a dormir. Vazamento pela máscara e pela boca deve ser prontamente abordado. Tecnologias de alívio de pressão podem ser implementadas para melhorar o conforto do paciente. O equipamento BiNível pode ser utilizado para pacientes com intolerância a altas pressões de CPAP.

■ 8.4. Oxigênio suplementar

O oxigênio suplementar pode ser administrado com base nos protocolos do laboratório do sono, de modo a atingir uma titulação adequada para cada paciente individualmente. Variações significativas do protocolo devem ser documentadas com adequada justificativa.

É recomendado o uso de oxigênio suplementar durante a titulação de PAP quando a saturação de oxi-hemoglobina for inferior a 88% durante cinco minutos ou mais, com o paciente acordado, em posição supina e em ar ambiente. O oxigênio suplementar para o equipamento de PAP deve ser introduzido em um conector T colocado na conexão do tubo, e não na máscara de PAP. O valor mínimo de início recomendado para pacientes adultos e pediátricos é de um litro/minuto. A titulação de oxigênio suplementar é dada por aumentos de 1 em 1 litro por minuto, em intervalos de, no mínimo, 15 minutos, até que a saturação de oxi-hemoglobina esteja entre 88 e 94%. Os níveis de oxigênio suplementar podem, algumas vezes, ser reduzidos em pacientes com BiNível quando se aumenta a pressão IPAP.

■ 8.5. Estudos de "noite dividida" (*split-night*)

Nos estudos de "noite dividida", o protocolo de titulação de PAP deve ser o mesmo utilizado para o estudo de titulação de PAP de noite inteira e deve incluir mais de três horas de tempo de titulação. Estudos de noite dividida não devem ser realizados em crianças com

106 ·· Seção II – Métodos de avaliação complementar

menos de 12 anos de idade. Devido ao tempo de titulação reduzido durante os estudos de noite dividida, as pressões dos equipamentos de PAP podem ser aumentadas de 2 em 2 cmH_2O, com um intervalo não inferior a cinco minutos.

■ 8.6. Estudos para repetição da titulação

A repetição de titulação de PAP é indicada quando a titulação inicial não cumprir os critérios para uma titulação ótima ou boa (como definido), ou quando um estudo de noite dividida não satisfaz os critérios de mais de três horas de tempo de titulação.

■ 8.7. Documentação

O técnico em polissonografia é responsável por seguir toda a documentação disponível antes da titulação de PAP (encaminhamento e pedido médico, história clínica, exame físico, resultados de exames anteriores, questionários etc.).

O técnico deve documentar todo o registro, incluindo as pressões registradas automaticamente por um sinal a partir do equipamento de PAP ou anotadas manualmente na ficha ou relatório técnico. Além disso, deve anotar e descrever todos os eventos, observações e intervenções que ocorreram durante a polissonografia e a titulação de PAP.

O técnico deve registrar as seguintes informações:

a. pressão inicial e final;
b. variações da pressão e razões para mudança;
c. tipo de máscara;
d. nível de vazamento;
e. posição do corpo;
f. estágio do sono;
g. comportamentos do paciente (inquieto, reclamações);
h. ronco;
i. saturação de oxi-hemoglobina;
j. a razão para a mudança de máscara ou de um dispositivo para outro.

■ 8.8. Resultados

Um médico especialista do sono é responsável pelo relatório final e conclusão do laudo da polissonografia, contendo as recomendações de PAP que deverão ser seguidas para tratamento do paciente com uso do equipamento em casa.

9. Controle de infecções

Os técnicos em polissonografia devem tomar as precauções universais para evitar a propagação de doenças infecciosas. Lavar as mãos frequentemente é essencial para a proteção do paciente e do próprio técnico. Isso deve ser feito antes e depois de qualquer contato com o paciente e após a remoção das luvas. O técnico também deve usar luvas ao manusear equipamentos e sensores contaminados.

Todo equipamento, sensores, máscaras e tubos que entram em contato com o paciente devem ser tratados como material contaminado, de acordo com as rotinas e procedimentos

Aspectos técnicos da polissonografia •• **107**

de cada laboratório do sono. Os equipamentos sujos devem ser mantidos em áreas distintas daquelas onde são armazenados os equipamentos limpos. Todos os equipamentos sujos devem ser limpos e desinfetados após cada utilização de acordo com as orientações do fabricante. Artigos de utilização única devem ser descartados após cada utilização.

10. Finalizando o registro de polissonografia

Já é manhã, e o turno de trabalho do técnico está acabando. Ele deve então acordar o paciente/voluntário, retirar todos os eletrodos e sensores, dar uma toalha para o paciente/voluntário tomar banho e ir embora do laboratório, certo? Errado. É importante finalizar o exame de forma adequada e profissional. A documentação do horário do "Bom dia" ou "Luzes acesas" é fundamental para a análise da polissonografia. O manual de políticas e procedimentos da rotina de cada laboratório deve conter a descrição da finalização do registro. Por exemplo, o manual deve incluir se o técnico deve retardar a finalização do exame caso o paciente/voluntário esteja em sono REM ou se deve terminar o registro no horário que o paciente/voluntário habitualmente acorda em casa. O técnico deve acordar o paciente/voluntário usando o sistema de intercomunicação e documentar o horário. A solicitação para que o paciente/voluntário aguarde deitado e calmamente pela chegada do técnico pode impedir que o paciente/voluntário faça a retirada dos sensores sozinho, o que pode incorrer em quebras. A retirada cuidadosa dos sensores e eletrodos é importante, pois muitas vezes pode incomodar o paciente/voluntário. Muitas vezes, o paciente/voluntário sai do laboratório e vai diretamente para o trabalho. É função do técnico retirar todos os resíduos de pasta condutora e fitas adesivas do paciente/voluntário, mesmo que o laboratório tenha um chuveiro para que o paciente/voluntário tome banho antes de sair.

O preenchimento de questionários "pós-sono" também pode fazer parte da rotina de muitos laboratórios. É importante que o técnico oriente o paciente/voluntário no preenchimento, uma vez que as informações podem ser muito úteis para a análise da polissonografia. É perfeitamente natural que o paciente/voluntário queira saber imediatamente os resultados da polissonografia. É importante que o técnico saiba que a sua impressão do registro não é necessariamente o resultado final do exame. Muitas vezes, o técnico pode tentar tranquilizar o paciente/voluntário informando que o registro de noite inteira precisa ser analisado "como um todo" pelo médico responsável. Todos os sinais coletados durante toda a noite deverão ser marcados e tabulados para serem analisados antes do resultado final da polissonografia.

Além da calibração biológica (item 6), a realização da calibração do equipamento ao final do registro é rotina em muitos laboratórios (item 5). A gravação do arquivo do registro deve ter atenção cuidadosa do técnico para evitar erros e exames perdidos. Alguns sistemas digitais de polissonografia executam automaticamente esses procedimentos. O técnico deve certificar-se de que os dados do registro e do paciente/voluntário foram corretamente armazenados.

É responsabilidade do técnico limpar e armazenar adequadamente os eletrodos, sensores e outros itens usados durante o exame. O laboratório deve ter instruções para limpeza e desinfecção dos materiais usados na polissonografia, incluindo as máscaras e tubos dos equipamentos de PAP.

O paciente/voluntário da polissonografia está sob responsabilidade do técnico até a sua saída do laboratório. O técnico não deve deixar o paciente/voluntário sozinho durante um longo período de tempo. Alguns pacientes/voluntários podem levar uma quantidade considerável de tempo para se preparar e sair do laboratório. O técnico deve ter paciência e certificar-se de que o paciente/voluntário está pronto e que é capaz de sair do laboratório no final do exame.

■ Referências

1. Kushida CA, Chediak A, Berry RB, Brown LK, Gozal D, Iber C, Parthasarathy S, Kushida CA, Littner MR, Morgenthaler T, Alessi CA, Bailey D, Coleman J Jr, Friedman L, Hirshkowitz M, Kapen S, Kramer M, Lee-Chiong T, Loube DL, Owens J, Pancer JP, Wise M. Practice parameters for the indications for polysomnography and related procedures: an update for 2005. Sleep. 2005;28(4):499-521.

2. American Academy of Sleep Medicine. International classification of sleep disorders: diagnostic and coding manual (ICSD-3). 3rd ed. Darien, IL, U.S.A: American Academy of Sleep Medicine; 2014.

3. Bittencourt LRA, Santos da Silva R, Conway SG. Laboratório do sono: estrutura física e pessoal, técnica polissonográfica, questionário de sono e banco de dados. São Paulo: AFIP – Associação Fundo de Incentivo a Psicofarmacologia; 2005.

4. Berry RB, Brooks R, Albertario CL, Harding SM et al. for the American Academy of Sleep Medicine. The AASM Manual for the Scoring of Sleep and Associated Events: Rules, Terminology and Technical Specifications. Version 2.5. Darien, IL: American Academy of Sleep Medicine; 2018.

5. Jasper HH. The ten twenty electrode system of the International Federation. Electroencephalography and clinical neurophysiology. 1958;10:371-75.

Avaliação da macroestrutura e microestrutura do sono

6

Maria Cecília Lopes
Raimundo Nonato Rodrigues
Rogerio Santos-Silva
Leticia Maria Santoro Franco Azevedo Soster

O estudo do eletroencefalograma (EEG) durante o sono pode gerar dados sobre os aspectos neurofisiológicos da atividade elétrica cerebral[1], uma vez que ondas do EEG geradas pelo registro no couro cabeludo têm boa correlação, em teoria, com modelos neurofisiológicos da dinâmica cortical[2].

Sob aspectos físicos e neurofisiológicos, o sono divide-se, em sua macroestrutura, em dois estágios: REM (*Rapid Eye Movement*), em que há registro de movimentos oculares rápidos no eletro-oculograma (EOG) e atonia no eletromiograma (EMG), e em NREM (*Non Rapid Eye Movement*), em que esses movimentos oculares não ocorrem, e o tônus muscular, apesar de reduzido, é mantido. O sono NREM, por sua vez, apresenta uma subdivisão, determinada a partir de elementos neurofisiológicos obtidos na análise da atividade elétrica cerebral. Essa subdivisão compreende o estágio N1 (NREM1), mais superficial, caracterizado por movimentos oculares lentos, alentecimento das ondas cerebrais e de alguns elementos fásicos, como as ondas agudas do vértex; o estágio N2 (NREM2), já com registro de maior quantidade de elementos fásicos (fusos do sono e complexos K) e o estágio N3 (NREM3), quando se observa grande quantidade de ondas lentas, na menor faixa de frequências que o cérebro humano consegue produzir, chamada delta. Esses são os padrões observados na polissonografia de rotina.

O estudo da microestrutura, por sua vez, possibilita os diagnósticos de distúrbios leves do sono, a despeito de terem apresentado um exame polissonográfico convencional normal. Os índices de fragmentação do sono habituais, muitas vezes, não justificam a magnitude de queixas subjetivas e objetivas do sono em indivíduos saudáveis (Scarf, 2000). Da mesma forma, existem distúrbios de sono sem alterações significativas na organização do sono, tal como investigado atualmente[3,4]. Sob esses aspectos, divide-se a microestrutura pela análise de elementos fásicos no EEG. As atividades fásicas se subdividem em A1, A2 e A3 (de ritmos mais lentos para mais rápidos, respectivamente) e momentos de quiescência (fase B).

Vários aspectos eletroencefalográficos e eletromiográficos foram reunidos em documentos da Academia Americana de Medicina do Sono (AAMS) para manter o padrão de nomenclatura das fases e estágios de sono nos exames de polissonografia de todo o globo. Tal documento sofre constantes atualizações ao longo dos anos e é o mais utilizado para o estagiamento do sono.

O presente capítulo abordará os aspectos neurofisiológicos da macro e microestrutura do sono, além das regras básicas de estagiamento determinadas pela AAMS em seu último manual (versão 2.5)[5].

1. Macroestrutura do sono

O Manual da AAMS[5] é a referência mundial para o estagiamento dos exames de polissonografia, os quais são a representação da macroestrutura do sono. Os termos utilizados para tal são: estágio W para vigília (do inglês *wakefulness*), estágio N1, estágio N2 e estágio N3 para as três fases do sono NREM, e estágio R para sono REM.

As regras gerais para o estagiamento do sono são:

1) Dividir o exame em épocas consecutivas de 30 segundos desde o início do exame (do momento em que as luzes foram apagadas – Boa Noite, até o momento em que as luzes foram acesas – Bom Dia).

2) Determinar um estágio para cada época. Se mais de um estágio coexistir na mesma época, deve-se determinar o estágio que compreender a maior porção da época.

3) O estagiamento do sono deve ser feito de acordo com as seguintes definições de frequências do EEG:

   a. Atividade de ondas lentas: frequências de 0,5 e 2,0 Hz, com amplitude maior que 75 µV, medidas de pico a pico nas derivações frontais.

   b. Ondas Delta: 0 a 3,99 Hz.

   c. Ondas Teta: 4 a 7,99 Hz.

   d. Ondas Alfa: 8 a 13 Hz.

   e. Ondas Beta: > 13 Hz.

■ 1.1. Estágio W

Para identificação dos estágios do sono, de acordo com a AAMS, é necessária a determinação do padrão do EEG que caracteriza a vigília, denominada estágio W (Figura 6.1).

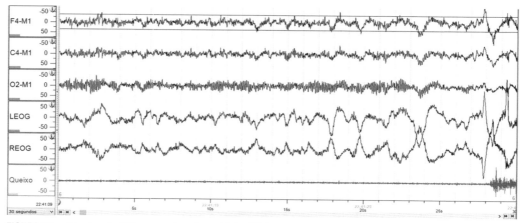

FIGURA 6.1 – Trecho de 30 segundos de estágio W do registro da polissonografia, onde é observada a presença do ritmo alfa em mais de 50% da duração desta época

Fonte: Registro preparado pelos autores.

Esse estágio é caracterizado pela presença de um período superior a 50% da época contendo ritmo alfa (atividade sinusoidal com frequências entre 8 e 13 Hz, com maior amplitude na região occipital com olhos fechados) ou outros achados compatíveis com o estágio W: 1) Piscamentos com frequência de 0,5 a 2 Hz; 2) Movimentos irregulares dos olhos em associação ao tônus muscular; ou 3) Movimentos oculares de leitura (presença de fase lenta do movimento ocular seguida por fase rápida na direção oposta).

■ 1.2. Estágio N1

O estágio N1 é definido como a transição de vigília para o sono. É caracterizado pela gradual intrusão, no EEG, de atividades com frequências mistas de baixa amplitude, geralmente entre 4 e 7 Hz (ondas teta), até o completo desaparecimento do ritmo alfa. Esse estágio pode também ser observado após os movimentos corporais ou despertares durante o sono. O critério de estagiamento considera estágio N1 as épocas em que ocorre ritmo alfa em menos de 50% do tempo, com absoluta ausência de fusos de sono e de complexos K (Figura 6.2).

Atividades fásicas, denominadas ondas agudas do vértex, são observadas durante o estágio N1 e, particularmente, ocorrem no início do sono. Apresentam sua amplitude máxima em regiões centrais do escalpo, com duração menor que 0,5 segundo. São potenciais compostos de uma pequena descarga espicular de polaridade negativa e possuem amplitude menor nos idosos. Podem ocorrer espontaneamente ou em resposta aos estímulos com intensidade insuficiente para despertar o indivíduo.

O estágio N1 também pode ser caracterizado pela presença dos movimentos lentos dos olhos. A atividade do EMG permanece durante esse estágio, assim como em todo o sono NREM, podendo apresentar potenciais de menor amplitude do que os observados em vigília.

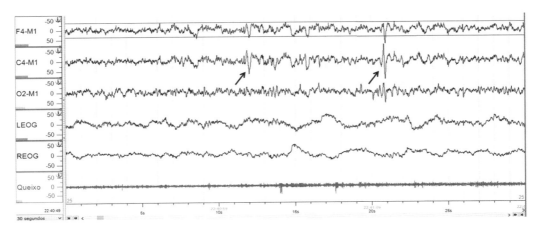

FIGURA 6.2 – Época (30 segundos) de estágio N1 do registro da polissonografia mostrando exemplos de ondas agudas do vértex (destacados pelas setas)
Fonte: Registro preparado pelos autores.

■ 1.3. Estágio N2

A atividade do EEG durante o estágio N2 é composta de um padrão de ondas de baixa voltagem e de frequências variadas, em que ocorre o aparecimento intermitente dos fusos do sono e dos complexos K (Figura 6.3). O estágio N2 é, então, definido pela presença, no EEG, de fusos do sono e/ou de complexos K e pela presença de, no máximo, 20% da época contendo ondas delta com amplitude superior a 75 µV.

Os fusos de sono foram previamente descritos por Loomis et al.[31], em 1935. São formados por surtos de ondas que variam entre 11 e 16 Hz (geralmente de 12 a 14 Hz) e apresentam duração superior a 0,5 segundo. Possuem o seu padrão de ondas caracterizado por um aumento progressivo, seguido de diminuição gradual da voltagem, com morfologia fusiforme. A amplitude máxima dos fusos do sono ocorre em regiões centrais do escalpo. Os fusos do sono são comumente observados a partir de três meses de idade. Raramente são observados no sono de ondas lentas (estágio N3), embora possam estar presentes também neste estágio do sono.

O complexo K é outro importante padrão que caracteriza o EEG do estágio N2. Consiste em um componente inicial agudo negativo, que é imediatamente seguido por um componente positivo lento. Apresenta amplitude máxima em regiões frontais do escalpo e sua duração excede 0,5 segundo. O complexo K pode ocorrer em resposta aos estímulos súbitos, particularmente os auditivos, ou, mais frequentemente, na ausência de qualquer estímulo externo detectável. O complexo K está presente desde a infância, ocorrendo uma diminuição da amplitude com o avanço da idade.

A atividade do EMG no estágio N2 pode ser caracterizada pela diminuição da amplitude dos potenciais em muitos indivíduos, quando comparados com a atividade do EMG durante a vigília relaxada.

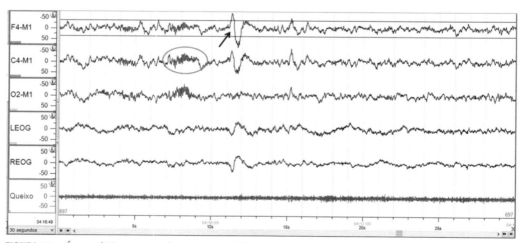

FIGURA 6.3 – Época (30 segundos) de estágio N2 do registro da polissonografia mostrando um exemplo de fuso do sono (em destaque com o círculo) e complexo K (destacado pela seta)
Fonte: Registro preparado pelos autores.

■ 1.4. Estágio N3

O estágio N3 é definido por atividade de ondas lentas (frequências delta entre 0,5 e 2,0 Hz), com amplitude superior a 75 µV e medidas em derivações frontais (Figura 6.4).

Os fusos do sono e os complexos K podem ocorrer durante esse estágio do sono. Os despertares, durante esse estágio do sono, podem estar associados com eventuais manifestações de distúrbios do sono e distúrbios do despertar (sonambulismo, terror noturno, enurese noturna, por exemplo) em indivíduos predispostos. Os movimentos oculares estão praticamente ausentes nesse estágio. O EMG geralmente se apresenta com potenciais menores do que durante os estágios N1 e N2.

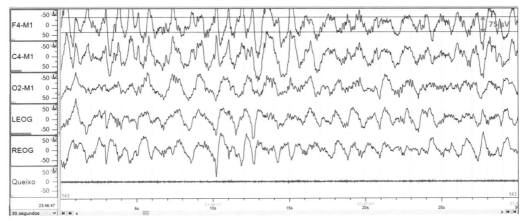

FIGURA 6.4 – Época (30 segundos) de estágio N3 do registro da polissonografia
Fonte: Registro preparado pelos autores.

■ **1.5. Sono REM**

O sono REM (estágio R) é definido pelo aparecimento concomitante da dessincronização do EEG, de abalos episódicos de movimentos oculares rápidos e da importante redução da atividade do EMG[5] (Figura 6.5). O EEG apresenta potenciais de frequências mistas e de baixa amplitude. Pode-se observar, em muitos casos, a presença de uma atividade característica dessa fase do sono: as "ondas em dente de serra" (*sawtooth waves*), que se apresentam em forma de ondas triangulares, com frequência variando entre 2 e 6 Hz, e que ocorrem com maior amplitude nas derivações centrais, normalmente conjugadas aos movimentos rápidos dos olhos. A presença de ondas em dente de serra não é necessariamente requerida para o estagiamento do estágio R, embora, em alguns momentos, possa ser bastante útil no seu reconhecimento.

A presença de movimentos oculares rápidos, em associação com a dessincronização do EEG durante o sono, ocorre em intervalos irregulares durante o estágio R, sendo que a densidade desses movimentos dos olhos é distribuída em unidade de tempo bastante variável durante o sono. Outra característica fundamental do sono REM é a supressão tônica dos potenciais dos reflexos miotáticos. Esse mecanismo é comandado por um circuito que envolve a ativação pontina dos centros inibitórios, culminando em hiperpolarização pós-sináptica dos motoneurônios. Apesar desse importante mecanismo, alguns abalos musculares podem ocasionalmente ser observados (*sleep jerk* ou *twitches*).

A Tabela 6.1 resume as regras para marcação de cada estágio do sono.

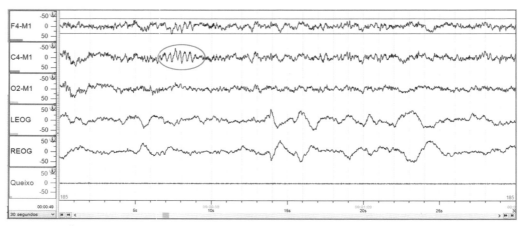

FIGURA 6.5 – Época (30 segundos) de estágio R do registro da polissonografia mostrando um exemplo de ondas em dente de serra (no destaque em círculo).
Fonte: Registro preparado pelos autores.

\multicolumn{2}{c}{**TABELA 6.1** **Critérios para estagiamento do sono na polissonografia, segundo a Academia Americana de Medicina do Sono[5]**}
Estágios	**Características**
Estágio W (Vigília)	> 50% da época com ritmo alfa. Piscamentos na frequência de 0,5 a 2 Hz. Movimentos oculares de leitura. Movimentos irregulares dos olhos em associação com tônus muscular aumentado ou normal.
Estágio N1	Ritmo alfa atenuado ou substituído por frequências mistas de baixa amplitude, presentes em mais de 50% do tempo da época. Atividade de base de 4-7 Hz com alentecimento ≥ 1Hz, quando comparado à vigília. Ondas do vértex. Movimentos oculares lentos no EOG.
Estágio N2	Na ausência de critérios de N3, marcar estágio N2 na presença de um dos seguintes eventos na primeira metade da época ou na segunda metade da época anterior: • Um ou mais complexos K não associados a despertar. • Um ou mais fusos do sono. Manter em estágio N2, na ausência de complexos K ou fusos de sono, se houver frequências mistas de baixa amplitude e se complexos K ou fusos de sono estiverem presentes em épocas anteriores, na ausência de despertar.
Estágio N3	20% do tempo da época consistir de ondas lentas com amplitude maior do que 75 μV, a despeito da idade.
Estágio R	Presença de TODOS os critérios: • Frequências mistas de baixa amplitude no EEG. • Atonia muscular em mais de 50% da época. • Movimentos rápidos dos olhos.

Fonte: Elaborada pelos autores.

2. Microestrutura do sono

O estudo da microestrutura do sono, pela identificação e marcação do Padrão Alternante Cíclico (do inglês "Cyclic Alternating Pattern" – CAP) é uma ferramenta útil na detecção de instabilidade do sono e favorece a compreensão do processo de hierarquia[6] da resposta aos estímulos e ao despertar. Por meio do registro do EEG durante o sono, pode-se observar a transição de ritmos de rápida frequência e baixa amplitude para ritmos de lenta frequência e alta amplitude[7]. Várias bandas de frequência das grandes oscilações que caracterizam a atividade do EEG durante a vigília são decorrentes de interações neuronais em sistemas corticotalâmicos.

Os ritmos espontâneos do cérebro têm um papel importante na plasticidade sináptica. O papel da oscilação de sono de ondas lentas na consolidação da memória de traços adquiridos durante a vigília tem sido explorado em seres humanos e animais experimentais[8]. A redução da responsividade ao meio externo durante o sono, associada à ativação de ritmos do EEG, é resultado de uma alta regulação de redes neuronais integradas[9]. Tais ritmos têm frequências definidas e podem ser abruptamente interrompidos por eventos fásicos cuja avaliação constitui a microarquitetura do sono. Tais eventos podem promover mudanças de estágios e de ciclos de sono. As oscilações do EEG, que compõem os eventos fásicos e os ritmos cerebrais, têm sido descritas em nível neuronal *in vitro*[10] e *in vivo* em animais[11,12], assim como também foram observadas em estudos de neuroimagem em humanos[13] e no uso de redes neurais artificiais[14] (Bazhenov et al., 2002).

O sono NREM, em adultos saudáveis, possui periodicidade de eventos fásicos que pode ser representada pela expressão do CAP, em torno de 30% do sono NREM[15]. O CAP representa oscilações cíclicas do EEG, com dinâmica temporoespacial conhecida[15,16]. A atividade neural, durante o sono NREM, pode ser descrita por meio da sucessão de complexos K, fusos do sono e ondas lentas do EEG[17].

Os elementos fásicos (fases A) são encontrados durante todo o período de sono NREM. A microestrutura do sono tem sua expressão modificada de acordo com o estágio do sono analisado, segundo o consenso para análise visual do CAP[16].

■ 2.1. Estágio N1

Os componentes CAP mais evidentes neste estágio são a intrusão de alfa no EEG com frequências mistas de baixa amplitude (característica do estágio N1) e as sequências compostas de mais de uma onda aguda do vértex.

■ 2.2. Estágio N2

No estágio N2, encontram-se os complexos K como elementos fásicos para o estagiamento do CAP.

■ 2.3. Estágio N3

Os eventos CAP, nesse estágio do sono, são caracterizados por manifestação abrupta no estado tônico do sono delta. Os surtos delta são os eventos mais frequentes nesse estágio, de acordo com o Atlas do CAP[16]. Há um aumento do aparecimento desses surtos de ondas lentas e, quando comparados à atividade do EEG de base do ritmo delta no estágio N3, os surtos delta têm maior amplitude do que a atividade EEG de base.

2.4. Os fusos de sono e complexos K

A atividade sigma do EEG, que compõe os fusos de sono, aparece previamente na emergência da atividade delta[18]. Os fusos de sono e as oscilações delta possuem origem nas projeções talamocorticais[19]. Ambos os grafoelementos representam um aprofundamento do sono[20]. A origem dos fusos de sono é no núcleo reticular do tálamo[21], e tais fusos decorrem de disparos neuronais talamocorticais sincronizados, com consequente interrupção da atividade do EEG de base. Além disso, esses disparos são usualmente observados no estágio N2, mas podem aparecer também no estágio N3. Apesar de serem fásicos, os disparos neuronais talamocorticais não são incluídos na classificação de eventos de fase A. Os complexos K podem ser observados em resposta a estímulos endógenos e exógenos. Apesar de o complexo K representar um componente que pode estar associado à tendência ao despertar, a oscilação lenta característica desse complexo K sugere um fenômeno protetor do sono[20]. Tal grafoelemento tem origem no tálamo, em região ainda não bem conhecida[21]. Conjuntamente com os surtos delta, sequências de dois ou mais complexos K compõem um importante grupo de eventos fásicos característicos dos subtipos de fase A do CAP.

2.5. As oscilações lentas

As oscilações lentas, menores de 1 Hz, têm alta densidade no córtex pré-frontal dorsolateral e orbitofrontal, com propagação no eixo anteroposterior[13]. Tais oscilações lentas aumentam linear e gradativamente do estágio N1 ao estágio N3, em intervalos de 1,25 segundo de interdetecção durante o estágio N3. Como esses padrões lentos representam uma fase de hiperpolarização, eles podem levar a um aumento da corrente extracelular de potássio[22,23]. De acordo com o modelo hiperpolarização-despolarização, há uma intensa e rápida despolarização após estas oscilações lentas[13]. O intervalo de 1,25 segundo pode explicar o aumento de surtos delta (fase A1) no estágio N3, descritos no Atlas sobre CAP por Terzano et al.[16] em 2002. O significado dos ritmos espontâneos e reativos do EEG ainda precisa ser esclarecido[1]. Correlações entre EEG e função cerebral são bastante usadas em procedimentos diagnósticos, com clara associação entre a dinâmica da atividade neuronal, cognição e transtornos psiquiátricos[24]. No entanto, essa associação entre padrões do EEG em situações fisiopatológicas e as bases neurofisiológicas da geração dos ritmos de sono ainda não está elucidada, apesar de haver várias décadas de estudos da atividade elétrica cerebral[24].

2.6. Classificação dos elementos fásicos do CAP

O CAP pode ser considerado um padrão periódico do EEG, o qual é classificado de acordo com a maior ou menor sincronização. Assim como há uma redução da sincronização do EEG ao longo do sono (comparando a primeira metade do sono com a segunda metade do sono)[25], há também uma redução da expressão do CAP ao longo da noite, principalmente do componente A1 em adultos[26].

As oscilações do sono NREM representam mecanismos geradores desse estado, como expressão de um sistema de interação recíproca de forças excitatórias e inibitórias fundamentais na geração dos ritmos cerebrais. Dentro dessa perspectiva, o sono pode ser considerado um estado cerebral que reflete plasticidade e instabilidade neuronais, por meio da composição de vários sinais produzidos por diversos geradores neuronais sincronizados ou dessincronizados.

O estudo do CAP é caracterizado por sequências repetitivas de ativações eletrocorticais (fases A) que são distinguíveis da atividade eletroencefalográfica de base (fase B) e que se repetem várias vezes ao longo da noite, podendo ser interrompidas por presença de sono estável, chamadas fases não CAP (NCAP), durante mais do que 60 segundos. As sequências de CAP são equitativamente distribuídas durante a noite, e a porcentagem de tempo de sono que o CAP ocupa (taxa de CAP) é considerada marcador fisiológico da instabilidade do sono[27-29].

Os elementos intermitentes incluem os já citados: ritmo na frequência alfa, sequências de transientes agudizados do vértex, sequências de dois ou mais complexos K e surtos delta no estágio N3, demonstrando uma modificação na amplitude (aumento de um terço da amplitude com relação à atividade que o precede) quando comparado à atividade de base, além de ativações transitórias (despertares).

Os elementos intermitentes, fásicos, constituem uma fase A, quando demonstram aumento em um terço na amplitude quando comparado à atividade de base e incluem:

a) Ritmo na frequência alfa.
b) Sequências de transientes agudizados do vértex.
c) Sequências de dois ou mais complexos K.
d) Surtos delta no sono de ondas lentas (estágio 3 do sono não REM – N3).
e) Ativações corticais transitórias (microdespertares).

As convenções dessas análises subdividem essas respostas fásicas em A1, A2 e A3, que se alternam com os padrões estáveis na frequência teta-delta, chamados fase B. Os subtipos são divididos de acordo com a frequência dos elementos que os compõem[27] e analisados em épocas de 60 segundos:

a) A1 é caracterizado por sequências de complexos K ou surtos na frequência delta, com mínima dessincronização e sem efeitos cardiorrespiratórios (Figura 6.6).

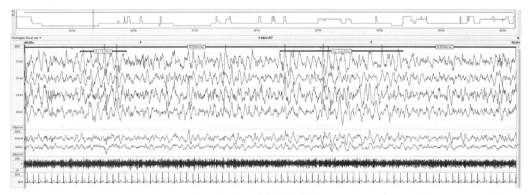

FIGURA 6.6 – Representação esquemática da fase A1 do CAP, em que são observadas ativações eletrocorticais em frequências lentas, delta, sem modificação no tônus ou eletrocardiograma
Fonte: Registro preparado pelos autores.

b) A2 é composto por uma mistura de complexos K com atividade na frequência alfa ou beta, além de aumento moderado no tônus muscular ou na frequência cardiorrespiratória (Figura 6.7).

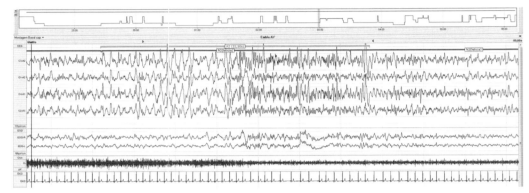

FIGURA 6.7 – Representação esquemática da fase A2 do CAP, em que são observadas ativações eletrocorticais em frequências lentas, delta, beta e alfa, com leve modificação no tônus e eletrocardiograma
Fonte: Registro preparado pelos autores.

c) A3 é caracterizado por padrões de dessincronização, associados a modificações nas frequências cardíacas ou respiratórias, por vezes associados a artefatos de movimentação (Figura 6.8).

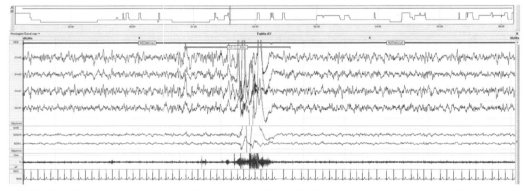

FIGURA 6.8 – Representação esquemática da fase A3 do CAP, em que são observadas ativações eletrocorticais em frequências rápida, beta e alfa, com modificação no tônus e aumento na frequência cardíaca, além de artefato de movimentação
Fonte: Registro preparado pelos autores.

Ao longo da noite, as fases A apresentam uma distribuição hierárquica, sendo A1 predominante na primeira metade do sono NREM, com progressivo aumento ao passar das fases mais superficiais para as mais profundas do sono (Figura 6.9), como se estivesse envolvido num processo de evolução e manutenção da sincronização da atividade elétrica cerebral. Por outro lado, as fases A2 e A3 (mais instáveis) fisiologicamente predominam na porção final do ciclo de sono NREM, quando interrompem a sincronização do EEG e "preparam" o sono para uma fase mais dessincronizada, o sono REM. Essa porção de sono mais estável se segue por alguns momentos ao fim da fase de sono REM[30].

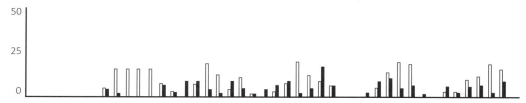

FIGURA 6.9 – Histograma de distribuição do número de fases CAP A (somados a cada 5 minutos) ao longo da noite de sono. Em branco a fase A1 e em preto as fases A2 + A3. Histograma obtido do exame de criança normal
Fonte: Tese de Leticia Maria Santoro Franco Azevedo Soster apresentada à Faculdade de Medicina da Universidade de São Paulo para obtenção do título de Doutor em Ciências, 2015.

3. Avaliação da despertabilidade

Os despertares no sono NREM, de acordo com a AAMS[5], são alterações abruptas de atividades no EEG com frequências rápidas (alfa/beta) e duração mínima de três segundos, desde que sejam precedidas por 10 segundos ou mais de qualquer estágio de sono estável. Os subtipos A2 e A3 do CAP estão superpostos aos despertares da AAMS em 87%[26]. No estágio R, a marcação de despertares também é caracterizada por alteração abrupta de atividades rápidas no EEG, com duração maior que três segundos, precedida por 10 segundos ou mais de qualquer estágio de sono estável, porém requer o aumento concomitante do EMG do queixo com duração de, pelo menos, um segundo[5].

Em termos fisiológicos, há diferença nas condições que levam à maior alerta, no que concerne à capacidade em retornar ao padrão de sono. Nesse aspecto, há três condições associadas à aceleração na frequência da atividade elétrica cerebral:
a) Estágio de vigília (ou estágio W, de acordo com a AAMS), com presença de ritmos teta e beta, além de ritmo alfa nas regiões posteriores.
b) Passagem de uma fase de sono para vigília, do inglês *awakening*, na qual a capacidade em retornar ao sono é menor. Esse parâmetro atualmente não é obrigatório no laudo de polissonografia da AAMS, embora já o tenha sido no passado.
c) Abrupta alteração na frequência da atividade elétrica cerebral, maior do que três segundos (precedida por pelo menos 10 segundos de sono), do inglês *arousal*, habitualmente relacionada ao retorno à fase de sono.

De acordo com o Manual de Estagiamento da AAMS, tanto os eventos de despertar que levam à vigília quanto os que são paroxísticos (ou seja, o paciente retorna ao sono) são incluídos no mesmo evento, uma vez que não há limite máximo no tempo de marcação dos *arousals*. Esse critério baseou-se na ausência de diferença entre esses dois eventos quando considerado apenas o desfecho respiratório. Em termos neurofisiológicos, de regulação da atividade cortical e de despertabilidade, os eventos diferem entre si, conforme citado.

■ Referências

1. Robinson PA, Rennie CJ, Rowe DL, O'Connor SC, Wright JJ, Gordon E, Whitehouse RW. Neurophysical Modeling of Brain Dynamics. Neuropsychopharmacology. 2003;28:74-9.

120 •• Seção II – Métodos de avaliação complementar

2. O'Connor SC, Robinson PA. Chiang AKI. Wave-number spectrum of electroencephalographic signals. Physical Review. 2002;66:1-12.
3. Bonnet MH, Arand DL. Physiological activation in patients with sleep state misperception. Psycossomatic Medicine. 1997;59(5):553-540.
4. Perlis ML, Giles DE, Mendelson WB, Bootzin RR, Wyatt J K. Psycophysiological insomnia: behavioural model and a neurocognitive perspective. Journal of Sleep Research. 1997;6:179-88.
5. Berry RB, Brooks R, Albertario CL, Harding SM et al. for the American Academy of Sleep Medicine. The AASM Manual for the Scoring of Sleep and Associated Events: Rules, Terminology and Technical Specifications. Version 2.5. Darien, IL: American Academy of Sleep Medicine; 2018.
6. Sforza E, Jouny C, Ibanez V. Cardiac activation during arousal in humans; further evidence for hierarchy in the arousal response. Clinical Neurophysiology. 2000;111:1611-19.
7. Rechtschaffen A, Kales A. Manual of Standardized Terminology: Techniques and Scoring System for Sleep Stages of Human Subjects. Los Angeles: UCLA Brain Information Service/Brain Research Institute; 1968.
8. Steriade M. Slow wave sleep: serotonin, neuronal plasticity, and seizures. Arch Ital Biol 2004;142:359-67.
9. Hill S, Giulio T. Modeling Sleep and Wakefulness in the Thalamocortical System. J Neurophysiol. 2005;93:1671-98.
10. Sanchez-Vives MV, McCormick DA. Cellular and network mechanisms of rhythmic recurrent activity in neocortex. Nature Neuroscience. 2000;3:1027-34.
11. Steriade M, David A, McCormick, Sejnowski TJ. Thalamocortical oscillations in the sleeping and aroused brain. Science. 1993;262:679-85.
12. Timofeev I, Grenier F, Bazhenov M, Sejnowski TJ, Steriade M. Origin of slow cortical oscillations in deaferented cortical slabs. Cerebral Cortex. 2000;10:1185-99.
13. Massimini M, Huber R, Ferrarelli F, Hill S, Tononi G. The Sleep Slow Oscillation as a Traveling Wave. J Neurosci. 2004;24:6862-70.
14. Compte A, Sanchez-Vives MV, McCormick DA, Wang XJ. Cellular and Network Mechanisms of Slow Oscillatory Activity (1 Hz) and Wave Propagations in a Cortical Network Model. J Neurophysiol. 2003;89:2707-25.
15. Terzano MG, Mancia D, Salati MR, Costani G, Decembrino, A, Parrino L. The cyclic alternating pattern as a physiologic component of normal NREM sleep. Sleep. 1985;8:137-45.
16. Terzano MG, Parrino L, Sherieri A, Chervin R, Chokroverty S, Guilleminault C, Hirshkowitz, M, Mahowald M, Moldofsky H, Rosa A, Thomas RR, Walters A. Atlas, rules, and recording techniques for the scoring of cyclic alternating pattern (CAP) in human sleep. Sleep Medicine. 2002;3:187-99.
17. Steriade M. Corticothalamic resonance, states of vigilance and mentation. Neuroscience. 2000;101:243-76.
18. Marshall L, Molle M, Born J. Spindle and slow wave rhythms at slow wave sleep transitions are linked to strong shifts in the cortical direct current potential. Neuroscience. 2003;121:1047-53.
19. Steriade M. Impact of network activities on neuronal 200 properties in corticothalamic systems. J Neurophysiol. 2001;86:1-39.
20. Colrain IM. The K-Complex: A 7-Decade History. Sleep. 2005;28:255-73.
21. Contreras D, Steriade M. Synchronization of low-frequency rhythms in corticothalamic networks. Neuroscience. 1997;76:11-24.
22. Somjen GG, Muller M. Potassium-induced enhancement of persistent inward current in hippocampal neurons in isolation and in tissue slices. Brain Res. 2000;885:102-10.
23. Bazhenov M, Timofeev I, M. Steriade M, Sejnowski TJ. Potassium Model for Slow (2-3 Hz) in vivo Neocortical Paroxysmal Oscillations. J Neurophysiol. 2004;l92:1116-32.
23. Scharf MB, Stover R, McDannold M, Kaye, H, Berkowitz DV. Comparative effects of sleep on a standard mattress to an experimental surface on sleep architecture and CAP rates. Sleep. 1997;20:1197-1200.
24. Niedermeyer E, Lopes da Silva FH. Electroencephalography: Basic Principles, Clinical Applications, and Related Fields, 4th ed. Williams & Wilkins: Baltimore, MD; 1999.
25. Borbély AA. A two process model of sleep regulation. Hum Neurobiol. 1982;1:195-204.
26. Parrino L, Smerieri A, Rossi M, Terzano MG. Relationship of slow and rapid EEG components of CAP to ASDA arousals in normal sleep. Sleep. 2001;24:881-5.
27. Rosa AC, Parrino L, Terzano N. Automatic Detection of Cyclic Alternating Pattern (CAP) Sequences in Sleep: preliminary results. Electroencephalography and Clinical Neurophysiology. 1999;110(4):585-92.
28. Largo R, Rosa AC. Automatic CAP Power Classification by Wavelet Transform. Journal of Sleep Research. 2002;11(1):133.
29. Largo R, Lopes-Conceição C, Rosa A. Evolutionary tuning of Automatic Classification of CAP in normal Children. Journal of Sleep Research. 2004;12(1).
30. Parreira, FJ. Detecção de crises epiléticas a partir de sinais Eletroencefalográficos [Doutorado], Laboratório de Engenharia Biomédica – Biolab, FEELT/UFU, Uberlândia; 2006.
31. Loomis L, Harvey N, Hobart G. Science. 1935;81(2111):597-8.

7

Avaliação dos distúrbios respiratórios do sono na polissonografia

Luciana Palombini
Pedro Rodrigues Genta

1. Introdução

A identificação dos Distúrbios Respiratórios do Sono (DRS) é de extrema importância pela sua alta prevalência e comorbidades associadas. Com isso, a padronização e o reconhecimento dos eventos respiratórios na polissonografia são fundamentais na pesquisa e prática da Medicina do Sono. Neste capítulo, serão revistos os sensores comumente usados na polissonografia para a determinação dos eventos respiratórios.

A detecção dos eventos respiratórios na polissonografia depende de sensores que sejam suficientemente acurados, mas que não incomodem o paciente[1]. O registro do fluxo respiratório permite a identificação de apneias e hipopneias. Porém, para a diferenciação da origem dos eventos (central ou obstrutiva), é necessário também o registro da movimentação ou esforço respiratório. Para complementar a caracterização dos eventos respiratórios, a monitorização da oximetria é importante para determinar o impacto dos eventos na saturação de O_2 e para definir as hipopneias, como será discutido a seguir.

Os eventos respiratórios que fazem parte dos distúrbios respiratórios do sono incluem as apneias, hipopneias, os despertares associados ao esforço respiratório (RERA) e o ronco. As limitações da determinação não invasiva da respiração durante o sono geraram, no decorrer do tempo, controvérsias na definição de eventos respiratórios. Apesar disso, houve evolução da tecnologia e incorporação de novos sensores. A adição da cânula de pressão nasal permitiu melhor acurácia na detecção das hipopneias em relação aos termistores[2]. Como consequência, observam-se mudanças nas recomendações para a definição dos eventos respiratórios. Os eventos de maior controvérsia são os eventos indicativos de obstrução parcial da via aérea superior, incluindo as hipopneias, os RERAs e a limitação ao fluxo aéreo. A definição das hipopneias, por exemplo, depende de redução da amplitude da curva de fluxo inspiratória associada à dessaturação de O_2 ou despertar. Novos estudos demonstrando desfechos específicos são necessários para auxiliar na padronização destes eventos na Medicina do Sono.

2. Sensores utilizados para avaliação de distúrbios respiratórios do sono

■ 2.1. Medidas de fluxo aéreo

A determinação quantitativa do fluxo aéreo é geralmente feita por meio de um pneumotacógrafo acoplado a uma máscara selada. No entanto, a máscara não é rotineiramente usada devido ao desconforto associado. Alternativamente, sensores térmicos oronasais (termistor ou termopar) e cânula de pressão nasal são utilizados para a medida qualitativa do fluxo oronasal. Esses métodos oferecem dados adequados e minimizam o desconforto do paciente, reduzem custos e simplificam a estimativa do fluxo oronasal. A Academia Americana de Medicina do Sono (AAMS) recomenda o uso de sensor térmico oronasal para identificação das apneias e a cânula de pressão nasal para detecção das hipopneias[3].

Quando o sensor de temperatura apresentar sinal não confiável, pode-se, alternativamente, utilizar o registro da cânula de pressão nasal, da somatória derivada das cintas de pletismografia respiratória por indutância (RIPsum) (calibrado ou não) ou derivados do RIP-flow (calibrado ou não). O RIPsum é a somatória dos sinais das cintas de pletismografia por indutância torácica e abdominal, sendo que as excursões do sinal representam a estimativa do volume corrente. Durante a respiração normal, o registro da movimentação torácica e abdominal é concordante (em fase). Durante um evento obstrutivo, há respiração paradoxal, estando o registro da movimentação torácica e abdominal fora de fase. O RIPflow é derivado do RIPsum, e a excursão do sinal representa a estimativa de fluxo aéreo.

O fluxo aéreo também pode ser estimado qualitativamente por meio da detecção de diferenças entre ar ambiente e ar expirado (exemplo: capnografia). Porém, a avaliação da atividade respiratória a partir desses parâmetros exige classificação detalhada. Às vezes, a via aérea do paciente pode estar totalmente ocluída durante a inspiração, mas expele pequenos *puffs* na expiração (detectados pelo analisador de CO_2). Esses eventos seriam erroneamente classificados como hipopneias ou mesmo como respirações normais (respiração não obstruída)[3].

2.1.1. Medidas feitas por meio de mudanças de temperatura

O ar exalado geralmente é mais quente que a temperatura ambiente. O ar nos pulmões é aquecido pela temperatura corporal, criando uma diferença de temperatura entre o ar entrando e saindo do sistema respiratório. Consequentemente, a medida das flutuações de temperatura nas narinas e na frente da boca pode ser usada como um indicador simples de medida de fluxo aéreo. A maior limitação dos sensores de temperatura é que a resposta do sinal é lenta (não fornece detalhes da curva de fluxo, como achatamento da curva) e não guarda relação linear proporcional à amplitude do fluxo respiratório. A amplitude do sinal depende da posição do sensor em relação ao fluxo de ar[1].

*   **Termistor:** são resistores termicamente sensíveis que produzem alterações de voltagem quando conectados a um circuito de baixa corrente. Os termistores maximizam a área sensível e minimizam o tamanho do sensor. Pequenas mudanças de temperatura podem produzir grandes mudanças na resistência que podem ser transmitidas por meio de um amplificador. Deve-se tomar o cuidado para que o termistor mantenha a temperatura abaixo da temperatura corporal, caso contrário, não haverá mudança de resistência, e, com isso, não será possível diferenciar atividade inspiratória e pausa respiratória.

- **Termopar:** também são sensores baseados em mudanças de temperatura. O mecanismo é fundamentado na expansão de metais quando aquecidos. A diferença pode ser traduzida em alterações de voltagem demonstradas no sistema polissonográfico. Assim como o termistor, também são colocados na frente das narinas e da boca.
- **Sinal derivado do dispositivo de pressão positiva:** durante polissonografia para titulação de equipamento de pressão aérea positiva contínua (CPAP) ou binível, o sinal de fluxo aéreo deve ser obtido do equipamento e integrado ao registro polissonográfico para a identificação das apneias e hipopneias[3].
- **Cânula de pressão nasal:** durante a inspiração, a pressão na via aérea é negativa em relação à atmosfera. Em contraste, a expiração produz uma relativa positividade da pressão na via aérea. A alteração resultante na pressão do nariz pode ser detectada por uma cânula acoplada a um transdutor de pressão. O sinal gerado pela cânula de pressão nasal é uma excelente estimativa do fluxo aéreo nasal e apresenta uma ótima correlação com o sinal de fluxo gerado pelo pneumotacógrafo[5] (Figura 7.1). O sinal da pressão nasal também oferece maior sensibilidade que o termistor para detecção de Limitação ao Fluxo Aéreo (LFA)[1]. A LFA é identificada no sinal de fluxo da cânula de pressão nasal ou pneumotacógrafo quando há achatamento da curva de fluxo inspiratória[6].

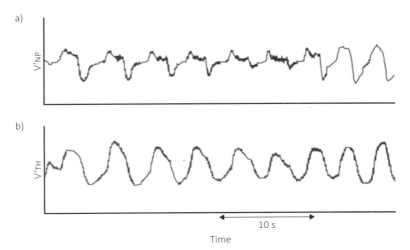

FIGURA 7.1 – Comparação do sinal da cânula de pressão nasal (V'_{NP}) e termistor (V'_{TH}) obtido ao mesmo tempo. Observe que o sinal da cânula exibe detalhes (achatamento da curva inspiratória, vibração do ronco) que não são visíveis no sinal do termistor
Fonte: Adaptada de Farré R et al., 2004.

A LFA é definida pela ausência de aumento do fluxo inspiratório apesar do aumento do esforço inspiratório medido por pressão esofágica (Figura 7.2). Na polissonografia, o achatamento da curva inspiratória do fluxo aéreo é indicativo de LFA. Atualmente, o padrão de LFA é reconhecido pela AAMS apenas na definição do RERA, evento em que períodos de LFA levam ao despertar. Porém, alguns estudos sugerem que a LFA é associada a diferentes desfechos, entre eles, prejuízo da arquitetura do sono e sonolência excessiva diurna. Estudos com CPAP também demonstraram que, quando a LFA é eliminada, além de apneias e hipopneias, observa-se uma melhora da função cognitiva[7]. É importante ressaltar a importância da qualidade do sinal da cânula de pressão nasal para identificação da LFA.

De acordo com documento recente da American Thoracic Society (ATS), feito por uma força-tarefa internacional[6], foram descritas padronizações para a avaliação da LFA:

- Os transdutores de pressão nasal devem ter uma boa resolução durante respiração normal (tipicamente entre ± 2 cmH_2O).
- A frequência de amostragem deve ser acima de 100 Hz para permitir a identificação da limitação de fluxo inspiratório e estimar a presença de ronco.
- A transformação do sinal em raiz quadrada não deve ser aplicada na vigência de filtros que suprimam o deslocamento da linha basal. Essa recomendação foi feita levando-se em consideração o interesse em algoritmos de LFA em desenvolvimento.
- Recomenda-se que a inspiração corresponda à deflexão para cima na demonstração do fluxo aéreo. A calibração biológica do sinal de fluxo deve ser realizada para garantir a polaridade, ou pelo menos identificar a orientação da inspiração *versus* expiração.

No documento da ATS, foi também sugerido um algoritmo para marcação da LFA[6]. Esse algoritmo ainda não é considerado padrão, porém pode auxiliar na marcação da LFA, pois ainda não existem critérios quantitativos para a marcação desse padrão de fluxo inspiratório.

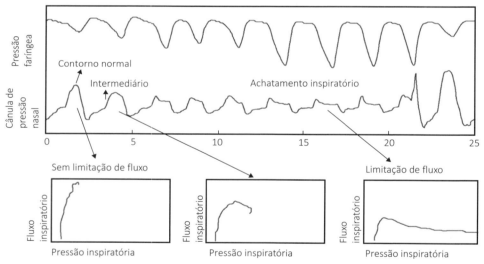

FIGURA 7.2 – Sequência de respirações apresentando contorno normal inicialmente, evoluindo para limitação de fluxo inspiratório. Observe o achatamento da curva inspiratória. O gráfico de fluxo *versus* pressão da direita representa uma inspiração com limitação de fluxo e achatamento da curva inspiratória. Após o pico de fluxo inicial, o fluxo tende a leve queda a despeito de aumento progressivo da pressão inspiratória
Fonte: Adaptada de Hosselet JJ et al.

2.1.2. Sensores que avaliam dióxido de carbono expirado

A concentração de CO_2 exalado excede a concentração do ar ambiente. Logo, a medida do CO_2 do ar exalado pode detectar a expiração. Analisadores infravermelhos podem determinar a concentração de CO_2. Porém, a maior utilidade do CO_2 exalado é a identificação de níveis elevados de CO_2 ao final da expiração (do inglês *end-tidal*), denotando hipoventilação.

2.1.3. Pneumotacógrafo

O pneumotacógrafo é um dispositivo capaz de quantificar o fluxo aéreo e, dessa forma, é mais preciso do que a cânula de pressão nasal e termistor. O pneumotacógrafo tem, em seu interior, uma tela ou capilares que promovem discreta resistência à passagem do ar. Medindo-se a pressão antes e após a tela ou capilares, é possível estimar o fluxo aéreo, uma vez que a diferença de pressão antes e depois da resistência oferecida é proporcional ao fluxo aéreo. Para se usar um pneumotacógrafo, é necessário que seja acoplado a uma máscara nasal ou oronasal, limitando seu uso na prática clínica, devido ao desconforto.

2.1.4. Medidas de volume pulmonar

Transdutores piezoelétricos, extensiômetros e pletismografia de indutância podem ser utilizados para a quantificação do volume de ar respirado e fluxo aéreo, desde que adequadamente calibrados. No entanto, a acurácia da medida pode ser perdida com a movimentação dos sensores durante o sono. Desta forma, esses métodos não são empregados rotineiramente em laboratórios de polissonografia clínicos.

2.1.5. Pneumografia de impedância

A medida da impedância elétrica torácica pode permitir estimar o volume de ar e de fluido intratorácicos de forma dinâmica. Apesar de elevado potencial, esta tecnologia ainda não está disponível para utilização clínica.

■ 2.2. Medidas do esforço respiratório

A medida do esforço respiratório oferece informações necessárias para a distinção entre eventos respiratórios obstrutivos e eventos respiratórios de origem central. A marcação e diferenciação dos eventos respiratórios entre eventos obstrutivos, centrais ou mistos são feitas a partir da avaliação de padrões do esforço respiratório e do fluxo aéreo. Várias técnicas estão disponíveis para avaliação e detecção do esforço respiratório, incluindo movimento da caixa torácica e abdominal, eletromiografia, mudanças da pressão pleural, movimentos detectados por sensores de carga estática na superfície da cama, movimentos detectados por padrões de onda no quarto e gravação digital de vídeo.

2.2.1. Movimento toracoabdominal

Atualmente, a técnica polissonográfica mais utilizada para medida de esforço respiratório envolve a monitorização dos movimentos toracoabdominais. Durante a respiração normal, os principais músculos inspiratórios produzem expansão e deslocamento para baixo do diafragma. Esses movimentos causam uma pressão mais negativa no pulmão e ao redor do pulmão (em relação à pressão atmosférica). O gradiente de pressão entre o ar ambiente e os pulmões promove o fluxo de ar das vias aéreas até o alvéolo. Com isso, observa-se um aumento do volume pulmonar. Já o movimento paradoxal de caixa torácica e abdome pode resultar de diferentes mudanças, incluindo a perda do tônus do diafragma, perda do tônus de outros músculos respiratórios, e obstrução da via aérea superior (completa ou parcial). Independentemente do mecanismo, o movimento paradoxal corresponde sempre a um esforço para respirar. É importante notar que, ao se registrar a movimentação abdominal e da caixa torácica, está se medindo esforço respiratório de forma indireta. A identificação de movimento respiratório durante uma apneia significa obstrução da via aérea. No entanto, a amplitude do movimento respiratório é diminuída durante uma apneia, a despeito de haver

126 •• Seção II – Métodos de avaliação complementar

esforço respiratório progressivamente maior. Como não há aumento do volume pulmonar durante uma apneia, o movimento respiratório é limitado[3].

Os métodos mais utilizados para avaliação de movimento toracoabdominal são: extensiometria, pletismografia de indutância e transdutores piezoelétricos.

Os extensiômetros são tubos de elástico com material condutivo nos quais passa uma corrente elétrica. Quando o comprimento é constante, a corrente e resistência também são constantes. O estiramento do sensor aumenta o comprimento e estreita a luz do condutor de volume fixo. Essa alteração produz um aumento proporcional da resistência. A corrente varia inversamente em relação ao comprimento do sensor, tornando-se um índice de comprimento do sensor. Um transdutor amplifica as mudanças de voltagem para uma mudança do sinal, demonstrando a expansão toracoabdominal (dependendo da colocação do sensor).

A pletismografia de indutância mede eletronicamente as mudanças no diâmetro da caixa torácica e abdome pela determinação das mudanças na indutância. Indutância é uma propriedade de condutores elétricos caracterizada pela oposição a uma mudança da corrente de fluxo no condutor. Os transdutores são posicionados em volta da caixa torácica e abdome. Cada transdutor consiste em um fio costurado na forma de sinusoide orientado horizontalmente em uma cinta elástica. A pletismografia de indutância é o método recomendado pela AAMS para registro do movimento toracoabdominal durante a rotina da polissonografia.

Transdutores piezoelétricos também são utilizados para detecção de movimentos respiratórios. Esses sensores podem ser colocados na fivela de cintas elásticas se são sensíveis à tração. As cintas também são colocadas ao redor da caixa torácica e abdome. Quando um cristal piezoelétrico é pressionado, um potencial elétrico aparece pelos lados. Os cristais são arranjados de forma que movimentos são detectados. De acordo com a AAMS, não há evidências suficientes que permitam a utilização dos transdutores piezoelétricos na rotina da polissonografia.

2.2.2. Eletromiografia de músculos respiratórios

A eletromiografia de músculos respiratórios permite acompanhar a ativação muscular respiratória e pode ser útil na diferenciação de eventos respiratórios e obstrutivos. O sinal é obtido por meio de eletrodos de superfície aplicados no espaço intercostal.

2.2.3. Mudanças de pressão pleural

A monitorização da pressão pleural é o método padrão ouro para se avaliar esforço respiratório e é útil na diferenciação de eventos respiratórios obstrutivos e centrais. A Síndrome da Resistência da Via Aérea Superior foi descrita quando se dispunha apenas do termistor para avaliação do fluxo aéreo. Foi então observado que pacientes que roncavam tinham sono fragmentado, sonolência diurna, índices de apneia e hipopneia normais e apresentavam despertares causados por um aumento progressivo do esforço respiratório indicado pela manometria esofágica[9]. Porém, com o advento da cânula de pressão nasal e a possibilidade de detecção da limitação ao fluxo inspiratório, aliado ao desconforto associado à passagem do balão para avaliação da pressão esofágica, o emprego da monitorização da pressão pleural se tornou incomum em laboratórios de polissonografia clínica.

2.2.4. Vídeo sincronizado com polissonografia

A análise do vídeo sincronizado à polissonografia pode auxiliar na detecção de esforço durante eventos respiratórios. A postura da cabeça e a posição do corpo também podem ser úteis na caracterização de eventos respiratórios, especialmente em crianças.

2.2.5. Sensores de polivinilideno – medidas de fluxo e esforço

Mais recentemente, novos materiais, tais como filmes de fluoreto de polivinilideno, têm sido testados. Esses sensores têm a propriedade de converter calor e energia mecânica em energia elétrica que pode ser medida. Têm propriedades piezoelétricas (responsivas a mudanças mecânicas) e piroelétricas (responsivas a mudanças elétricas). Sensores com filmes de fluoreto de polivinilideno já estão disponíveis para medida de fluxo aéreo (pressão e temperatura) (Figura 7.3), ronco (formato de onda de pressão) e movimento de caixa torácica e abdome, por meio de cintas elásticas. Os sensores de fluoreto de polivinilideno têm capacidade de detecção similar à pletismografia de indutância respiratória[8] e são considerados alternativos ao registro da pletismografia pela AAMS.

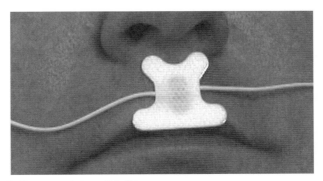

FIGURA 7.3 – Sensor de fluxo nasal de polivinilideno
Fonte: Imagem reproduzida pelos autores.

No caso de sensores de fluxo nasal de polivinilideno, as vantagens em relação aos sensores térmicos clássicos são: tempo de resposta menor, melhor detecção de hipopneias, ausência da necessidade de inserção nas narinas, uso individual, menor risco de alteração do sinal diante da mudança de posição corporal.

2.2.6. Detecção do ronco

Embora o registro de ronco seja considerado opcional pela AAMS, recomenda-se a utilização de microfone, sensor piezoelétrico ou sinal derivado da cânula de pressão nasal para detecção do ronco durante a polissonografia. A avaliação do ronco por meio de microfone é mais sensível[4]. Os sensores de ronco geralmente são colocados no pescoço. A localização não é crítica para o registro, mas o técnico pode testar o funcionamento caso solicite que o paciente fale algumas palavras ou simule o ronco.

■ 2.3. Medidas da saturação da oxi-hemoglobina e do gás carbônico na polissonografia

2.3.1. Saturação de oxi-hemoglobina

Para registro da saturação de oxi-hemoglobina, deve-se usar a oximetria de pulso, com média móvel ≤ 3 segundos, a uma frequência cardíaca de 80 batimentos por minuto e

128 •• Seção II – Métodos de avaliação complementar

frequência de amostragem de, pelo menos, 10 Hz. A oximetria de pulso utiliza dois LEDs (um de luz vermelha e outro infravermelho). A absorção de luz vermelha e infravermelha pela hemoglobina oxigenada e desoxigenada difere e permite saturação periférica de oxigênio. Esses sensores são sensíveis apenas a tecidos pulsáteis e são colocados no lóbulo da orelha ou nos dedos. Consequentemente, tecido conectivo, pigmento de pele e ossos teoricamente não permitem a mensuração da saturação de oxi-hemoglobina por esse método.

A qualidade do registro da saturação de oxi-hemoglobina depende de fatores como o posicionamento e o tamanho correto do sensor. A presença de esmalte de unha de cor escura também pode prejudicar a mensuração adequada da saturação de oxi-hemoglobina quando o sensor é colocado no dedo. O tamanho do sensor deve ser adequado para o tamanho e faixa etária do paciente. Apesar de todos os sensores serem baseados na mesma tecnologia, as características da resposta podem ser distintas entre os diferentes sensores disponíveis no mercado.

2.3.2. Alterações de CO_2 e O_2

Medidas do Gás Carbônico (CO_2): A identificação de hipoventilação envolve uma amostra arterial para determinação de pressão parcial arterial do dióxido de carbono ($PaCO_2$). Devido à dificuldade em se obter sangue arterial durante o sono, pode-se utilizar a $PaCO_2$ obtida imediatamente após o acordar para detectar hipoventilação durante o sono. Amostras de sangue capilar são uma alternativa quando é difícil obter amostras de sangue arterial, apesar de a coleta de amostras de sangue capilar requerer menos experiência que a obtenção de sangue arterial, cujo processamento demanda equipamento que raramente está disponível.

Devido às dificuldades em obter uma medida direta da $PaCO_2$, medidas substitutivas, tais como pressão parcial do dióxido de carbono exalada ($PETCO_2$) (capnografia) e pressão parcial do dióxido de carbono transcutânea ($PTCCO_2$), são geralmente utilizadas durante a polissonografia. A $PETCO_2$ e a $PTCCO_2$ podem ser usadas como medidas substitutivas, se existir demonstração de confiança e validade dentro da prática do laboratório de sono.

A monitorização da $PETCO_2$ é amplamente utilizada na polissonografia pediátrica. Em crianças, os eventos respiratórios são geralmente associados com aumento do $PETCO_2$, com mínimas mudanças na saturação de oxi-hemoglobina. Na maior parte dos laboratórios de sono, um aparelho ao lado da cama com sensor de CO_2 aspira o ar continuamente por meio de uma cânula nasal usada pelo paciente (método de fluxo lateral). Durante a inalação, o ar ambiente é aspirado ($PCO_2 = 0$). A $PETCO_2$ fornece uma estimativa de valor arterial (geralmente $PaCO_2 > PETCO_2$). A diferença $PaCO_2 - PETCO_2$ é geralmente de 2 a 7 mmHg, e as diferenças são maiores em pacientes com doença pulmonar. A $PETCO_2$ não é uma estimativa acurada da $PaCO_2$ quando ocorre respiração oral, com baixo volume corrente e frequência respiratória alta. A $PETCO_2$ geralmente não é confiável durante o uso de oxigênio suplementar ou durante a ventilação por máscara. A amostra de gás exalada é diluída por oxigênio suplementar ou por fluxo do aparelho de PAP. Alguns clínicos utilizam uma pequena cânula nasal sob a máscara para avaliar o gás exalado nas narinas para reduzir a diluição durante a titulação de PAP. Porém, a acurácia da medida usando este método não foi avaliada.

A monitorização do $PTCCO_2$ também é usada durante a polissonografia para estimativa de $PaCO_2$, porém o sinal tem uma resposta mais demorada que o $PETCO_2$ para

Avaliação dos distúrbios respiratórios do sono na polissonografia •• **129**

mudanças agudas na ventilação. A vantagem do $PTCCO_2$, comparado com $PETCO_2$, é que a acurácia da medida transcutânea não é prejudicada pela respiração oral, oxigênio suplementar ou ventilação com máscara. Porém, o $PTCCO_2$ não fornece informações de mudanças respiração por respiração (exemplo: mudanças logo antes da apneia).

As duas medidas, $PTCCO_2$ e $PETCO_2$, têm utilidade clínica como substitutos da $PaCO_2$ durante estudos diagnósticos. O uso de ambas as metodologias requer revisão cuidadosa do traçado para determinar se existem artefatos. A $PTCCO_2$ é a tecnologia preferida para pacientes com doença pulmonar, respiração oral significativa, e aqueles em uso de oxigênio suplementar ou ventilação por máscara. O clínico deve reconhecer que os valores da $PTCCO_2$ podem ocasionalmente ser incompatíveis, sendo necessário julgamento clínico. Quando a leitura não é compatível com o quadro clínico, uma mudança no local do sensor ou recalibração pode ser necessária. A $PETCO_2$ é a tecnologia preferida quando mudanças respiração por respiração precisam ser detectadas. Nesse caso, a habilidade em detectar um aumento na PCO_2 associada ao evento respiratório tem utilidade clínica[3].

3. Identificação de eventos respiratórios na polissonografia

Segundo orientações da AAMS[10]:

■ 3.1. Sensores recomendados e alternativos

O sensor recomendado para detectar a ausência de fluxo aéreo para a identificação de uma **apneia** é o sensor térmico oronasal (termistor ou termopar). Isso porque o sinal da cânula de transdução de pressão nasal pode encontrar-se diminuído, sem que isso signifique evento de apneia. É necessário que a ausência de fluxo seja observada também no sensor térmico para que o evento seja classificado como tal. Por outro lado, o sensor de eleição para a identificação de uma **hipopneia** é uma cânula nasal conectada a um transdutor de pressão, com ou sem transformação da raiz quadrada do sinal. Existem situações em que a diminuição do fluxo já pode ser evidenciada pelo sinal da cânula, enquanto o sinal do termistor encontra-se preservado ou pouco diminuído.

Em exames de titulação de pressão positiva, o sinal de fluxo derivado do equipamento de PAP é o mais confiável para identificação de apneias ou hipopneias.

Sensores alternativos podem ser usados quando o sinal do sensor recomendado não está disponível: o sensor alternativo para detectar a ausência de fluxo aéreo para a identificação de uma apneia, quando o sinal do sensor térmico oronasal não está disponível, é o transdutor de pressão nasal. Para marcar hipopneia quando o transdutor de pressão nasal não está funcionando, pode ser usado o sensor térmico oronasal.

O esforço ventilatório deve ser identificado pelas cintas de pletismografia por indutância, calibradas ou não calibradas ou, se disponível, pela manometria esofágica.

■ 3.2. Critérios de classificação de eventos

• **Apneia:** marcar evento de apneia quando ocorrer queda maior ou igual a 90% na amplitude do canal do transdutor de pressão nasal (estudo diagnóstico) ou do fluxo aéreo derivado do equipamento de PAP (estudo de titulação). A diminuição de amplitude $\geq$

90% deve durar ao menos 10 segundos. A identificação de uma apneia não requer um critério de dessaturação de oxi-hemoglobina mínimo.

- **Apneia obstrutiva:** marcar a apneia como obstrutiva se o evento atende aos critérios de apneia e está associado com a continuidade ou aumento do esforço inspiratório durante todo o período de queda do fluxo aéreo (Figura 7.4).

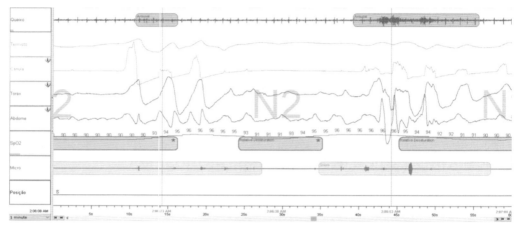

FIGURA 7.4 – Apneia obstrutiva. Fluxo aéreo ausente nos sinais da cânula de pressão nasal e termistor. Observe que a amplitude dos movimentos torácico e abdominal é menor durante a apneia obstrutiva
Fonte: Registro preparado pelos autores.

- **Apneia central:** marcar a apneia como central se o evento atende aos critérios de apneia e está associado à ausência de esforço inspiratório durante todo o período de queda do fluxo aéreo (Figura 7.5).

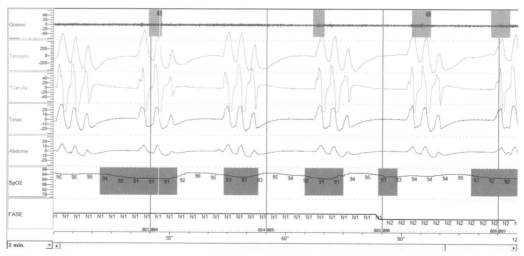

FIGURA 7.5 – Apneia central. Ausência de fluxo aéreo concomitante à ausência de movimentos torácicos e abdominais
Fonte: Registro preparado pelos autores.

- **Apneia mista:** marcar a apneia como mista se o evento atende aos critérios de apneia e está associado com ausência de esforço inspiratório na porção inicial do evento, seguido pela retomada do esforço inspiratório na segunda porção do evento (Figura 7.6).

Não há evidência suficiente que indique a duração específica para o componente central e o obstrutivo de uma apneia mista. Assim, não há recomendação de duração para esses componentes do registro do esforço respiratório.

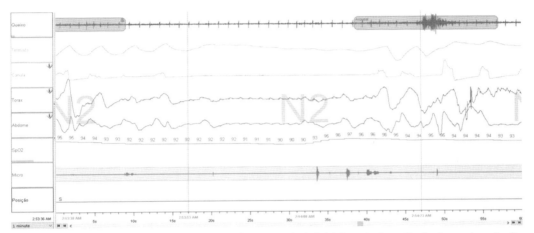

FIGURA 7.6 – Apneia mista. Ausência de fluxo aéreo associado inicialmente à ausência de movimentação torácica e abdominal. No seu terço final, a apneia é acompanhada de esforço respiratório (movimentação torácica e abdominal)
Fonte: Registro preparado pelos autores.

- **Hipopneia:** marcar evento de hipopneia quando ocorrer queda maior ou igual a 30% na amplitude do canal do transdutor de pressão nasal (estudo diagnóstico) ou do fluxo aéreo derivado do equipamento de PAP (estudo de titulação). A diminuição de amplitude ≥ 30% deve durar ao menos 10 segundos e estar associada à ocorrência de um despertar ou dessaturação maior ou igual a 3%.

O uso de oxigênio suplementar pode prejudicar a avaliação da dessaturação de oxi-hemoglobina. Não há diretrizes de estagiamento para esses casos. Isso deve ser descrito na conclusão da polissonografia.

A classificação de hipopneia como obstrutiva ou central é opcional e deve ser feita com base nos seguintes critérios:

- **Hipopneia obstrutiva:** presença de pelo menos uma das três seguintes características: (1) ronco, (2) presença ou aumento do achatamento da porção inspiratória do sinal do transdutor de pressão nasal ou do sensor de fluxo do equipamento de PAP, em comparação com a respiração basal, e (3) movimento toracoabdominal paradoxal durante a hipopneia, mas não antes do evento (Figura 7.7).
- **Hipopneia central:** ausência completa das três seguintes características: (1) ronco, (2) presença ou aumento do achatamento da porção inspiratória do sinal da cânula ou do sensor de fluxo do equipamento de PAP, em comparação com a respiração basal, e (3) movimento toracoabdominal paradoxal durante a hipopneia, mas não antes do evento (Figura 7.8).

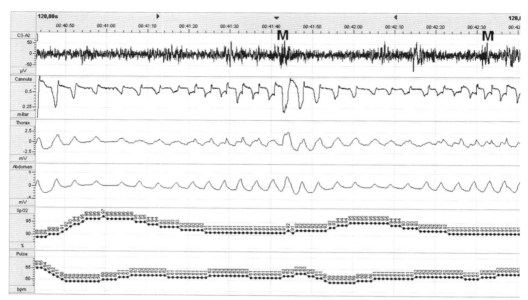

FIGURA 7.7 – Hipopneia obstrutiva. Observe o padrão de limitação ao fluxo inspiratório (achatamento da curva de fluxo inspiratória), caracterizando obstrução parcial da faringe. Há redução da amplitude da curva de fluxo em mais de 30%, acompanhada de despertar (M) e dessaturação
Fonte: Registro preparado pelos autores.

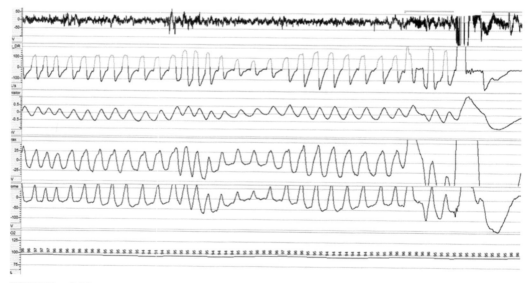

FIGURA 7.8 – O Hipopneia central. A curva de fluxo inspiratório tem aspecto arredondado, não caracterizando limitação da curva de fluxo inspiratório ou obstrução da faringe
Fonte: Registro preparado pelos autores.

Observações:

1) Se ocorrer um trecho de pelo menos 10 segundos de queda da amplitude ≥ 90% no sensor térmico oronasal em um evento respiratório que poderia cumprir os critérios para uma hipopneia, todo o evento deve ser marcado como uma apneia.

2) Quando o evento respiratório começa ou termina numa época estagiada como sono, esse evento deve ser marcado e computado para o índice de apneia-hipopneia. Porém, se o evento estiver contido em uma época de vigília, ele não deve ser marcado. Essa situação geralmente ocorre quando um indivíduo tem um alto índice de apneia-hipopneia e os eventos ocorrem com uma frequência tão alta que o sono é fortemente prejudicado, e as épocas são estagiadas como vigília, embora um trecho menor que 15 segundos de sono esteve presente na parte da época contendo o evento respiratório. Se esse tipo de evento ocorrer muito frequentemente durante o registro ou se prolongar a latência do sono, isso deve ser mencionado no resumo conclusivo da polissonografia.

- **RERA:** marcar um RERA se ocorrer uma sequência de respirações, com duração de pelo menos 10 segundos, caracterizada pelo aumento do esforço respiratório ou o achatamento da porção inspiratória do canal do transdutor de pressão nasal (estudo diagnóstico) ou da curva de fluxo aéreo derivada do equipamento de PAP (estudo para titulação da pressão), levando a despertar, quando a sequência de respirações não atinge critério para marcação de apneia ou hipopneia (Figura 7.9).

A marcação de RERA é opcional, mas, devido a algumas evidências sugerindo a sua associação com desfechos clínicos, a presença de RERA deve ser mencionada a critério do médico responsável pela conclusão da polissonografia.

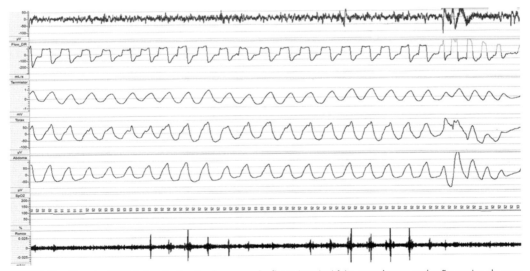

FIGURA 7.9 – Evento RERA. Há limitação da curva de fluxo inspiratória, sem haver redução maior do que 30%. O evento termina com um despertar
Fonte: Registro preparado pelos autores.

O termo RERA foi originalmente utilizado para definir o evento identificado pela manometria esofágica. Atualmente se utiliza a porção inspiratória da curva de fluxo da cânula nasal ou o fluxo derivado do equipamento de PAP para identificação desse evento. Provavelmente, o termo RERA será posteriormente substituído por uma nomenclatura mais adequada.

- **Hipoventilação:** em adultos, marcar hipoventilação durante o sono se houver a presença de um dos seguintes eventos:
    a) Aumento na pressão $PaCO_2$ (ou método substituto) para valores ≥ 55 mmHg por ≥ 10 minutos.
    b) Aumento ≥ 10 mmHg na pressão $PaCO_2$ (ou método substituto) durante o sono (em comparação com a vigília em posição supina) para valores acima de 50 mmHg por ≥ 10 minutos.

A dessaturação da oxi-hemoglobina persistente não é suficiente para documentar hipoventilação. O termo a ser utilizado é "hipoxemia".

3.2.1. Respiração de Cheyne-Stokes

A Respiração de Cheyne-Stokes (Figura 7.10) ocorre na presença dos seguintes critérios:

a) Presença de episódios com pelo menos três ciclos consecutivos de apneia ou hipopneia central separados pela fase de hiperventilação com padrão respiratório "crescendo-decrescendo" com comprimento do ciclo ≥ 40 segundos.

b) Cinco ou mais apneias ou hipopneias centrais por hora de sono, associadas ao padrão "crescendo-decrescendo" da respiração, em um período superior a duas horas de registro.

A duração do ciclo é medida do início do evento central até o final da fase de hiperventilação com padrão "crescendo-decrescendo".

As apneias e/ou hipopneias centrais que ocorrerem em um padrão de respiração de Cheyne-Stokes devem ser consideradas um evento central e contabilizadas para o índice de apneia-hipopneia geral.

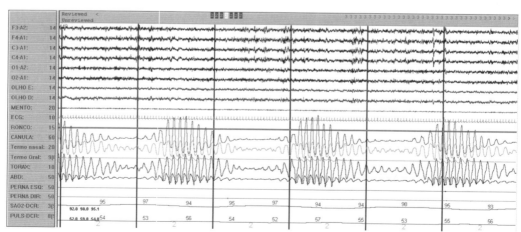

FIGURA 7.10 – Respiração de Cheyne-Stokes
Fonte: Registro preparado pelos autores.

■ 3.3. Duração de eventos respiratórios

A duração do evento é medida desde o nadir que precede a primeira respiração, que é claramente reduzida até o início da primeira respiração que se aproxima da amplitude da respiração de referência. A linha de base é definida pela amplitude média da respiração e oxigenação nos dois minutos que precedem o início de um evento (em indivíduos que apresentem padrão respiratório estável durante o sono), ou a amplitude média das três maiores respirações nos dois primeiros minutos que precedem o início do evento (pacientes com padrão respiratório instável durante o sono).

Quando a amplitude da linha de base da respiração não pode ser facilmente determinada (e quando a variabilidade de respiração subjacente é grande), os eventos podem também ser finalizados quando há um aumento claro e sustentado na amplitude da respiração ou um aumento da saturação de oxi-hemoglobina de pelo menos 2% nos casos associados com dessaturação.

■ Referências

1. Farré R, Montserrat JM, Navajas D. Noninvasive monitoring of respiratory mechanics during sleep. Eur Respir J. 2004;24(6):1052-60.
2. Farré R, Montserrat JM, Rotger M, Ballester E, Navajas D. Accuracy of thermistors and thermocouples as flow-measuring devices for detecting hypopnoeas. European Respiratory Journal. 1998;11(1):179-82.
3. Berry RB, Budhiraja R, Gottlieb DJ et al. Rules for scoring respiratory events in sleep: update of the 2007 AASM Manual for the Scoring of Sleep and Associated Events. Deliberations of the Sleep Apnea Definitions Task Force of the American Academy of Sleep Medicine. J Clin Sleep Med. 2012;8(5):597-619.
4. Arnardottir ES, Isleifsson B, Agustsson JS et al. How to measure snoring? A comparison of the microphone, cannula and piezoelectric sensor. J Sleep Res. 2016;25(2):158-68.
5. Hosselet JJ, Norman RG, Ayappa I, Rapoport DM. Detection of flow limitation with a nasal cannula/pressure transducer system. Am J Respir Crit Care Med. 1998;157(5 Pt 1):1461-7.
6. Pamidi S, Redline S, Rapoport D et al. An Official American Thoracic Society Workshop Report: Noninvasive Identification of Inspiratory Flow Limitation in Sleep Studies. Annals of the American Thoracic Society. 2017;14(7):1076-85.
7. Meurice JC, Paquereau J, Denjean A, Patte F, Series F. Influence of correction of flow limitation on continuous positive airway pressure efficiency in sleep apnoea/hypopnoea syndrome. Eur Respir J. 1998;11(5):1121-7.
8. Kryger M, Eiken T, Qin L. The use of combined thermal/pressure polyvinylidene fluoride film airflow sensor in polysomnography. Sleep Breath. 2013;17(4):1267-73.
9. Guilleminault C, Stoohs R, Clerk A, Cetel M, Maistros P. A cause of excessive daytime sleepiness. The upper airway resistance syndrome. Chest. 1993;104(3):781-7.
10. Berry RB, Brooks R, Gamaldo CE et al. The AASM Manual for the Scoring of Sleep and Associated Events: Rules, Terminology and Technical Specifications, Version 2.5. Darien, IL: American Academy of Sleep Medicine; 2018.

Análise da atividade muscular durante o sono

8

Alan Eckeli
Manoel Alves Sobreira Neto

1. Fundamentos

Em 1959, Michel e Jouvet descreveram a atonia muscular associada à atividade física durante o sono paradoxal em gatos[1]. Após essa descoberta, dá-se início à monitorização da eletromiografia (EMG) com eletrodos de superfície durante as avaliações do sono. A padronização inicial ocorreu após a publicação do Manual de Rechtschaffen & Kales, em 1968, com a utilização dos eletrodos de EMG em mento[2].

Em 2007, a Academia Americana de Medicina do Sono (AAMS) publicou a primeira versão de um manual padronizado denominado *Manual para Estagiamento de Sono e Eventos Relacionados da AAMS*[3], estando atualmente na versão 2.5[4]. Na versão atual, é recomendada a utilização rotineira de eletrodos de EMG em mento e em membros inferiores. Podem ainda ser monitorados, de modo opcional, os membros superiores, na musculatura flexora superficial dos dedos ou extensora comum dos dedos, em casos com suspeita de Distúrbio Comportamental do Sono REM; da musculatura do masseter, na suspeita de bruxismo; e na musculatura paraespinhal do pescoço, em casos suspeitos de Distúrbios do Movimento Rítmico do Sono.

É importante atentar para alguns parâmetros técnicos, como frequência de amostragem dos canais e impedância dos eletrodos utilizados para monitorização da atividade muscular em sono. Para os canais de monitorização de atividade muscular, recomenda-se uma frequência de amostragem de 500 Hz, sendo aceitável até 200 Hz. A impedância recomendada para os eletrodos de músculos deve ser menor ou igual que 5 $K\Omega$, sendo aceitável, em caso de monitorização eletromiográfica de membros inferiores, um valor menor ou igual que 10 $K\Omega$[4]. A impedância deve ser verificada durante a calibração inicial e ao final do exame, devendo ser realizada também todas as vezes que um sinal sugestivo de artefato aparecer. Em caso de aumento da impedância, o eletrodo deve ser recolocado após a limpeza da pele com álcool ou substância escarificante ou, caso não apresente melhora, substituído por um novo.

A colocação dos eletrodos no local adequado é outro ponto relevante na coleta dos potenciais musculares durante o sono, devendo os eletrodos ser posicionados do seguinte modo[4]:

- No mento, devem ser colocados três eletrodos: um deles, na linha média, 1 cm acima da borda inferior da mandíbula, e os outros dois devem ser posicionados 2 cm lateralmente à linha média, um para cada lado, 2 cm abaixo da borda inferior da mandíbula, na cabeça do músculo digástrico bilateral. O sinal gerado pelo polígrafo consiste na diferença de potencial entre um dos dois canais abaixo da mandíbula e o canal acima da mandíbula, ficando o outro canal como reserva, no caso de falha durante o exame.
- Nos membros inferiores, os eletrodos devem ser posicionados no meio do músculo tibial anterior, que está localizado lateralmente à tíbia e pode ser sentido durante o movimento de dorsoflexão do pé (Figura 8.1), com uma distância entre eles de 2 a 3 cm ou correspondente a um terço do tamanho do músculo tibial anterior, sendo eleita a menor distância durante a colocação. É importante que cada perna seja monitorada individualmente.

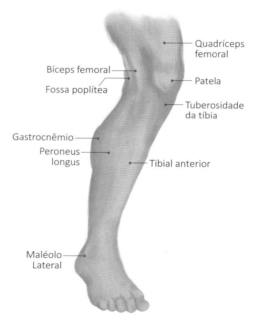

FIGURA 8.1 – Músculo tibial anterior
Fonte: Elaborada pelos autores.

- Nos membros superiores, os eletrodos podem ser posicionados em cima de dois grupos musculares diferentes, devendo-se optar por um deles. O músculo flexor superficial dos dedos tem origem no epicôndilo medial até a falange distal dos dedos, com corpo localizado medialmente no antebraço (Figura 8.2), podendo ser sentido com o movimento de flexão dos dedos. Os eletrodos devem ser posicionados com uma distância de 2 a 3 cm na metade do corpo do músculo localizado medialmente à linha média, na região proximal do antebraço em pronação. O músculo extensor comum dos dedos localização no epicôndilo lateral até a falange distal, sendo sentido durante a extensão dos dedos sem a movimentação do punho (Figura 8.3). Os eletrodos devem ser posicionados a uma distância de 2 a 3 cm, no corpo do músculo, localizado na linha média da região proximal do antebraço em supinação.

Análise da atividade muscular durante o sono •• **139**

FIGURA 8.2 – Músculo flexor superficial dos dedos
Fonte: Elaborada pelos autores.

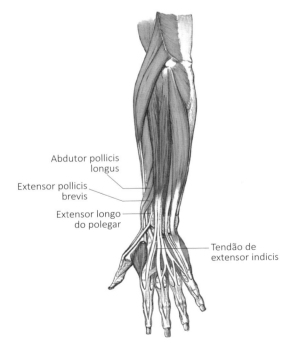

FIGURA 8.3 – Músculo extensor comum dos dedos
Fonte: Elaborada pelos autores.

- No músculo masseter, os eletrodos devem ser posicionados com uma distância entre eles de 2 a 3 cm, anteriormente ao ângulo da mandíbula a uma distância aproximada de 2 cm deste ponto. O músculo pode ser sentido durante o movimento de mastigação ou apertamento dos dentes (Figura 8.4).
- Nos músculos paraespinhais do pescoço, localizados na região posterior do pescoço, aproximadamente entre 1 e 2 cm laterais aos processos espinhosos da coluna cervical.

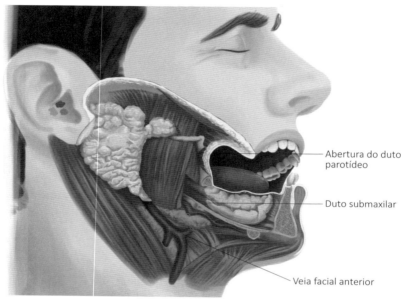

FIGURA 8.4 – Músculo masseter
Fonte: Elaborada pelos autores.

Durante a calibração biológica, avaliamos a integridade do sinal. Solicitamos ao paciente que faça movimentos ativos de acordo com o músculo testado e avaliamos o sinal resultante. Caso seja observada alguma alteração, devemos reavaliar os aspectos técnicos, como o reposicionamento do eletrodo.

Outro ponto importante na coleta e, posteriormente, na análise dos sinais gerados pela diferença de potencial dos eletrodos, são os filtros de baixa e alta frequência que devem estar ajustados para os potenciais gerados na EMG. Devem ser utilizados 10 Hz, como filtro de baixa frequência, e 100 Hz, como filtro de alta frequência. É recomendado, ainda, quando possível, que sejam evitados filtros de 60 Hz nos eletrodos de músculo[4].

Vale ainda ressaltar a importância do exame detalhado do sistema audiovisual simultâneo e sincronizado para a análise dos movimentos durante o sono. Sua análise durante a realização de movimentos auxilia na confirmação e diferenciação das hipóteses diagnósticas. Assim, a avaliação do sinal de EMG, associado ao sistema audiovisual sincronizado, auxilia na identificação de movimentos corporais relacionados ao despertar, chamamento do técnico, coçar alguma área específica do corpo, deglutição, entre outros movimentos que podem simular, durante a análise dos potenciais eletromiográficos, os distúrbios do movimento relacionados ao sono.

Análise da atividade muscular durante o sono •• **141**

2. Análise dos movimentos

■ 2.1. Movimentos Periódicos dos Membros (MPM)

Para marcação de evento como movimento de perna significativo, o evento deve ter duração entre 0,5 e 10 segundos, com início definido a partir de um aumento de 8 μV em relação à voltagem em repouso e o fim definido no instante que o aumento de voltagem não exceder 2 μV da voltagem em repouso por, pelo menos, 0,5 segundo. É importante destacar que a voltagem em repouso do músculo tibial anterior não deve exceder 10 μV de diferença entre a máxima deflexão negativa e positiva.

O Manual de Estagiamento de Rechtschaffen & Kales não trazia medidas de voltagem para caracterização do movimento de perna. A partir da primeira edição do Manual da AAMS, em 2007, tal conceito foi abordado, permitindo que critérios mais precisos fossem definidos para uma possível análise automatizada dos movimentos de pernas.

A série de MPM é definida pela presença de quatro movimentos de pernas consecutivos e definidos pelos critérios mencionados, em que o intervalo entre eles deve ser, de início a início dos movimentos, entre 5 e 90 segundos. Os movimentos que ocorrerem em intervalo inferior a 5 segundos, mesmo em pernas diferentes, deverão ser contabilizados como um único movimento. Ademais, a presença de evento respiratório (apneia, hipopneia e despertar associado ao esforço respiratório) antecedendo ou sucedendo o movimento de perna em intervalo menor que 0,5 segundo faz com que aquele movimento de perna não seja considerado na contagem.

Os MPM devem ser associados ao despertar quando ocorrerem simultaneamente ou com intervalo entre eles de no máximo 0,5 segundo. No entanto, vale destacar que, se os despertares gerados pelos movimentos de pernas acontecerem com intervalo inferior a 10 segundos entre eles, apenas o primeiro despertar deve ser marcado, embora os movimentos de pernas possam ser contados caso preencham os critérios descritos.

Outro ponto relevante é a marcação dos MPM em caso de interposição destes por épocas em vigília, cujo intervalo entre os movimentos tenha duração inferior a 90 segundos. Os eventos que acontecerem antes e após esta época deverão ser contabilizados como parte da mesma série, porém aqueles que ocorrerem durante a época de vigília não serão contabilizados no cálculo do índice de movimentos periódicos durante o sono.

O relatório dos movimentos durante o sono deve conter: o número de movimentos periódicos dos membros durante o sono (MPMS), assim como o número destes eventos que ocorrem associados aos despertares. Ainda, é importante a quantificação em índices que consistem na divisão destes números pelo tempo total do sono (TTS), gerando o índice de MPM e o índice de MPM associados aos despertares.

De acordo com a Classificação Internacional de Distúrbios do Sono, em sua 3ª edição, para o diagnóstico de Distúrbio dos Movimentos Periódicos dos Membros, é considerado anormal um índice de MPM acima de 5 eventos/hora nas crianças e um índice acima de 15 eventos/hora nos adultos. A etiologia para o aumento destes índices é bastante diversa, devendo ser realizada uma correlação clínica cuidadosa, com a verificação de diversas causas[5]:

1. Distúrbios do sono, como: Doença de Willis-Ekbom (WED) (presença em 80 a 90% dos pacientes), Distúrbio Comportamental do Sono REM (presença em 70% dos pa-

cientes), Narcolepsia (presença de MPM em 45 a 65% dos pacientes), além da necessidade de exclusão dos distúrbios respiratórios do sono com métodos diagnósticos sensíveis.

2. Uso de medicamentos que interfiram nas vias dopaminérgicas do sistema nervoso central, como: antidepressivos tricíclicos, inibidores seletivos de recaptação de serotonina, lítio e antagonistas de receptores dopaminérgicos.

3. Doenças neurológicas, como: atrofia de múltiplos sistemas, doença de Parkinson, distonia dopa-responsiva, esclerose múltipla, distúrbio alimentar relacionado ao sono e lesões medulares variadas.

4. Condições médicas, como: insuficiência renal, insuficiência cardíaca, anemia falciforme, transtorno de estresse pós-traumático, síndrome de Asperger e síndrome de Williams.

5. Naqueles indivíduos em que se excluem essas etiologias e que apresentam queixas relacionadas ao sono, como fadiga, sono não restaurador ou sono fragmentado, pode-se realizar o diagnóstico de Distúrbio dos Movimentos Periódicos dos Membros.

Alguns desses indivíduos podem não apresentar as possíveis etiologias e ser assintomáticos.

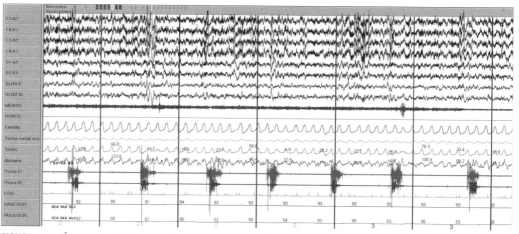

FIGURA 8.5 – Época de 180 segundos com presença de movimentos periódicos de membros
Fonte: Registro preparado pelos autores.

■ 2.2. Ativação Muscular Alterna das Pernas – *Alternating Legs Muscle Activation* (ALMA)

A Ativação Muscular Alterna das Pernas (ALMA) consiste na ativação breve em uma perna alternando com a outra durante todos os estágios do sono ou durante os despertares. É um fenômeno habitualmente benigno, ocorrendo em algumas séries associado à Apneia Obstrutiva do Sono, WED ou uso de antidepressivos[5].

A marcação de ALMA define-se pela presença de pelo menos quatro movimentos de membros inferiores, com duração entre 100 e 500 mseg, alternando entre as duas pernas, cuja frequência dos eventos oscila entre 0,5 e 3 Hz (Tabela 8.1). No laudo, é importante o relato da presença de ALMA, não havendo a necessidade de quantificação desse evento.

TABELA 8.1
Características polissonográficas de ativação muscular alterna das pernas

Presença de pelo menos 4 movimentos de pernas (alternados entre as duas pernas).
Duração dos potenciais entre 100 e 500 mseg.
Frequência dos eventos entre 0,5 e 3 Hz.

Fonte: Manual para Estagiamento do Sono e Eventos relacionados da Academia Americana de Medicina do Sono (AAMS).

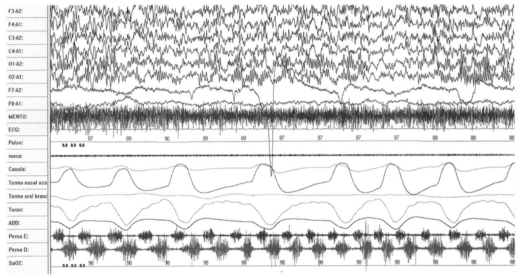

FIGURA 8.6 – Ativação muscular alterna das pernas
Fonte: Registro preparado pelos autores.

■ 2.3. Tremor Hipnagógico do Pé – *Hypnagogic Foot Tremor* (HFT)

O HFT, descrito pela primeira vez em 1988, por Broughton et al.[6], consiste no movimento rítmico dos pés ou dedos que ocorre durante a transição sono-vigília ou durante os estágios iniciais do sono NREM. Na maior parte das vezes, o HFT representa um fenômeno benigno, não estando associado a uma patologia específica. Existem dúvidas se ALMA e HFT representam o mesmo fenômeno[5].

Os critérios polissonográficos para definição de HFT consistem na presença de pelo menos quatro movimentos de um dos pés, com duração entre 250 e 1.000 mseg, cuja frequência oscila entre 0,3 e 4 Hz (Tabela 8.2).

No laudo, é recomendado que seja relatada a presença de HFT, não havendo a necessidade de quantificação desse evento.

TABELA 8.2
Características polissonográficas para tremor hipnagógico do pé

Presença de pelo menos 4 movimentos de pés.

Duração dos potenciais entre 250 e 1.000 mseg.

Frequência dos eventos entre 0,3 e 4 Hz.

Fonte: Manual para Estagiamento do Sono e Eventos relacionados da Academia Americana de Medicina do Sono (AAMS).

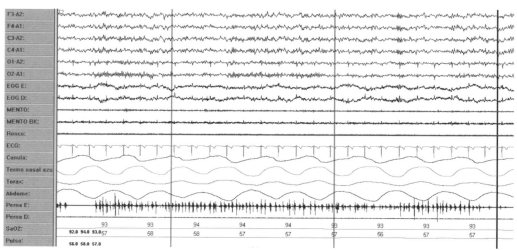

FIGURA 8.7 – Tremor hipnagógico dos pés
Fonte: Registro preparado pelos autores.

■ 2.4. Mioclonia fragmentar excessiva (MFE)

A MFE consiste em abalos musculares sutis arrítmicos, assimétricos e assíncronos que envolvem várias áreas do corpo, com predileção pela face e regiões distais dos membros. Essa atividade eletromiográfica pode ser detectada durante vigília relaxada, início do sono e sono NREM, ocorrendo redução da intensidade com o aprofundamento do sono NREM[7,8]. A denominação MFE surgiu em 1984, quando da descrição de um paciente com sonolência excessiva com uma grande quantidade de potenciais musculares de curta duração durante o sono, incluindo sono NREM, na EMG de superfície[9].

Em 1985, os mesmos autores descreveram 38 indivíduos com MFE, relacionando-a com outros distúrbios do sono, como: Apneia Obstrutiva do Sono, Distúrbio dos Movimentos Periódicos dos Membros, Doença de Willis-Ekbom, Narcolepsia, Hipersonias e Insônias[10]. Naquele estudo, definiram ainda um ponto de corte arbitrário da duração, amplitude, frequência e tempo dos potenciais musculares[8,10]. Estes valores foram posteriormente incorporados nas três edições da Classificação Internacional dos Distúrbios do Sono e no Manual de Estagiamento do Sono e Eventos Associados[4,7,11].

Os critérios adotados pela AAMS consistem em potenciais musculares com duração de até 150 ms, amplitude de 50 µV a 200 µV, com frequência de pelo menos cinco potenciais por minuto por, pelo menos, 20 minutos em sono NREM. Na maior parte das vezes, tais potenciais não estão associados a qualquer patologia subjacente.

TABELA 8.3
Critérios polissonográficos para mioclonia fragmentar excessiva

Potenciais musculares com duração de pelo menos 150 mseg.

Devem ser registrados pelo menos 20 minutos de potenciais em sono NREM.

Frequência dos potenciais de, no mínimo, 5 potenciais eletromiográficos por minuto.

Fonte: Manual para Estagiamento do Sono e Eventos relacionados da Academia Americana de Medicina do Sono (AAMS).

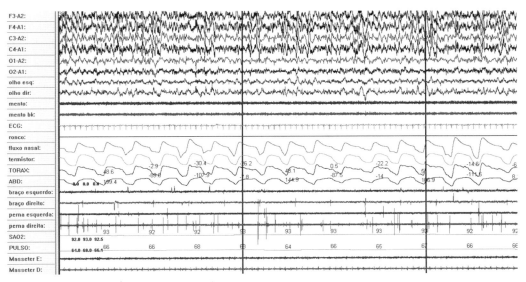

FIGURA 8.8 – Mioclonia fragmentar excessiva
Fonte: Registro preparado pelos autores.

■ 2.5. Bruxismo

Bruxismo pode ser definido pela atividade muscular repetida da mandíbula caracterizada por cerramento ou ranger dos dentes, podendo estar associado à sensação de dor ou pressão no músculo masseter. Essa atividade muscular anormal leva a problemas de desgaste dos dentes, dores no dente ou no queixo, cefaleia em região temporal, além de fragmentação do sono. As contrações ocorrem de modo repetido, durante o sono, podendo ser de modo sustentado (contração tônica) ou de modo breve e rítmico (contrações fásicas), denominadas Atividade Muscular Mastigatória Rítmica (AMMR)[4,5].

Para o diagnóstico de bruxismo, não é necessária a realização de polissonografia, bastando a presença de sons repetidos de ranger dos dentes durante o sono associados a um dos seguintes sinais: desgaste dentário ou fadiga muscular em região mandibular, cefaleia temporal e/ou travamento da mandíbula. No entanto, a confirmação pela polissonografia, por meio da análise muscular do masseter ou mento, em conjunto com a avaliação audiovisual sincronizada, aumenta a confiabilidade do diagnóstico[5].

Para definição do bruxismo pela polissonografia, é necessária a elevação de amplitude da atividade muscular do mento ou masseter em duas vezes a atividade eletromiográfica de base. No caso da atividade fásica, ela deve ocorrer por pelo menos três vezes, de modo regular, com duração de 0,25 a 2 segundos. No caso da atividade tônica (cerramento ou apertamento dos dentes), a elevação de amplitude da atividade muscular deve ocorrer por um período superior a dois segundos. É necessário um período de três segundos de atividade muscular estável para que um novo evento de bruxismo seja marcado. Além disso, a análise do áudio pode ser compatível quando ocorrem, no mínimo, dois episódios de ranger de dentes durante a noite na ausência de crise epiléptica[4].

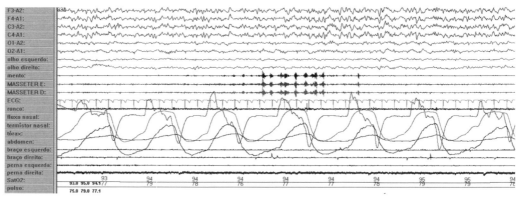

FIGURA 8.9 – Bruxismo fásico
Fonte: Registro preparado pelos autores.

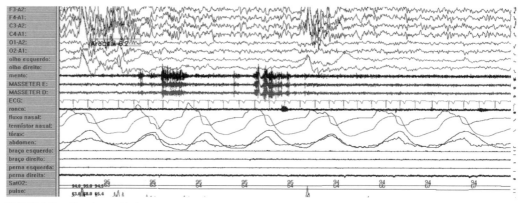

FIGURA 8.10 – Bruxismo tônico
Fonte: Registro preparado pelos autores.

■ 2.6. Características do Distúrbio Comportamental do Sono REM (DCSREM)

O DCSREM é caracterizado pela perda da atonia da musculatura esquelética durante o sono REM associada a comportamentos de atuação durante os sonhos e/ou pesadelos[5, 12-14].

A primeira descrição de sono REM sem atonia e comportamentos oníricos, feita por Jouvet, ocorreu em gatos que apresentavam lesões na região do núcleo subceruleus, em 1965[15]. Na década de 1970, autores japoneses descreveram essa condição em pacientes durante abstinência alcoólica e utilizaram o termo "Estágio I-REM com eletromiografia tônica"[16]. Em 1986, Schenck et al. descreveram uma série de pacientes que apresentava comportamento onírico e perda da atonia durante o sono REM e cunharam o termo DCSREM[17].

O DCSREM se caracteriza por comportamentos motores e vocalizações durante o sono REM, associados a sonhos e a pesadelos. Tais comportamentos podem causar lesões tanto ao paciente quanto a seus companheiros, sendo comumente observados movimentos de empurrar, chutar, esmurrar, morder, gritar, xingar, além de outros menos frequentes, mas não menos perigosos, como enforcar[18]. Alguns trabalhos relatam que as lesões ao paciente ou a(o) parceira(o) ocorrem em 48 a 77% dos casos[13,16].

Para o diagnóstico de DCSREM, o indivíduo deve apresentar episódios repetidos de vocalização ou movimentos complexos durante o sono que ocorrem durante o sono REM (documentado pela polissonografia ou relato de sonhos associados), associados ao sono REM sem atonia, na ausência de outra condição que explique os sintomas. Desse modo, é de extrema importância a análise pormenorizada da atividade muscular em sono REM.

O aumento da atividade muscular pode ser tônico ou fásico. A atividade muscular tônica sustentada ocorre por aumento persistente da amplitude da atividade eletromiográfica em mento, por mais de 50% da época, em relação à atividade muscular mínima em sono NREM. A atividade fásica excessiva, por sua vez, decorre do aumento da amplitude da atividade muscular em mento ou membros, de pelo menos quatro vezes, com duração entre 0,1 e 5 segundos, presentes em mais de 50% das dez miniépocas de três segundos existentes em uma época[4].

Além das alterações no tônus muscular em sono REM, podem ser observados movimentos complexos e/ou vocalizações em sono REM durante a análise audiovisual sincronizada. Tais movimentos podem ser sutis, com contrações musculares discretas e excessivas em boca e dedos, podem ser caracterizados por movimentos bruscos de grandes articulações com movimentos aparentemente sem sentido, ou ainda podem representar nítida atuação de conteúdo onírico, com socos, chutes ou vocalizações.

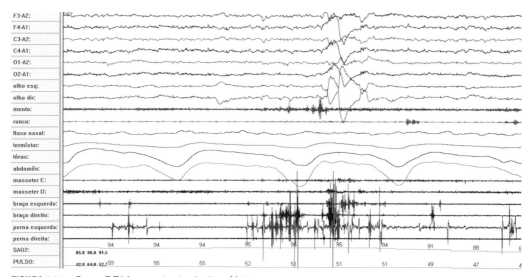

FIGURA 8.11 – Sono REM sem atonia do tipo fásico
Fonte: Registro preparado pelos autores.

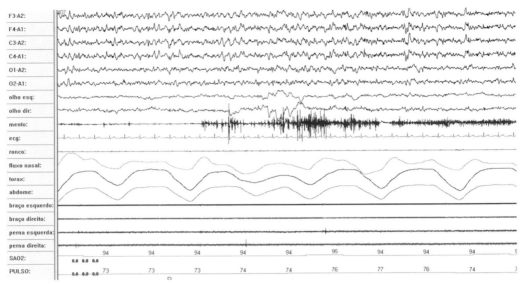

FIGURA 8.12 – Sono REM sem atonia tônico
Fonte: Registro preparado pelos autores.

■ 2.7. Distúrbio do Movimento Rítmico do Sono (DMRS)

O DMRS se caracteriza por movimentos rítmicos, estereotipados e repetitivos que ocorrem, preferencialmente, em sonolência ou sono e envolvem grandes grupos musculares, podendo ocorrer em todo o corpo, parte do tronco ou somente na cabeça, com movimentos de um lado para o outro ou para frente e para trás. A frequência oscila entre 0,5 e 2 Hz, com duração geralmente inferior a 15 minutos. Tal movimento ocorre mais frequentemente em lactentes e crianças, podendo, ainda, acontecer em adultos[5].

As características polissonográficas do DMRS são as seguintes: atividade muscular que oscila entre 0,5 e 2 Hz, com aumento de amplitude de pelo menos duas vezes em relação à atividade de base e composta por pelo menos quatro movimentos rítmicos[4].

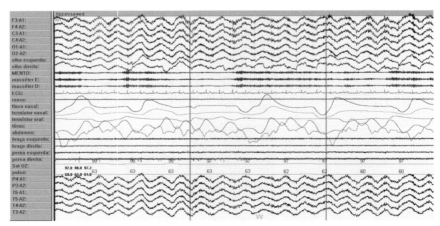

FIGURA 8.13 – Artefato em eletroencefalograma relacionado a *bodyrolling*
Fonte: Registro preparado pelos autores.

Análise da atividade muscular durante o sono •• **149**

■ Referências

1. Jouvet M, Michel F, Courjon J. [On a stage of rapid cerebral electrical activity in the course of physiological sleep]. Comptes rendus des seances de la Societe de biologie et de ses filiales. 1959;153:1024-8.
2. Rechtschaffen A, Kales R. A manual for standartized terminology, techniques and scoring system for sleep stages in human subjects. Washington, D.C.: NIH Publication; 1968.
3. Iber C, Ancoli-Israel S, Chesson AL, Quan SF. The AASM Manual for Scoring of Sleep and Associated Events. 1st ed. Westchester, Illinois: American Academy of Sleep Medicine; 2007.
4. Berry RB, Brooks R, Albertario CL, Harding SM et al. for the American Academy of Sleep Medicine. The AASM Manual for the Scoring of Sleep and Associated Events: Rules, Terminology and Technical Specifications. Version 2.5. Darien, IL: American Academy of Sleep Medicine; 2018.
5. International Classification of Sleep Disorders. 3rd ed. Westchester, Illinois: American Academy of Sleep Medicine; 2013.
6. Ferri R, Fulda S. Quantifying Leg Movement Activity During Sleep. Sleep medicine clinics. 2016 Dec;11(4):413-20.
7. International Classification of Sleep Disorders. American Academy of Sleep Medicine; 2005.
8. Frauscher B, Kunz A, Brandauer E, Ulmer H, Poewe W, Hogl B. Fragmentary myoclonus in sleep revisited: A polysomnographic study in 62 patients. Sleep medicine. 2011;(12):410-5.
9. Broughton R, Tolentino MA. Fragmentary pathological myoclonus in NREM sleep. Electroencephalography and clinical neurophysiology. 1984 Apr;57(4):303-9.
10. Broughton R, Tolentino MA, Krelina M. Excessive fragmentary myoclonus in NREM sleep: a report of 38 cases. Electroencephalography and clinical neurophysiology. 1985 Aug;61(2):123-33.
11. Medicine AAoS. The AASM Manual for Scoring of Sleep and Associated Events – Version 2.0; 2012.
12. International Classification of Sleep Disorders, 2nd edition. American Academy of Sleep Medicine. 2005.
13. Iranzo A, Santamaria J, Tolosa E. The clinical and pathophysiological relevance of REM sleep behavior disorder in neurodegenerative diseases. Sleep medicine reviews. 2009 Apr 8.
14. Mark W Mahowald CHS. REM Sleep parasomnias. In: Meir H. Kryger TR, and William C. Dement editor. Principles and Practice of Sleep medicine; 2005:897-916.
15. Jouvet MDF. Locus coeruleus et sommeil paradoxal. Comptes Rendus des Séances de Société de Biologie et de ses Filiales. 1965;159:895-9.
16. Olson EJ, Boeve BF, Silber MH. Rapid eye movement sleep behaviour disorder: demographic, clinical and laboratory findings in 93 cases. Brain. 2000 Feb;123(Pt 2):331-9.
17. Schenck CH, Bundlie SR, Ettinger MG, Mahowald MW. Chronic behavioral disorders of human REM sleep: a new category of parasomnia. Sleep. 1986 Jun;9(2):293-308.
18. Comella CL, Nardine TM, Diederich NJ, Stebbins GT. Sleep-related violence, injury, and REM sleep behavior disorder in Parkinson's disease. Neurology. 1998 Aug;51(2):526-9.

Avaliação do sistema cardiológico

9

Fátima Dumas Cintra
Luciano F. Drager

1. Introdução

O sono exerce claras influências sobre o sistema cardiovascular tanto em condições fisiológicas quanto fisiopatológicas. A avaliação diagnóstica do sistema cardiovascular tornou-se fundamental nos pacientes portadores de anormalidades do sono após as reprodutivas constatações de aumento da mortalidade cardiovascular[1-3] em indivíduos portadores de Apneia Obstrutiva do Sono (AOS), sendo que a interpretação do canal eletrocardiográfico é, associada à história clínica e exame físico, uma das principais ferramentas do profissional que atua com Medicina do Sono. As anormalidades do ritmo cardíaco podem representar condições benignas sem repercussão na sobrevida, mas podem também estar associadas ao risco iminente de morte cardíaca súbita, como na Taquicardia Ventricular Polimórfica ou fibrilação ventricular. Dessa forma, a determinação do mecanismo arritmogênico e a presença de doença cardíaca subjacente são fundamentais para a estratificação de risco desses pacientes.

Nesse capítulo, serão descritos aspectos técnicos da monitorização do sistema cardiovascular na polissonografia, os principais critérios para diagnóstico das alterações cardiovasculares e os principais achados eletrocardiográficos que devem ser levados em consideração na avaliação de um paciente portador de distúrbios do sono, com destaque para a AOS.

2. Aspectos técnicos e determinação do ritmo sinusal

Ao contrário dos múltiplos canais de eletroencefalografia que detectam as fases do sono, a monitorização do sistema cardiovascular pela polissonografia é usualmente simplificada a um único canal do eletrocardiograma (ECG). Pela importância da derivação D2 que monitoriza a ativação ventricular seguindo o mesmo eixo cardíaco (Figura 9.1A), optou-se pelo uso preferencial dessa derivação na polissonografia. No entanto, para evitar o uso de eletrodos nos membros superiores e inferiores durante o sono, optou-se pelo uso dos eletrodos na região torácica[1]. Desta forma, criou-se a derivação D2 modificada (Figura 9.1B).

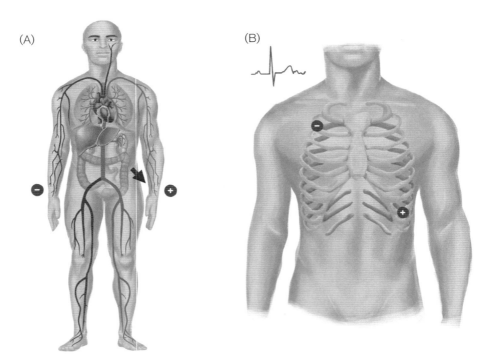

FIGURA 9.1 – Derivação D2 original (A) e modificada (B) usada na polissonografia
Fonte: Modificado de AASM – Manual for the Scoring of Sleep and Associated Events. 2018.

Assim como os demais canais da polissonografia, para que o sinal tenha a possibilidade de uma correta interpretação, as seguintes especificações técnicas precisam ser seguidas[1]:

- **Frequência de amostragem:** 500 Hz (desejável), 200 Hz (mínimo). A utilização de 500 Hz ajuda a definir melhor espículas de marcapasso e ondas no ECG.
- **Filtros:** baixa frequência = 0,3 Hz e alta frequência = 70 Hz.

Antes da descrição das principais regras e recomendações para interpretação do ECG na polissonografia, alguns conceitos básicos são importantes:

3. Extrassístoles e Taquicardias ventriculares e atriais

As extrassístoles atriais e ventriculares, também chamadas ectopias, são muito frequentes na prática clínica (Figura 9.2). São definidas como batimento precoce com origem nos átrios ou ventrículos. Quando sua origem é ventricular, normalmente ocorre uma pausa extrassistólica, modificando o intervalo RR. São denominadas monomórficas ou polimórficas quando mais de uma morfologia é observada. As extrassístoles costumam se apresentar de forma isolada, pareada ou em ciclos de bigeminismo, trigeminismo ou quadrigeminismo. Vale lembrar que a ocorrência de três ou mais complexos prematuros denomina-se taquicardia[2], sendo habitualmente classificadas em taquicardias com QRS estreito (< 120 ms) ou taquicardias com QRS largo (≥ 120 ms).

Sua prevalência é variável e está relacionada com o método diagnóstico utilizado no estudo e com as características da população. Estudos que utilizam o eletrocardiograma de 12 derivações, com 10 segundos de registro, apresentam a ocorrência de extrassístole atrial variando entre 1,4 e 8%[3,4]. Por outro lado, a ocorrência dessa anormalidade do ritmo, nas observações com Holter de 24 horas, é muito mais prevalente. Um estudo que avaliou a presença de extrassístoles atriais durante a polissonografia observou a ocorrência das formas isoladas e pareadas em 73% dos casos de AOS moderada ou grave[5]. O mesmo ocorreu com as extrassístoles ventriculares que ocorreram em aproximadamente 40% dos casos de AOS com índice de apneia-hipopneia (IAH) superior a 15 eventos/hora.

A presença de extrassístoles ventriculares é bastante comum nos pacientes com ou sem doença cardíaca estrutural e pode ou não estar associada a sintomas. Não é rara a documentação de arritmias muito frequentes em pacientes totalmente assintomáticos, especialmente aquelas com comportamento preferencialmente durante o sono. A cardiomiopatia em pacientes com extrassístoles muito frequentes pode ser reversível após o tratamento por ablação por cateter; dessa forma, uma avaliação especializada é indicada nesses casos[6].

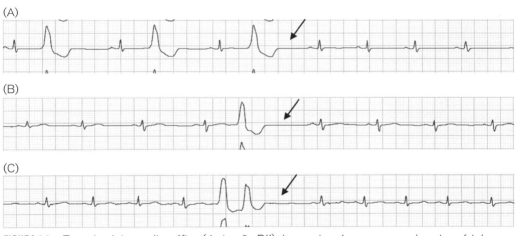

FIGURA 9.2 – Traçado eletrocardiográfico (derivação DII) demonstrando a presença de extrassístole ventricular em ciclos de bigeminismo (A), isolada (B) e pareada (C). Observar pausa compensatória após a anormalidade do ritmo (indicada pela seta)
Fonte: Registro preparado pelos autores.

4. Bradiarritmias

Bradicardia sinusal é definida pela frequência cardíaca inferior a 50 batimentos por minuto (bpm)[2]. Entretanto, durante o período do sono, considera-se 40 bpm[1]. Durante o sono ou em atletas, a bradicardia sinusal é considerada fisiológica. Entretanto, pode representar uma doença do sistema de condução ou ser uma manifestação do uso de drogas, especialmente betabloqueadores, bloqueadores de canais de cálcio e amiodarona. Uma vez afastada uma causa reversível e estabelecida a relação clinicoeletrocardiográfica, a estimulação cardíaca artificial pode ser considerada. A pausa sinusal corresponde a uma pausa na atividade sinusal superior a 1,5 vezes o ciclo PP básico, entretanto, durante o período do sono, a assistolia, pausa superior a 3 segundos, pode ter algum significado clínico, e essa alteração deve ser mencionada no laudo descritivo da polissonografia (Figura 9.3).

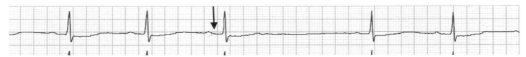

FIGURA 9.3 – Traçado eletrocardiográfico (derivação DII) com presença de pausa sinusal com 2,3 segundos de duração. Observe intervalo PR prolongado (PRi = 284 ms) compatível com bloqueio atrioventricular de primeiro grau (indicado pela seta)
Fonte: Registro preparado pelos autores.

Além do nó sinusal, o nó atrioventricular também pode ser o responsável por bradicardias importantes. Quando os impulsos atriais sofrem atrasos (superiores a 200 ms) e falham em atingir os ventrículos, considera-se um bloqueio atrioventricular. O bloqueio atrioventricular de primeiro grau é caracterizado por intervalo PR superior a 200 ms sem a ocorrência de falha da condução. Pode refletir a atividade vagal, como durante o sono ou em atletas de alto desempenho, e, nesses casos, normalmente está relacionado à frequência cardíaca. Pode ocorrer nas doenças cardíacas, distúrbios hidroeletrolíticos e uso de drogas antiarrítmicas[7].

O nó atrioventricular apresenta uma propriedade fisiológica denominada "condução decremental" ou "fenômeno de Wenckebach", em que ocorre a diminuição na velocidade de condução do estímulo, observada com aumentos progressivos dos intervalos PR no traçado eletrocardiográfico, até a ocorrência de uma falha na condução (Figura 9.4). Essa forma de bloqueio é denominada bloqueio atrioventricular de segundo grau tipo I, ocorre frequentemente em indivíduos sem doença cardíaca e especialmente durante o sono, devido à influência vagal[2].

O bloqueio atrioventricular de segundo grau tipo II é patológico e indica doença degenerativa do sistema de condução, sendo caracterizado pela falha súbita da condução do átrio para o ventrículo. Não pode ser explicado por influência vagal, e o paciente com a documentação desse tipo de bloqueio deve ser encaminhado para um serviço especializado[7].

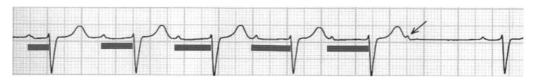

FIGURA 9.4 – Derivação DII. Bloqueio atrioventricular de segundo grau tipo I. Observe o prolongamento do intervalo PR (indicado pela barra), seguido de bloqueio na condução (indicado pela seta)
Fonte: Registro preparado pelos autores.

O bloqueio atrioventricular de terceiro grau ou bloqueio atrioventricular total é caracterizado pela ausência de correlação entre a atividade atrial e a ventricular com ondas P totalmente aleatórias no traçado eletrocardiográfico. Vale lembrar que, nesses casos, a atividade atrial apresenta frequência superior à atividade ventricular. Pode ser uma evolução de outras formas de bloqueios atrioventriculares, entretanto, pode ocorrer de forma súbita, sinalizando uma doença avançada do sistema de condução.

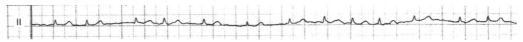

FIGURA 9.5 – Derivação DII. Exemplos de bloqueio atrioventricular
Fonte: Registro preparado pelos autores.

5. Fibrilação atrial

Fibrilação atrial é uma arritmia supraventricular em que ocorre uma completa desorganização na atividade elétrica atrial, fazendo com que os átrios percam sua capacidade de contração, não gerando sístole atrial. Uso de álcool, obesidade, envelhecimento populacional e a AOS justificam a elevação da prevalência dessa arritmia, observada nas últimas décadas. Além disso, possivelmente esses números ainda estão subestimados, uma vez que muitos casos (10 a 25%) não provocam sintomas[8]. O ECG é caracterizado por irregularidade RR e pela ausência de ondas P, que são substituídas por finas ondulações, chamadas ondas F (Figura 9.6). A fibrilação atrial e a AOS apresentam fatores de risco semelhantes, como hipertensão, obesidade, idade, entre outros. Entretanto, a associação entre essas duas entidades parece ser independente. A fibrilação atrial apresenta uma alta prevalência entre pacientes portadores de AOS quando comparados com pacientes sem anormalidades do sono[9]. Além disso, a presença de AOS está associada à alta recorrência de fibrilação atrial após cardioversão e ablação por cateter[10,11].

A fibrilação atrial apresenta impacto clínico relevante, uma vez que está associada à ocorrência de fenômenos tromboembólicos, especialmente o acidente vascular cerebral. Sua documentação durante a polissonografia levanta a necessidade de avaliação de risco e, eventualmente, a instituição de terapia anticoagulante.

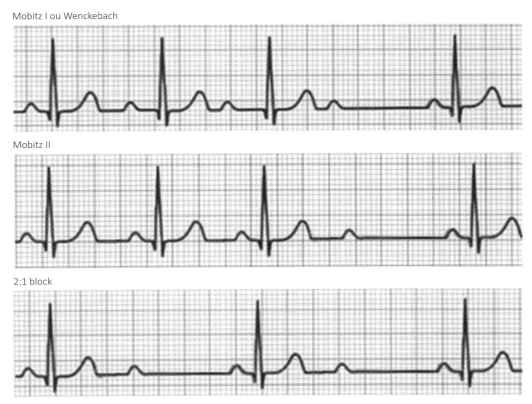

FIGURA 9.6 – Derivação DII. Fibrilação atrial. Observe a irregularidade RR e ausência de ondas P
Fonte: Registro preparado pelos autores.

156 •• Seção II – Métodos de avaliação complementar

Os Quadros 9.1 e 9.2 resumem os principais critérios para as alterações no ECG durante a polissonografia e os eventos cardíacos que devem ser mencionados no laudo descritivo da polissonografia[1].

QUADRO 9.1	
Definição dos principais critérios eletrocardiográficos para análise e interpretação na polissonografia	
Alteração no ECG durante o sono	**Definição/comentário**
Taquicardia sinusal	Frequência cardíaca > 90 batimentos por minuto de forma sustentada.
Bradicardia	Frequência cardíaca < 40 batimentos por minuto de forma sustentada em pessoas com 6 anos de idade ou mais.
Assistolia	Pausas cardíacas maiores que 3 segundos em pessoas com 6 anos de idade ou mais.
Taquicardia de complexo largo	3 ou mais batimentos com uma FC > 120 bpm e duração do QRS maior ou igual a 120 msec.
Taquicardia de complexo estreito	3 ou mais batimentos com uma FC > 120 bpm e duração do QRS menor a 120 msec.
Fibrilação atrial	Ritmo ventricular irregular associada a uma ausência de ondas P, com ondas de rápida oscilação que variam em tamanho, formato e tempo.
Batimentos ectópicos (extrassístoles)	Ver texto. Devem ser reportadas se muito frequentes.

Fonte: Adaptado de Berry RB et al., 2018.

QUADRO 9.2
Anormalidades eletrocardiográficas que devem ser mencionadas no laudo de polissonografia
FC média durante o sono.
FC mais alta durante o sono.
FC mais alta durante o registro.
Bradicardia sinusal (se presente): reporte a FC mais baixa observada.
Assistolia (se presente): reporte a pausa mais longa observada.
Taquicardia sinusal (se presente): reporte a FC mais alta observada.
Taquicardia de complexo estreito (se presente): reporte a FC mais alta observada.
Taquicardia de complexo largo (se presente): reporte a FC mais alta observada.
Fibrilação atrial (se presente).
Outras arritmias (se presente).

Fonte: Adaptado de Berry RB et al., 2018.

6. Considerações finais

Como observado nesse capítulo, o canal do ECG pode ser uma ferramenta valiosa durante a polissonografia. Vários critérios utilizados durante o sono são distintos do período de vigília. No entanto, na prática, o ECG é frequentemente subestimado, e as anormalidades no ECG não são sempre relatadas. Por outro lado, devemos evitar extrapolações de diagnósticos cardiológicos, considerando a limitação de canais durante a polissonografia.

Avaliação do sistema cardiológico •• **157**

Mesmo assim, achados eletrocardiográficos durante o sono podem e devem ser destacados pelo especialista em Medicina do Sono para que a investigação e o tratamento apropriados tragam benefícios para os pacientes.

■ Referências

1. Berry RB, Brooks R, Albertario CL, Harding SM et al. for the American Academy of Sleep Medicine. The AASM Manual for the Scoring of Sleep and Associated Events: Rules, Terminology and Technical Specifications. Version 2.5. Darien, IL: American Academy of Sleep Medicine. 2018.
2. Pastore CA, Pinho C, Germiniani H, Samesima N, Mano R et al. Sociedade Brasileira de Cardiologia. Diretrizes da Sociedade Brasileira de Cardiologia sobre Análise e Emissão de Laudos Eletrocardiográficos (2009). Arq Bras Cardiol. 2009;93(3 supl. 2):1-19.
3. Van der Ende MY, Siland JE, Snieder H, van der Harst P, Rienstra M. Population-based values and abnormalities of the electrocardiogram in the general Dutch population: The LifeLines Cohort Study. ClinCardiol. 2017;40(10):865-72.
4. Murakoshi N , Xu D, Sairenchi T et al. Prognostic impact of supraventricular premature complexes in community-based health checkups: the Ibaraki Prefectural Health Study. Eur Heart J. 2015;36:170-8.
5. Cintra FD, Leite RP, Storti LJ, Bittencourt LA, Poyares D, Castro LD, Tufik S, Paola AD. Sleep Apnea and Nocturnal Cardiac Arrhythmia: A Populational Study. Arq Bras Cardiol. 2014;103(5):368-74.
6. Yarlagadda RK, Iwai S, Stein KM, Markowitz SM, Shah BK, Cheung JW et al. Reversal of cardiomyopathy in patients with repetitive monomorphic ventricular ectopy originating from the right ventricular outflow tract. Circulation. 2005;112:1092-7.
7. Moreira DA. Arritmias Cardíacas Clínica, Diagnóstico e Terapêutica. São Paulo: Artes Médicas; 1995.
8. Magalhães LP, Figueiredo MJO, Cintra FD, Saad EB, Kuniyoshi RR, Menezes Lorga Filho A, D'Avila ALB, Paola AAV, Kalil CAA, Moreira DAR, Sobral Filho DC, Sternick EB, Darrieux FCDC, Fenelon G, Lima GG, Atié J, Mateos JCP, Moreira JM, Vasconcelos JTM. Executive Summary of the II Brazilian Guidelines for Atrial Fibrillation. Arq Bras Cardiol. 2016 Dec;107(6):501-8.
9. Mehra R, Benjamin EJ, Shahar E, Gottlieb DJ, Nawabit R, Kirchner HL, Sahadevan J, Redline S; Sleep Heart Health S. Association of nocturnal arrhythmias with sleep disordered breathing: the Sleep Heart Health Study. Am J Respir Crit Care Med. 2006;173:910-6.
10. Gami AS, Olson EJ, Shen WK, Wright RS, Ballman KV, Hodge DO, Herges RM, Howard DE, Somers VK. Obstructive sleep apnea and the risk of sudden cardiac death: a longitudinal study of 10,701 adults. J Am Coll Cardiol. 2013;62:610-6.
11. Kanagala R, Murali NS, Friedman PA, Ammash NM, Gersh BJ, Ballman KV, Shamsuzzaman AS, Somers VK. Obstructive sleep apnea and the recurrence of atrial fibrillation. Circulation. 2003;107:2589-94.

10

Dispositivos de terapia com pressão positiva (PAP) e interpretação de relatórios

Luciane Impelliziere Luna de Mello-Fujita
Vivien Schmeling Piccin

1. Introdução

A Apneia Obstrutiva do Sono (AOS) é um distúrbio respiratório caracterizado pelo repetitivo colapso da faringe durante o sono. Esse colabamento na via área superior (VAS) resulta em dessaturação intermitente do oxigênio arterial e despertares recorrentes[1,2], com vários prejuízos à saúde, relacionados principalmente com alterações neurocognitivas e cardiovasculares[3-10]. Os principais fatores de risco são: gênero masculino, obesidade, idade e alterações craniofaciais[11]. Como manifestações clínicas, podemos observar o ronco alto e frequente, as pausas respiratórias presenciadas, os despertares recorrentes, a sonolência e fadiga diurnas, bem como deterioração intelectual e alterações de humor[12,13].

O índice de apneia e hipopneia (IAH) determina a gravidade da AOS e considera o número de eventos respiratórios anormais (apneias e hipopneias) divididos pelo tempo total de sono. O IAH residual entre 0 e 5 eventos/hora é considerado normal. De 5 a 15 eventos/hora temos a apneia leve, entre 15 e 30 eventos/hora apneia moderada e acima de 30 eventos/hora se configura a apneia grave[13,14].

Vários estudos apontam uma alta prevalência da AOS na população adulta (17 a 50%)[2,15-16], caracterizando esse distúrbio do sono como um grande problema de saúde pública e com importante impacto econômico[13,17-18]. A terapia com pressão positiva é considerada o tratamento padrão ouro para os distúrbios respiratórios do sono. Para este tratamento, o mercado dispõe de vários equipamentos, com diferentes tecnologias associadas, com o aval da comunidade científica, que atesta os seus benefícios. Apesar disso, a adesão à terapia se apresenta como um grande desafio. O monitoramento do uso do dispositivo e de sua eficácia, pelo profissional da área do sono, permite a identificação e solução precoces de problemas, contribuindo para a melhora da adesão. Entretanto, os tipos de monitoramento e relatório gerados, que são distintos de acordo com cada fabricante, dificultam o manejo e interpretações dos dados de uso da terapia pressórica. Neste capítulo, apresentaremos informações sobre os diferentes tipos de dispositivos, tipos de monitoramento e interpretação de relatórios.

2. Tratamento da AOS com dispositivo de pressão positiva

A comunidade científica internacional definiu a terapia com pressão positiva em VAS (terapia PAP) como o tratamento padrão ouro para a maioria dos distúrbios respiratórios do sono[19]. A terapia PAP pode ser realizada com um equipamento pressórico binível ou com pressão positiva contínua nas vias aéreas superiores (CPAP), sendo o fluxo pressórico transmitido ao usuário por meio de interfaces nasais (envolvendo o nariz ou do tipo almofada nasal), oronasais ou faciais (do tipo *total face*)[20-23].

O binível pressórico é um modo terapêutico que mantém dois níveis de pressão. A IPAP (pressão inspiratória) reduz a limitação de fluxo causada pelo estreitamento da VAS durante o sono e aumenta o volume pulmonar; a EPAP (pressão expiratória) mantém a VAS aberta durante a exalação do ar, impedindo o seu colapso. A diferença entre a IPAP e a EPAP, denominada delta ventilatório, pode ser ajustada para permitir um suporte ventilatório quando necessário.

O CPAP impõe uma pressão única e contínua durante todo o ciclo respiratório. É o tratamento mais indicado para a AOS moderada ou grave (IAH $\geq$ 15 eventos/hora) com ou sem sintomas ou comorbidades, e para usuários com AOS leve (IAH $\geq$ 5 a $\leq$ 14 eventos/hora) com sintomas associados ou comorbidades[21]. O CPAP mantém a região posterior da faringe aberta durante o sono, pela formação de um suporte pressórico (*splint* pneumático) que mantém a patência dosedependente da via aérea superior e impede o seu colapso. Além disso, promove a normalização da arquitetura do sono, a redução da sonolência diurna, a melhora da produtividade, a elevação do humor, a redução dos acidentes automobilísticos, a redução da pressão arterial e dos eventos cardíacos[24,25].

Além dos equipamentos binível e CPAP com pressão positiva de ajuste fixo, podem ser encontrados no mercado equipamentos binível e CPAP automáticos, que alteram o nível de pressão de tratamento durante o sono. Esse sistema considera que o tônus muscular da VAS pode estar mais ou menos ativo durante as diferentes fases do sono, e que a mudança pressórica responsiva ao *status* muscular poderia tornar mais confortável o uso da terapia PAP, melhorando a sua adesão. Nos dispositivos automáticos, o diferencial pressórico (delta de pressão), captado pelo sensor de fluxo localizado internamente no aparelho, é analisado por um transdutor de pressão e o sinal elétrico resultante consegue transformar graficamente o sinal do fluxo respiratório ponto a ponto. Por meio de um *software* interno, com algoritmos específicos de acordo com cada fabricante, as informações das variações na patência da VAS, demonstradas pelas variações do sinal de fluxo respiratório, são utilizadas para que o equipamento possa alterar a pressão de tratamento conforme necessário, e assim trabalhar com pressões médias mais baixas[26].

A Academia Americana de Medicina do Sono (AAMS) definiu as indicações para a escolha dos dispositivos pressóricos para o tratamento de indivíduos com AOS, que estão apresentadas no Quadro 10.1[21].

Adicionalmente às variações pressóricas automáticas, os dispositivos pressóricos também contam com tecnologias inseridas nos seus modos de operação, que foram desenvolvidas no intuito de melhorar o conforto do usuário e a sua adesão. Algumas das tecnologias associadas são: rampa pressórica fixa (aumenta a pressão de PAP gradualmente, durante um tempo predeterminado em minutos), ou automática (incrementa a pressão do PAP conforme a identificação de eventos obstrutivos ou estabilização do padrão respiratório), alívio expiratório (redução da pressão na transição da inspiração para a expiração), alívio de pressão total e responsivo ao despertar (que visa minimizar o desconforto de pressões

Dispositivos de terapia com pressão positiva (PAP) e interpretação de relatórios •• **161**

mais altas quando o usuário desperta), algoritmos de titulação de CPAP (com pressão terapêutica inicial automática e, após um período de noites preestabelecido, atuando no modo pressão fixa), autochecagem periódica da eficácia da pressão terapêutica, entre outros.

QUADRO 10.1 Indicações para o uso de terapia com pressão positiva para AOS	
Tipo de dispositivo	**Indicações**
CPAP	• AOS moderada e grave (IAH ≥ 15 eventos/hora, com ou sem sintomas* ou comorbidades**). • AOS leve (IAH ≥ 5 a ≤ 14 eventos/hora, com sintomas* ou associados a comorbidades**.
APAP	• AOS moderada e grave não complicada. • Não deverá ser usado em pacientes com AOS complicada. • AOS complicada: comorbidades clínicas que podem afetar o padrão respiratório durante o sono, incluindo: ICC, doenças pulmonares e DPOC, hipoventilação noturna (obesidade e outras causas). • Pode ser usado numa configuração automática nos apneicos sem acompanhamento, como terapia inicial e ou contínua exclusiva. • Pode ser usado como terapia inicial para configurar uma pressão fixa.
Binível PAP	• Pode ser usado em todos os espectros de AOS grave, no entanto, é mais indicado para usuários com falha na terapia com CPAP ou com intolerância à pressão ou à terapia inicial com PAP.
Autobinível PAP	• Papel ainda não definido na terapia e indicação na AOS.

*Sintomas: sonolência diurna excessiva, déficit cognitivo, distúrbios do humor ou insônia.

**Comorbidades: hipertensão arterial sistêmica, acidente vascular cerebral, insuficiência cardíaca congestiva.

CPAP: pressão positiva contínua em via aérea com dispositivo com modo pressão fixa; APAP: pressão positiva contínua em via aérea com dispositivo com modo pressão variável; Binível PAP: pressão positiva em via aérea com dois níveis pressóricos diferentes distintos (um nível na inspiração e outro na expiração), em modo pressão fixa; Autobinível PAP: pressão positiva em via aérea com dois níveis pressóricos diferentes distintos (um nível na inspiração e outro na expiração), em modo pressão variável; AOS: apneia obstrutiva do sono; ICC: insuficiência cardíaca congestiva; DPOC: doença pulmonar obstrutiva crônica.

Fonte: Adaptado de Freedman, 2017.

Entretanto, cabe ressaltar que estudos comparando os diferentes modos pressóricos utilizados para o tratamento da AOS, com ou sem tecnologias associadas, demonstraram que a melhora nos sintomas diurnos e a adesão são similares, e o tratamento apresenta um sucesso limitado pela baixa adesão e desistência do uso do equipamento a longo prazo[27-31].

3. Adesão à terapia com pressão positiva

A definição de adesão à terapia com pressão positiva para o tratamento dos distúrbios respiratórios do sono difere em vários trabalhos científicos. Kribbs et al. definiram que o uso regular do CPAP é caracterizado pela utilização do dispositivo pressórico pelo período maior ou igual a quatro horas por noite, em pelo menos 70% das noites monitoradas[32]. Embora seja aceita como padrão pela AAMS[21], essa definição de adesão tem sido contestada por vários pesquisadores, que consideram que usar a terapia PAP por pouco tempo é melhor do que não usar o dispositivo, e, quanto maior for o tempo de utilização do dispositivo pressórico, em horas por noite, melhores serão os benefícios para a saúde e qualidade de vida do usuário (benefício tempo-dependente)[33,34].

162 •• Seção II – Métodos de avaliação complementar

Independentemente da sua definição, o cenário atual nos mostra que a adesão tem sido um grande desafio tanto para os usuários quanto para os profissionais que atuam na área do sono e segue o mesmo parâmetro dos regimes complexos de tratamento, apresentando em média 50% de adesão durante o seu primeiro ano de uso[35-37]. Apesar de todo o avanço tecnológico e do vasto entendimento em relação à importância do tratamento da AOS, nenhuma das plataformas de PAP, com ou sem tecnologias diferenciadas associadas, demonstrou o aumento na adesão a longo prazo[27-29].

Desse modo, a escolha do melhor tratamento para os usuários com AOS e com indicação para o uso de PAP ainda depende da experiência do profissional de saúde na área do sono, que deve se basear em fatores como: a presença de sintomas e comorbidades clínicas associadas, custo, estratégias de acompanhamento e gerenciamento do uso do dispositivo pelo usuário (plataformas *online*, *softwares* de análise de dados, acessibilidade do usuário às informações de uso do equipamento), sistema de umidificação acoplado, tecnologias associadas (alívio de pressão expiratória, rampa pressórica, autoajuste pressórico, autochecagem da pressão terapêutica, entre outros), facilidade de portabilidade para usuários que viajam muito, disponibilidade de suprimentos (por exemplo, filtros) e acessórios (traqueias aquecidas ou não, entre outros)[38].

Intervenções educacionais, acompanhamento, suporte intensivo e a rápida resolução de problemas relacionados ao uso da PAP também podem ajudar a melhorar a adesão[39,40]. Nesse sentido, sistemas de monitoramento a distância têm se mostrado uma ferramenta poderosa e podem contribuir para o aumento da adesão à terapia PAP[41-44].

4. Acompanhamento e monitorização da terapia PAP

Durante o acompanhamento da terapia PAP, a avaliação da adesão e da efetividade do tratamento deve ser feita por meio de dados subjetivos e objetivos.

Os dados subjetivos são aqueles trazidos pelo próprio usuário, como: autopercepção de melhora nos sintomas, queixa de ressecamento de via aérea superior, dificuldade para colocar a máscara, dificuldade para exalar, dor facial pela pressão da máscara, claustrofobia, queixa de barulho do equipamento, queixa de vazamento excessivo e não intencional do fluxo de ar, queixa de dor de cabeça, ressecamento nos olhos, aerofagia, entre outros[13].

Os dados objetivos são aqueles que podem ser mensurados. Estudos demonstraram que a percepção do usuário sobre o tempo efetivo de uso do equipamento PAP, em horas por noite, difere entre 65 e 90% de adesão contra 40 a 83%, quando objetivamente o tempo de uso é aferido[32,45]. Por esse motivo, e com o objetivo de acessar a eficácia e a adesão fidedigna do uso do CPAP, foram desenvolvidos sistemas de rastreamento de dados pelas empresas fabricantes[42]. Esses sistemas, por meio de um sensor interno nos equipamentos de PAP, são capazes de calcular e demonstrar dados objetivos. Estes dados podem ser estatísticos e básicos (por exemplo: IAH residual, tempo efetivo de uso da PAP, vazamento intencional ou não intencional do fluxo de ar, tipos de eventos respiratórios, entre outros), ou dados gráficos de alta resolução (Quadro 10.2). Alguns fabricantes possibilitam a personalização dos relatórios, com informações resumidas ou detalhadas. Também é importante ressaltar que, às vezes, o fabricante desenvolve várias versões de um determinado dispositivo pressórico, de uma mesma linha de produtos. Nesses casos, existem os dispositivos com *softwares* mais avançados, que permitem a visualização de uma ampla

Dispositivos de terapia com pressão positiva (PAP) e interpretação de relatórios •• **163**

gama de dados, ou equipamentos mais simples, que cumprem sua função no sentido de proporcionar a terapia pressórica, porém sem a visualização de muitas informações de uso do aparelho. Nessas circunstâncias, o conhecimento dos diferentes tipos de dispositivos pelo profissional de saúde é fundamental para a indicação adequada do equipamento, principalmente naqueles casos mais desafiadores, em que o acompanhamento detalhado é fundamental.

QUADRO 10.2	
Dados de utilização da terapia com pressão positiva gerados pelo sistema de monitorização do equipamento	
Fabricante	**Dados a serem observados**
Todos*	**Estatísticos e básicos** • caracterização do usuário e data do relatório • período do relatório • modo terapêutico (CPAP com pressão fixa ou automática, binível com pressão fixa ou automática) • alívio exalatório • rampa (automática ou fixa, tempo de rampa) • pressão do dispositivo • fuga/vazamento • IAH residual • tempo (média e mediana) de uso da PAP por noite • número total de noites que a PAP foi usada • número total de noites que a PAP não foi utilizada • percentual de noites com o uso da PAP ≥ 4 horas/noite • gráficos básicos
Philips Respironics ResMed Fisher & Paykel Healthcare	**Dados gráficos de alta resolução**

*Porém, alguns fabricantes possuem em suas linhas de equipamentos dispositivos com *softwares* internos mais simples, que apresentam dados limitados de monitoramento. PAP: pressão positiva em via aérea superior; CPAP: pressão positiva contínua em via aérea superior.
Fonte: Adaptado de Piccin, 2017.

Os acompanhamentos presenciais, quando serão coletados os dados subjetivos e objetivos, devem ser periódicos, com maior ou menor espaçamento entre as visitas ao profissional responsável especialista na área do sono, em função da maior ou menor dificuldade de adesão ao tratamento, ajustes para controle da eficácia do tratamento etc.[46] Nas visitas presenciais, o acesso aos dados objetivos, em geral, é realizado mediante o *download* no computador, por meio físico (cartão de dados contido nos equipamentos), das informações armazenadas pelos dispositivos. Alguns fabricantes permitem a verificação dos dados objetivos a distância, por meio de conexão via internet, sistema *bluetooth* ou módulo de telefonia celular. No sistema a distância, a necessidade de acompanhamentos presenciais diminui e pode tornar o acompanhamento e a solução de problemas de adesão mais ágeis e com menores custos[41-44]. Porém, ainda não existem estudos concisos demonstrando que o monitoramento a distância melhora efetivamente a adesão dos usuários à terapia PAP, seja para adultos ou para crianças. O senso comum entre os profissionais da área do sono é de que esse tipo de monitoramento é eficaz para o acompanhamento do usuário que já incorporou na sua rotina o uso do equipamento de pressão positiva[42,47].

164 ·· Seção II – Métodos de avaliação complementar

Cabe ressaltar que os sistemas de monitoramento a distância tiveram uma importante evolução e progressiva consolidação no Brasil nos últimos anos. São sistemas regulados pelas regras da Associação Americana de Telemedicina (*American Telemedicine Association*) e reconhecidos pelos conselhos de medicina e pelas leis brasileiras. Os dados transmitidos são confiáveis tanto para os novos usuários de CPAP quanto para usuários de longo prazo[48]. Todavia, ainda existem considerações éticas a serem definidas, principalmente no que se refere à expectativa e consentimento do usuário e conduta profissional diante do monitoramento remoto[49].

5. Interpretação de Relatórios de Terapia PAP

Sejam dados objetivos obtidos a distância ou de forma presencial, a maior dificuldade com relação à utilização dos instrumentos de monitoramento pode ser a falta de padronização das informações geradas pelos diferentes fabricantes em seus respectivos relatórios, o que prejudica a interpretação dos dados apresentados. O desconhecimento dessas diferenças gera interpretações errôneas das informações de uso dos dispositivos pressóricos e pode influenciar negativamente nas estratégias adotadas para o tratamento do usuário[42,47].

Considerando que a avaliação criteriosa é um poderoso instrumento para melhorar a adesão à terapia com pressão positiva[40], e no intuito de homogeneizar o conhecimento para facilitar essa avaliação, o Quadro 10.3 define e interpreta os principais dados objetivos dos relatórios dos equipamentos de terapia PAP em uso para o tratamento da AOS. O Quadro 10.4 apresenta exclusivamente as definições de vazamento do fluxo de ar dos principais fabricantes.

QUADRO 10.3
Definição/interpretação dos dados de utilização da terapia com pressão positiva gerados pelo sistema de monitorização de equipamentos comumente utilizados para o tratamento da AOS

Caracterização do usuário e data do relatório
- Nome, idade. Pode incluir número de série do dispositivo pressórico, nome do médico responsável, entre outros. Apresenta a data em que o relatório foi gerado.

Período do relatório
- Diz respeito ao número de dias que o relatório compreende (não exclui dias de não utilização dentro deste período). Em geral, apresenta a data do primeiro dia de uso do dispositivo no período avaliado e último dia de uso no período avaliado.

Modo terapêutico
- Apresenta o modo no qual o dispositivo pressórico trabalhou no período de avaliação dos dados (por exemplo: CPAP com pressão fixa ou automática, binível com pressão fixa ou automática). Importante: se a seleção de dados incorporar dias com utilização de dispositivo com diferentes modos pressóricos de operação, o modo terapêutico pode não ser apresentado quando o relatório é gerado.

Alívio exalatório
- Apresenta como está definido o nível de redução da pressão terapêutica no início até a metade da fase expiratória. Essa tecnologia é utilizada com o intuito de minimizar a barreira do fluxo de ar na expiração. Alguns equipamentos permitem a graduação deste alívio expiratório em cmH_2O. Em outros, a graduação se dá por nível de sensibilidade e de acordo com o fluxo inspiratório do usuário. Alguns equipamentos permitem a definição deste ajuste somente no período de rampa, com o intuito de não diminuir a pressão terapêutica média. Nesse caso, essa informação também será apresentada no relatório (por exemplo, somente durante a rampa ou durante toda a terapia pressórica). Com relação ao alívio exalatório, não existe comprovação científica de que tais tecnologias melhoram a adesão do usuário à terapia PAP[27-29] e cada caso deve ser avaliado individualmente. Alguns usuários referem grande conforto com essa tecnologia, e outros podem apresentar prejuízo na qualidade de seu sono pelas mudanças pressóricas durante a noite.

(Continua)

Dispositivos de terapia com pressão positiva (PAP) e interpretação de relatórios •• **165**

(Continuação)

QUADRO 10.3
Definição/interpretação dos dados de utilização da terapia com pressão positiva gerados pelo sistema de monitorização de equipamentos comumente utilizados para o tratamento da AOS

Rampa
* A função de rampa existe em praticamente todos os equipamentos de pressão positiva. Durante a rampa, a pressão terapêutica aumenta gradualmente, permitindo a acomodação do usuário ao fluxo de ar gerado pelo equipamento de modo lento e gradual, até que a pressão terapêutica seja atingida. A rampa pode ser fixa ou automática. No modo rampa fixa, o ajuste em geral será feito em minutos. No modo automático, o dispositivo apresenta sensores e um *software* capaz de realizar o ajuste da pressão terapêutica inicial de acordo com o sinal de restrição do fluxo aéreo em decorrência de obstrução da VAS. Alguns usuários de terapia PAP podem apresentar sensibilidade às mudanças pressóricas definidas pelo *software* do equipamento na fase inicial do sono, resultando em dificuldade para iniciar o sono normal. Por outro lado, a rampa fixa pode manter desprotegida a VAS, quando não ajustada de acordo com o tempo em que o usuário inicia o seu sono. Nesse caso, eventos respiratórios poderiam ocorrer sem a vigência da pressão terapêutica adequada.

Pressão do dispositivo
* Apresenta a pressão terapêutica do período avaliado, seja em valor fixo ou faixa pressórica determinada para a atuação do dispositivo pressórico automático. Importante: se a seleção de dados incorporar dias com utilização de dispositivo com diferentes modos pressóricos de operação, o modo terapêutico pode não ser apresentado quando o relatório é gerado.

IAH
* Diz respeito ao índice de apneia-hipopneia residual. Um alto índice de apneia-hipopneia residual pode significar que o nível pressórico do equipamento está inadequado para eliminar os eventos respiratórios obstrutivos. Também pode indicar a presença de eventos respiratórios de origem central (que podem apresentar resolução ao longo do tempo – por exemplo, apneias centrais emergentes, ou necessitar da indicação de outro tipo de equipamento para sua resolução – como um equipamento binível)[50,51]. Importante: os dispositivos pressóricos ainda não possuem tecnologia para interpretar eventos respiratórios mistos, que, em geral, são designados como eventos obstrutivos (esse assunto será abordado mais adiante, no tópico gráficos de alta resolução). Adicionalmente, apneias desconhecidas também podem causar um incremento importante do IAH residual e geralmente estão associadas com alto vazamento não intencional do fluxo de ar. Alguns dispositivos pressóricos não registram os eventos respiratórios que ocorrem no período em que a rampa está acionada.

Tempo de uso da PAP por noite
* Diz respeito ao tempo, em horas, em que o dispositivo pressórico foi efetivamente utilizado. Os dispositivos atuais possuem sensores de fluxo e consideram o tempo de uso efetivo, por meio de detecção do fluxo respiratório (não consideram o tempo que o dispositivo está ligado, porém não conectado ao usuário). Equipamentos antigos, que utilizam apenas horímetro, apresentam o tempo em horas em que o dispositivo estava ligado, conectado ou não ao usuário por meio de interface.

Número total de noites
* Diz respeito ao número de dias compreendidos no período de avaliação do relatório gerado. Não exclui os dias de não utilização.

Número total de noites que a PAP foi utilizada
* Diz respeito ao número de dias compreendidos no período de avaliação do relatório gerado em que o dispositivo foi ligado pelo usuário. Não considera o tempo de uso da terapia PAP. Importante: se o usuário ligar e desligar o aparelho em determinada noite, mesmo que por pouquíssimo tempo, na maioria dos relatórios isso será computado como dia de utilização do equipamento.

Percentual de noites com o uso da PAP $\geq$ 4 horas/noite
* Diz respeito ao percentual de noites em que o usuário utilizou o equipamento de terapia PAP, pelo período igual ou maior do que quatro horas por noite. Considera os parâmetros de adesão estabelecidos pela AAMS (tempo de uso do equipamento $\geq$ a 4 horas em pelo menos 70% das noites monitoradas). Importante: atenção na avaliação desse parâmetro de adesão: se o usuário utilizar o equipamento por 3 horas e 59 minutos durante determinada noite, esse tempo de uso será considerado não adesão.

Gráficos básicos
* Em geral, os relatórios incorporam também gráficos simples (normalmente gráficos de barras) que apresentam visualmente os dados estatísticos presentes nos relatórios.

CPAP: Pressão positiva contínua em via aérea; AOS: apneia obstrutiva do sono; PAP: pressão positiva em via aérea; VAS: via aérea superior; AAMS: American Academy of Sleep Medicine.

Fonte: Adaptado de Piccin, 2017.

166 ·· Seção II – Métodos de avaliação complementar

QUADRO 10.4	
Definição dos dados de vazamento (fuga) dos principais fabricantes	
Philips Respironics	Permite relatório com dois tipos de vazamento: total (intencional + não intencional) ou não intencional. Para todos os dispositivos de PAP aceitam-se valores de vazamento abaixo de 60 L/min.
Resmed	Apresenta os valores de vazamento não intencional. Em geral, para os dispositivos de CPAP aceitam-se valores de vazamento abaixo de 24 L/min.
Fisher & Paykel Healthcare	Somatória do vazamento intencional e não intencional. Em geral, para os dispositivos de CPAP aceitam-se valores de vazamento abaixo de 60 L/min (no caso de máscaras faciais, o vazamento pode ser considerado normal até cerca de 80 L/min).
DeVilbiss Healthcare IntelliPAP	Computa o tempo de alto vazamento como um percentual de tempo em que o vazamento ficou acima de 95 L/min. Em geral, para os dispositivos de CPAP aceitam-se valores de vazamento abaixo de 95 L/min.

Vazamento intencional: trata-se do vazamento esperado que ocorre na válvula exalatória da máscara. Vazamento não intencional: trata-se do vazamento não esperado que ocorre geralmente por ajuste inadequado da máscara na face do usuário. PAP: pressão positiva em via aérea superior; CPAP: pressão positiva contínua em via aérea superior.
Fonte: Adaptado de Piccin, 2017.

Os dados estatísticos podem ser apresentados em média, mediana, percentil ou em valor máximo.

Com relação ao número de horas que a terapia PAP foi utilizada por noite, a mediana sofre menor impacto pelos dias de não utilização e reflete melhor o tempo efetivo de uso do dispositivo em horas por noite. Já a média das horas de uso da terapia PAP é calculada em relação ao período total de dias do relatório, não exclui os dias de não utilização e sofre redução no valor apresentado em função disso. Porém, é a média que participa dos parâmetros de adesão à terapia PAP estipulados pela AAMS[21].

No caso da avaliação da pressão terapêutica, o valor mediano representa melhor a pressão de tratamento do que o valor médio (igualmente por sofrer menor impacto dos valores extremos). O valor da pressão mediana contribui muito para a avaliação da pressão de tratamento e está intrinsecamente relacionado com o valor de percentil pressórico. Esse é um ponto importante e que gera muitas dúvidas. Para calcular um determinado percentil, o *software* do equipamento enumera, em ordem crescente, todas as pressões de tratamento utilizadas em uma determinada noite de uso do dispositivo. Devemos imaginar que essa lista de números está disposta sobre uma régua, e que essa régua representa o tempo em valores percentuais. Quando, por exemplo, dividimos essa régua em percentis de 10, o valor enumerado correspondente ao percentil 90 significa que em 90% do tempo de uso do dispositivo foram observados valores iguais ou abaixo do valor apresentado no percentil 90. Ou seja, o percentil não representa necessariamente o valor de pressão que o usuário necessitou para manter a patência de sua VAS durante toda a noite. Isso somente será verdadeiro se o valor da mediana pressórica for muito semelhante ao valor de percentil. Caso contrário, ocorreram muitas variações da pressão terapêutica ao longo da noite, discrepantes do valor apresentado no percentil pressórico[46].

O valor máximo representa o mais alto valor alcançado durante o tratamento. Pode ser apresentado em relação à fuga e pressão terapêutica, e representa os *outliers*, ou seja, valores fora do comumente observado na maior parte do tempo de uso do equipamento.

Para avaliação de fuga, o valor em percentil representará melhor a necessidade ou não de intervenção para diminuição do vazamento (por exemplo, revisar ou modificar a interface de tratamento; adicionar dispositivos de contenção de escape de ar pela boca – ou seja, uso de queixeira concomitante à terapia PAP; incorporar à terapia PAP profissionais de fonoaudiologia para readequação da musculatura orofaríngea com o intuito de manter o selamento labial durante o uso do dispositivo pressórico).

Na grande maioria dos usuários, os relatórios estatísticos serão plenamente satisfatórios para um bom acompanhamento da terapia com pressão positiva para o tratamento de AOS. Porém, alguns usuários requerem informações adicionais para uma melhor avaliação dos dados terapêuticos, como indivíduos que apresentam sonolência residual, apesar de apresentarem dados adequados no relatório estatístico; ou aqueles que, diagnosticados com eventos basicamente obstrutivos, apresentam eventos centrais no relatório do equipamento; ou ainda aqueles que apresentam eventos centrais residuais (em que a verificação da distribuição dos eventos durante a noite pode, muitas vezes, nortear o tratamento do usuário), entre muitas outras situações. Para esses indivíduos, a análise dos dados gráficos de alta resolução gerados pelos equipamentos mais atuais e dos principais fabricantes serão extremamente relevantes[46].

6. Dados gráficos de alta resolução

Os equipamentos de terapia com pressão positiva modernos possuem um sistema sensível ao diferencial pressórico, resultante das flutuações na pressão causadas pelo movimento inspiratório e expiratório. Esse sistema permite formar, apresentar e interpretar graficamente várias informações de alta resolução, como: sinal do fluxo respiratório ponto a ponto (curva de fluxo respiratório), variações da pressão, ronco vibratório, vazamento, padrões de respiração periódica, entre outros (Figura 10.1). Essas informações geralmente são apresentadas de forma sincronizada, e alguns equipamentos permitem, inclusive, dados concomitantes de oximetria e frequência cardíaca durante o uso do equipamento pressórico, mediante o acoplamento de módulo de oximetria.

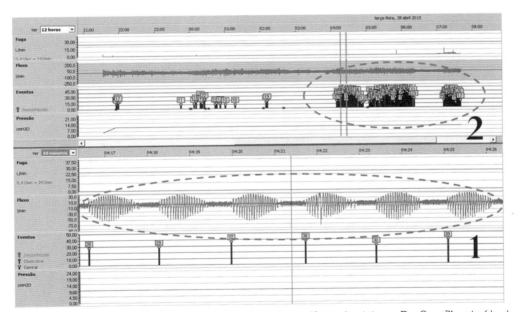

FIGURA 10.1 – Exemplo de tela de apresentação de dados gráficos do sistema ResScan™, extraída de equipamento de pressão positiva da empresa ResMed. Nesse exemplo, podemos verificar, em uma determinada noite de uso do dispositivo pressórico, a distribuição das respirações periódicas do tipo Cheyne-Stokes (1), que se apresentam concentradas no período final da noite (2)
Fonte: Modificada de Piccin, 2018 (com permissão).

168 •• Seção II – Métodos de avaliação complementar

Cada fabricante apresenta características específicas de apresentação e disponibilidade dos dados gráficos de alta resolução, conforme está descrito no Quadro 10.5.

QUADRO 10.5 Dados gráficos de alta resolução	
Fabricante	**Dados a serem observados**
Philips Respironics	Dados sincronizados de fluxo respiratório, pressão, vazamento, ronco, eventos respiratórios, entre outros (das duas últimas noites de uso do equipamento), apresentados em janelas fixas de 6 minutos.
ResMed	Dados sincronizados de fluxo respiratório, pressão, vazamento, ronco, eventos respiratórios, entre outros (dependendo da versão do dispositivo, engloba até as últimas 30 noites de uso do equipamento). Permite personalização da janela de visualização.
Fisher & Paykel Healthcare	Dados sobre fluxo respiratório, respiração a respiração (engloba até 8 sessões, de no máximo 10 horas cada). Permite personalização da janela de visualização.

Fonte: Adaptado de Piccin, 2018.

A interpretação gráfica de alta resolução, principalmente no que diz respeito à curva de fluxo respiratório, respiração a respiração durante a noite inteira, vem alcançando tanta importância na comunidade científica que já existem estudos demonstrando o potencial da avaliação desse sinal gráfico para identificação de diferentes fenótipos na AOS e estimativa de colapsabilidade de VAS durante o sono[52,53]. São estudos realizados com equipamentos que permitem uma melhor frequência de amostragem da curva de fluxo respiratório, mas ainda não sabemos se os traçados provenientes dos sensores disponíveis nos dispositivos pressóricos para o tratamento da AOS permitem uma análise tão detalhada. Entretanto, os estudos já vislumbram que os dados gráficos de alta resolução, gerados pela pressão nasal (ou seja, que podem ser captados nos sensores já disponíveis nos equipamentos de terapia PAP), apresentam um potencial enorme para uma condução individualizada do tratamento da AOS[54]. Um exemplo disso seria a interpretação de eventos respiratórios mistos. Conforme mencionado no Quadro 10.3, na definição de IAH, os dispositivos pressóricos ainda não possuem tecnologia para interpretar eventos respiratórios mistos, que, em geral, são qualificados como eventos obstrutivos nos relatórios estatísticos. A análise detalhada da curva do fluxo respiratório, apresentada pelos gráficos de alta resolução disponíveis nos equipamentos PAP modernos, permite inferir se os eventos são mistos ou não, auxiliando para uma melhor condução da terapia pressórica (Figura 10.2).

Assim, atualmente, dispomos de muitos instrumentos para um acompanhamento próximo e efetivo da terapia com pressão positiva. Diferentes tecnologias surgem ano a ano e de acordo com o fabricante. O mercado já dispõe de tecnologia que permite o ajuste de vários parâmetros pressóricos a distância, dispositivos que realizam a titulação de pressão terapêutica fixa a partir de *auto-trial*, procedimento automático de checagem e readequação da pressão terapêutica. O profissional que atua na área do sono deve ter em mente que a atualização do conhecimento das diferentes tecnologias e das nuances de cada fabricante deve ser constante, sendo essencial para a melhor aplicabilidade e efetividade da pressão positiva no tratamento da AOS.

Dispositivos de terapia com pressão positiva (PAP) e interpretação de relatórios •• **169**

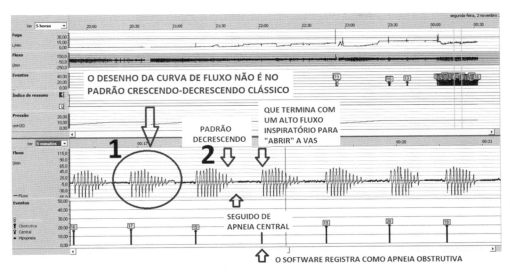

FIGURA 10.2 – Exemplo de tela de apresentação de dados gráficos do sistema ResScan™, extraída de equipamento de pressão positiva da empresa ResMed. Neste exemplo podemos verificar, em uma determinada noite de uso do dispositivo pressórico, que eventos de apneia são registrados pelo *software* como eventos obstrutivos. A avaliação da curva de fluxo respiratório mostra que, a partir de um traçado isométrico do fluxo respiratório, existe uma grande incursão do fluxo inspiratório (1). Isso pode indicar a necessidade de desobstruir a via aérea superior, ou seja, um evento obstrutivo. Porém, precedendo o traçado isométrico, observamos que o fluxo respiratório decresce progressivamente, o que pode indicar um evento respiratório de origem central, ou seja, apneia central (2). A apneia mista, que envolve evento respiratório central seguido de evento obstrutivo, requer uma avaliação muito minuciosa e conhecimento da história clínica do usuário de terapia PAP. Entretanto, a análise gráfica de alta resolução pode colaborar significativamente para a interpretação e adequação terapêutica nesses casos
Fonte: Modificada de Piccin, 2018 (com permissão).

■ Referências

1. Young T, Palta M, Dempsey J, Skatrud J, Weber S, Badr S. The occurrence of sleep-disordered breathing among middle-aged adults. N Engl J Med. 1993;328(17):1230-5.
2. Tufik S, Santos da Silva R, Taddei JA, Bittencourt LR. Obstructive sleep apnea syndrome in the Sao Paulo Epidemiologic Sleep Study. Sleep Med. 2010;11(5):441-6.
3. George CF, Boudreau AC, Smiley A. Simulated driving performance in patients with obstructive sleep apnea. Am J Respir Crit Care Med. 1996;154(1):175-81.
4. Peppard PE, Young T, Palta M, Skatrud J. Prospective study of the association between sleep-disordered breathing and hypertension. N Engl J Med. 2000;342(19):1378-84.
5. Marin JM, Carrizo SJ, Vicente E, Agusti AG. Long-term cardiovascular outcomes in men with obstructive sleep apnea-hypopnea with or without treatment with continuous positive airway pressure: an observational study. Lancet. 2005;365(9464):1046-53.
6. Schäfer H, Koehler U, Ploch T, Peter JH. Sleep-related myocardial ischemia and sleep structure in patients with obstructive sleep apnea and coronary heart disease. Chest. 1997;111(2):387-93.
7. Bassetti CL. Sleep and stroke. Semin Neurol. 2005;25(1):19-32.
8. Pedrosa RP, Drager LF, Gonzaga CC, Sousa MG, de Paula LK, Amaro AC et al. Obstructive sleep apnea: the most common secondary cause of hypertension associated with resistant hypertension. Hypertension. 2011;58(5):811-7.
9. Mehra R, Benjamin EJ, Shahar E, Gottlieb DJ, Nawabit R, Kirchner HL et al. Association of nocturnal arrhythmias with sleep-disordered breathing: The Sleep Heart Health Study. Am J Respir Crit Care Med. 2006;173(8):910-6.

10. Kanagala R, Murali NS, Friedman PA, Ammash NM, Gersh BJ, Ballman KV et al. Obstructive sleep apnea and the recurrence of atrial fibrillation. Circulation. 2003;107(20):2589-94.
11. Schwab RJ, Remmers JE, Kuna ST. Anatomy and physiology of upper airway obstruction. In: Kryger M, Roth T, Dement W, editors. Principles and Practice of Sleep Medicine. 5th ed: Elsevier Saunders; 2010.
12. American Academy of Sleep Medicine. The international classification of sleep disorders: diagnostic and coding manual. 2nd ed. Westchester, Ill.: American Academy of Sleep Medicine; 2005. xviii, 297p.
13. Nerbass FB, Piccin VS, Peruchi BB, Mortari DM, Ykeda DS, FOS M. Atuação da Fisioterapia no tratamento dos distúrbios respiratórios do sono. ASSOBRAFIR Ciência; 2015.
14. Sleep-related breathing disorders in adults: recommendations for syndrome definition and measurement techniques in clinical research. The Report of an American Academy of Sleep Medicine Task Force. Sleep. 1999;22(5):667-89.
15. Peppard PE, Young T, Barnet JH, Palta M, Hagen EW, Hla KM. Increased prevalence of sleep-disordered breathing in adults. Am J Epidemiol. 2013;177(9):1006-14.
16. Heinzer R, Vat S, Marques-Vidal P, Marti-Soler H, Andries D, Tobback N, et al. Prevalence of sleep-disordered breathing in the general population: the HypnoLaus study. Lancet Respir Med. 2015;3(4):310-8.
17. Tarasiuk A, Reuveni H. The economic impact of obstructive sleep apnea. Curr Opin Pulm Med. 2013;19(6):639-44.
18. Bradley TD, Floras JS. Obstructive sleep apnea and its cardiovascular consequences. Lancet. 2009;373(9657):82-93.
19. Redline S, Budhiraja R, Kapur V, Marcus CL, Mateika JH, Mehra R et al. The scoring of respiratory events in sleep: reliability and validity. J Clin Sleep Med. 2007;3(2):169-200.
20. McDaid C, Durée KH, Griffin SC, Weatherly HL, Stradling JR, Davies RJ et al. A systematic review of continuous positive airway pressure for obstructive sleep apnea-hypopnea syndrome. Sleep Med Rev. 2009;13(6):427-36.
21. Gay P, Weaver T, Loube D, Iber C, Force PAPT, Committee SoP et al. Evaluation of positive airway pressure treatment for sleep related breathing disorders in adults. Sleep. 2006;29(3):381-401.
22. Andrade RG, Piccin VS, Nascimento JA, Viana FM, Genta PR, Lorenzi-Filho G. Impact of the type of mask on the effectiveness of and adherence to continuous positive airway pressure treatment for obstructive sleep apnea. J Bras Pneumol. 2014;40(6):658-68.
23. Andrade RG, Madeiro F, Piccin VS, Moriya HT, Schorr F, Sardinha PS et al. Impact of Acute Changes in CPAP Flow Route in Sleep Apnea Treatment. Chest. 2016;150(6):1194-201.
24. Weaver TE, Grunstein RR. Adherence to continuous positive airway pressure therapy: the challenge to effective treatment. Proc Am Thorac Soc. 2008;5(2):173-8.
25. Somers VK, White DP, Amin R, Abraham WT, Costa F, Culebras A et al. Sleep apnea and cardiovascular disease: an American Heart Association/american College Of Cardiology Foundation Scientific Statement from the American Heart Association Council for High Blood Pressure Research Professional Education Committee, Council on Clinical Cardiology, Stroke Council, and Council On Cardiovascular Nursing. In collaboration with the National Heart, Lung, and Blood Institute National Center on Sleep Disorders Research (National Institutes of Health). Circulation. 2008;118(10):1080-111.
26. Brown LK. Autotitrating CPAP: how shall we judge safety and efficacy of a "black box"? Chest. 2006;130(2):312-4.
27. Ayas NT, Patel SR, Malhotra A, Schulzer M, Malhotra M, Jung D et al. Auto-titrating versus standard continuous positive airway pressure for the treatment of obstructive sleep apnea: results of a meta-analysis. Sleep. 2004;27(2):249-53.
28. Powell ED, Gay PC, Ojile JM, Litinski M, Malhotra A. A pilot study assessing adherence to auto-bilevel following a poor initial encounter with CPAP. J Clin Sleep Med. 2012;8(1):43-7.
29. To KW, Chan WC, Choo KL, Lam WK, Wong KK, Hui DS. A randomized cross-over study of auto-continuous positive airway pressure versus fixed-continuous positive airway pressure in patients with obstructive sleep apnoea. Respirology. 2008;13(1):79-86.
30. Weaver TE. Adherence to positive airway pressure therapy. Curr Opin Pulm Med. 2006;12(6):409-13.
31. Pépin JL, Tamisier R, Baguet JP, Lepaulle B, Arbib F, Arnol N, et al. Fixed-pressure CPAP versus auto-adjusting CPAP: comparison of efficacy on blood pressure in obstructive sleep apnoea, a randomised clinical trial. Thorax. 2016;71(8):726-33.
32. Kribbs NB, Pack AI, Kline LR, Smith PL, Schwartz AR, Schubert NM, et al. Objective measurement of patterns of nasal CPAP use by patients with obstructive sleep apnea. Am Rev Respir Dis. 1993;147(4):887-95.
33. Barbé F, Durán-Cantolla J, Sánchez-de-la-Torre M, Martínez-Alonso M, Carmona C, Barceló A, et al. Effect of continuous positive airway pressure on the incidence of hypertension and cardiovascular events in nonsleepy patients with obstructive sleep apnea: a randomized controlled trial. JAMA. 2012;307(20):2161-8.

Dispositivos de terapia com pressão positiva (PAP) e interpretação de relatórios •• **171**

34. Antic NA, Catcheside P, Buchan C, Hensley M, Naughton MT, Rowland S et al. The effect of CPAP in normalizing daytime sleepiness, quality of life, and neurocognitive function in patients with moderate to severe OSA. Sleep. 2011;34(1):111-9.

35. Haynes RB, Taylor DW, Sackett DL. Compliance in Health Care: Johns Hopkins University Press; 1979.

36. Sabaté E. Adherence to long-term therapies: evidence for action: World Health Organization; 2003.

37. Collen J, Lettieri C, Kelly W, Roop S. Clinical and polysomnographic predictors of short-term continuous positive airway pressure compliance. Chest. 2009;135(3):704-9.

38. Freedman N. Treatment of Obstructive Sleep Apnea: Choosing the Best Positive Airway Pressure Device. Sleep Med Clin. 2017;12(4):529-42.

39. Sawyer AM, Gooneratne NS, Marcus CL, Ofer D, Richards KC, Weaver TE. A systematic review of CPAP adherence across age groups: clinical and empiric insights for developing CPAP adherence interventions. Sleep Med Rev. 2011;15(6):343-56.

40. Weaver TE, Sawyer AM. Adherence to continuous positive airway pressure treatment for obstructive sleep apnoea: implications for future interventions. Indian J Med Res. 2010;131:245-58.

41. Lugo V, Villanueva JA, Garmendia O, Montserrat JM. The role of telemedicine in obstructive sleep apnea management. Expert Rev Respir Med. 2017;11(9):699-709.

42. Schwab RJ, Badr SM, Epstein LJ, Gay PC, Gozal D, Kohler M et al. An official American Thoracic Society statement: continuous positive airway pressure adherence tracking systems. The optimal monitoring strategies and outcome measures in adults. Am J Respir Crit Care Med. 2013;188(5):613-20.

43. Hwang D. Monitoring Progress and Adherence with Positive Airway Pressure Therapy for Obstructive Sleep Apnea: The Roles of Telemedicine and Mobile Health Applications. Sleep Med Clin. 2016;11(2):161-71.

44. Hwang D, Chang JW, Benjafield AV, Crocker ME, Kelly C, Becker KA et al. Effect of Telemedicine Education and Telemonitoring on CPAP Adherence: The Tele-OSA Randomized Trial. Am J Respir Crit Care Med. 2017.

45. Parthasarathy S, Subramanian S, Quan SF. A multicenter prospective comparative effectiveness study of the effect of physician certification and center accreditation on patient-centered outcomes in obstructive sleep apnea. J Clin Sleep Med. 2014;10(3):243-9.

46. Piccin VS. Curvas de Fluxo Respiratório. Apostila integrante da aula avançada para acompanhamento de terapia com pressão positiva nos distúrbios respiratórios do sono (101 folhas). São Paulo; 2018. No prelo.

47. Piccin VS. Aparelhos de Pressão Positiva, Adesão, Cuidados e Segmento. In: Togeiro SMGP, Genta PR, Lorenzi Filho G, editors. Sono. Volume 12. São Paulo: Atheneu; 2017.

48. Lankford DA. Wireless CPAP patient monitoring: accuracy study. Telemed J E Health. 2004;10(2):162-9.

49. Bros JS, Poulet C, Arnol N, Deschaux C, Gandit M, Charavel M. Acceptance of Telemonitoring Among Patients with Obstructive Sleep Apnea Syndrome: How is the Perceived Interest by and for Patients? Telemed J E Health. 2017.

50. Philippe C, Stoïca-Herman M, Drouot X, Raffestin B, Escourrou P, Hittinger L, et al. Compliance with and effectiveness of adaptive servoventilation versus continuous positive airway pressure in the treatment of Cheyne-Stokes respiration in heart failure over a six month period. Heart. 2006;92(3):337-42.

51. Allam JS, Olson EJ, Gay PC, Morgenthaler TI. Efficacy of adaptive servoventilation in treatment of complex and central sleep apnea syndromes. Chest. 2007;132(6):1839-46.

52. Azarbarzin A, Sands SA, Taranto-Montemurro L, Oliveira Marques MD, Genta PR, Edwards BA, et al. Estimation of Pharyngeal Collapsibility During Sleep by Peak Inspiratory Airflow. Sleep. 2017;40(1).

53. Genta PR, Sands SA, Butler JP, Loring SH, Katz ES, Demko BG, et al. Airflow Shape Is Associated With the Pharyngeal Structure Causing OSA. Chest. 2017;152(3):537-46.

54. Sands SA, Edwards BA, Terrill PI, Taranto-Montemurro L, Azarbarzin A, Marques M, et al. Phenotyping Pharyngeal Pathophysiology Using Polysomnography in Patients with Obstructive Sleep Apnea. Am J Respir Crit Care Med. 2018.

Actigrafia 11

Bruno Gonçalves

A actigrafia ou actimetria é uma técnica que permite registrar a cada intervalo de tempo (geralmente 30 ou 60 segundos) a quantidade de atividade[1]. O actígrafo ou actímetro é utilizado no braço não dominante e tem o formato de um relógio.

O acelerômetro é o componente principal do actígrafo e é responsável por medir a aceleração nos três eixos. Um filtro eletrônico permite retirar a aceleração de baixa frequência existente devido à gravidade. Após medir a aceleração nos três eixos e retirar o efeito da gravidade, o actígrafo calcula a aceleração resultada dos três eixos, gerando um sinal que varia no tempo. Existem três formas de analisar esse sinal resultante para calcular o nível de movimentação a cada minuto, são elas: PIM, ZCM e TAT.

No modo *proportional integral mode* (PIM) é calculada a área sobre a curva gerada pelo sinal de aceleração, e a cada intervalo de tempo esse valor é registrado. O modo ZCM (*zero crossing mode*) conta quantas vezes o sinal passou pelo zero (lembrando que a aceleração varia entre valores negativos e positivos). No modo *time above threshold* (TAT) é registrado o tempo total dentro daquele minuto em que a aceleração ficou acima de um limiar estabelecido.

Alguns modelos são à prova d'água e podem medir também exposição à luz, temperatura do punho, batimento cardíaco e outras variáveis fisiológicas. A partir do registro de atividade, são feitos dois tipos de análise: do sono e do ritmo circadiano.

1. Estimativa do sono

A análise do sono se baseia na estimativa do que é vigília e do que é sono a partir da movimentação do ritmo de atividade e repouso. Essa estimativa apresenta um erro, porque estar parado nem sempre significa estar dormindo. Diversos trabalhos mostram que em média 90% das épocas estimadas como sono concordam com a polissonografia – essa é a chamada sensibilidade – e há no máximo 60% de concordância, ou especificidade, nas épocas estimadas como vigílias[1-3]. Apesar desse erro, essa técnica apresenta grandes vantagens, como: possibilidade de registrar o sono por vários dias (devido ao alto custo

174 •• Seção II – Métodos de avaliação complementar

do exame de polissonografia, que é realizado numa noite); o sono é registrado no ambiente natural e sem necessidade de sensores conectados ao corpo (na polissonografia, geralmente, o sujeito dorme fora de casa). O erro associado à técnica é reduzido quando é utilizada como acompanhamento de algum tratamento, pois nesse caso a comparação é feita no mesmo sujeito.

Os parâmetros medidos pela estimativa do sono são parecidos com os da polissonografia. Como a actigrafia estima parâmetros do sono, neste capítulo será utilizado o termo "repouso" para ser mais fiel ao que realmente é medido. Com a actigrafia, é possível identificar início do tempo na cama, início do repouso, latência para início do repouso, fim do repouso, tempo total de repouso, tempo total na cama, eficiência do repouso e atividade após início do repouso. O início do tempo na cama pode ser informado apertando um botão de evento, enquanto o início do repouso é considerado os 10 minutos seguidos de épocas estimadas como sono. A latência é o intervalo entre o deitar na cama e começar o repouso. O fim do repouso é considerado o início dos 10 minutos seguidos de épocas estimadas como vigília. O Tempo Total de Repouso (TTR) é a diferença entre o fim e início do repouso, enquanto o Tempo Total na Cama (TTC) é a diferença entre o horário de deitar e levantar. A Atividade Após Início do Repouso (AAIR) é a soma de todas as épocas estimadas como vigília no período do sono.

2. Algoritmos para estimativa do sono

O actígrafo mede a movimentação a cada intervalo de tempo e, a partir desse registro, não é possível afirmar se o indivíduo está dormindo ou acordado. Algumas formas de estimar o sono foram desenvolvidas ao longo dos anos e existem três principais algoritmos para essa estimativa.

O primeiro algoritmo, chamado Cole-Kripke (Equação 11.1), considera o nível de atividade no minuto atual (A_0), as atividades de quatro minutos anteriores (A_{-4} a A_{-1}) e as atividades de dois minutos posteriores (A_{+1} e A_{+2}). Para cada um desses valores foi associado um peso (W_{-4} a W_{+2}). Além dos pesos individuais, também é utilizado um peso geral (P) para ajustar a equação de forma que, se o resultado D for maior ou igual a um, aquela época (A_0) é estimada como vigília, caso contrário, como sono.

$$D = P(W_{-4}A_{-4} + W_{-3}A_{-3} + W_{-2}A_{-2} + W_{-1}A_{-1} + W_{-0}A_{-0} + W_{+1}A_{+1} + W_{+2}A_{+2})$$

(Equação 11.1)

Outro algoritmo utiliza épocas de 30 segundos para estimar se o sujeito está dormindo ou acordado. Nesse caso, as atividades de dois minutos anteriores (E_{-4} até E_{-1}) e dois minutos posteriores (E_{+1} até E_{+4}) à época analisada (E_0) são utilizadas. A Equação 11.2 descreve esse algoritmo, e, se o resultado (A) for maior do que um limiar predefinido à época analisada (E_0), é considerado vigília.

$$A = 0.04E_{-4} + 0.04E_{-3} + 0.2E_{-2} + 0.2E_{-1} + 2E_{-0} + 0.2E_{+1} + 0.2E_{+2} + 0.04E_{+3} + 0.04E_{+3}$$

(Equação 11.2)

O terceiro algoritmo é diferente dos outros dois por utilizar funções matemáticas, como média, desvio padrão e logaritmo natural. A Probabilidade de Sono (PS) é calculada pela Equação 11.3 e tem um valor fixo e sucessivas subtrações. A primeira subtração considera a média de uma faixa que contém a atividade do minuto atual e os cinco minutos posteriores e anteriores a ele (média 5). A segunda subtração (NAT) considera o número de épocas dentro da faixa descrita anteriormente cuja atividade está entre uma faixa de valores (entre 50 e 100, por exemplo). A terceira subtração está associada ao desvio padrão das atividades que correspondem ao minuto estimado e os cinco minutos anteriores a ele (SD6). A última subtração corresponde ao logaritmo natural da época estimada (A_0) somada a 1 (para evitar que ocorra o cálculo de log de zero).

$$PS = 7.601 - 0.065\text{média5} - 1.08NAT - 0.056SD6 - 0.703LOG(A_0+1)$$

(Equação 11.3)

Existem basicamente duas técnicas amplamente utilizadas para comparação da eficiência desses algoritmos em estimar o sono: comparação época a época e a técnica de Bland e Altman para os parâmetros do sono.

Na comparação época a época, são calculados os seguintes valores: sensibilidade (proporção de todas as épocas classificadas como sono na polissonografia que também foram classificadas pela actigrafia), especificidade (proporção das épocas classificadas como vigília em ambas as metodologias) e acurácia (proporção das épocas classificadas corretamente).

Na técnica de Bland e Altman são consideradas as medidas dos parâmetros do sono (eficiência, tempo total etc.) calculadas pela polissonografia e actigrafia. Para cada parâmetro, calcula-se a média dos valores, a diferença entre eles e o desvio padrão das diferenças. Diferenças médias nulas mostram uma concordância perfeita, diferenças positivas indicam uma superestimação da medida de actigrafia e diferenças médias negativas, uma subestimação. O desvio padrão, que mede flutuações aleatórias em torno desta média, e os limites de 95% (diferença média ± 1,96 desvios padrão) fornecem uma estimativa de quão distantes as medidas obtidas pelos dois métodos provavelmente seriam para a maioria dos indivíduos.

3. Ritmo circadiano de atividade e repouso

Os ritmos circadianos são oscilações em parâmetros fisiológicos e comportamentais que se repetem em períodos próximos de 24 horas. Em condições normais, quando exposto ao ciclo claro/escuro, o período é igual a 24 horas. A actimetria mede o ritmo circadiano de atividade e repouso e, a partir desse registro, é possível extrair quatro parâmetros do ritmo circadiano: regularidade, fragmentação, amplitude e fase.

A regularidade, medida por uma variável chamada IS (do inglês *inter daily stability*), calcula o quanto algumas atividades, como início e fim do período de repouso, exercícios físicos, refeições etc., ocorrem em horários próximos a cada dia. A fragmentação, representada por IV (do inglês *intra daily variability*), mede a presença de despertares noturnos e episódios de repouso durante o dia. A amplitude do ritmo pode ser calculada no período de atividade (um exemplo é a soma das 10 horas seguidas de maior atividade, ou M10), no período do repouso (soma das cinco horas seguidas de menor atividade) ou no ritmo todo (como uma relação entre M10 e L5). A fase pode ser calculada por alguns marcadores, como início do repouso, início da atividade, início das 10 horas seguidas de maior atividade ou qualquer outro evento específico.

4. Actograma

A construção do actograma é baseada no registro bruto do nível de movimentação a cada intervalo de tempo (dependendo da frequência de amostragem, que varia entre 30 segundos e 5 minutos).

Uma forma de caracterizar os distúrbios do ritmo circadiano de atividade e repouso é a utilização de actograma. Nesse gráfico, cada linha representa um dia (na versão *plot* simples) ou dois dias (duplo *plot*, sendo o dia anterior e o dia posterior). Cada coluna do actograma representa a hora do dia – no caso do *plot* simples, são 24 horas, e do duplo *plot*, são 48 horas. A Figura 11.1 mostra exemplos de actogramas referentes aos principais distúrbios do ritmo circadiano: (A) fase adiantada; (B) sono normal; (C) fase atrasada; (D) sono não 24 horas ou livre-curso; (E) irregular e (F) trabalho em turno. A fase do sono é indicada como os períodos em preto.

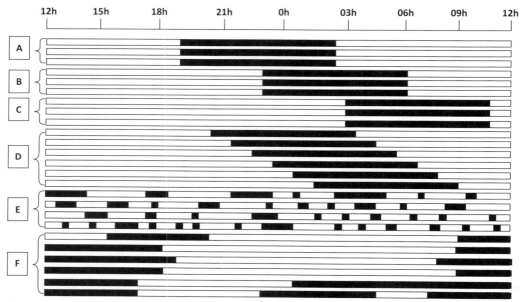

FIGURA 11.1 – Exemplos de actogramas referentes aos principais distúrbios do ritmo circadiano: (A) fase adiantada; (B) sono normal; (C) fase atrasada; (D) sono não 24 horas ou livre-curso; (E) irregular e (F) trabalho em turno
Fonte: Elaborada pelo autor.

Aqui será utilizada a definição de sono normal como aquele que ocorre durante o período da noite entre as 22 e 06 horas. Isso porque a maioria das pessoas com compromissos sociais tentam alocar seu período de sono nesse horário. No caso da fase avançada, esse período ocorre muito mais cedo (entre as 19 e 03 horas), gerando prejuízo funcional. O mesmo ocorre com as pessoas com a fase atrasada, que dormem em média entre as 03 e 11 horas, quando possível. Pessoas com sono do tipo não 24 horas ou livre-curso tendem a dormir e acordar cada dia mais tarde (na maioria dos casos). Em alguns casos mais raros, a tendência é de dormir e acordar cada dia mais cedo. No sono tipo irregular, associado geralmente à neurodegeneração do núcleo supraquiasmático, os períodos de sono ocorrem de forma aleatória e bem fragmentada. No ritmo irregular, não é possível distinguir de forma clara a fase de atividade da fase de repouso. No caso de trabalhadores em turno, o período de sono está associado ao tipo do trabalho (noturno ou jornadas do tipo 12 por 36 horas).

5. Perfil médio

O perfil médio diário é um dia criado artificialmente como uma média de todos os dias. Dessa forma, o primeiro minuto do dia artificial é a média dos primeiros minutos de todos os dias. Essa ferramenta nos ajuda a identificar comportamentos regulares, seja de aumento no nível de atividade ou redução. Quando a pessoa tem horários regulares de dormir e acordar, no perfil médio vemos um padrão de aumento e redução da atividade bem definido. Quando a pessoa cochila sempre no mesmo horário, é possível identificar esse padrão no perfil médio com uma redução no nível de atividade naquele horário.

Essa ferramenta é bem útil, principalmente para definir comportamentos que podem ser responsáveis por melhorar ou piorar o ritmo circadiano, por exemplo, os cochilos, atividades físicas ou despertares noturnos regulares. Por meio do perfil médio, é possível identificar a existência dessa regularidade.

6. Periodograma

O periodograma é uma ferramenta que permite estudar quais são os períodos significativos que existem no ritmo de atividade e repouso. Idealmente, é esperado que somente o período de 1.440 minutos (ou 24 horas) esteja presente no ritmo. Isso mostra que o indivíduo está sincronizado ao ciclo claro-escuro. O período é diferente de 1.440 minutos quando o paciente apresenta um sono não 24 horas. No caso de não existir um período significativo, o paciente apresenta uma arritmicidade.

7. Uso da actigrafia na clínica: estudo de caso do uso na psiquiatria

De forma geral, a actigrafia pode ser utilizada no estudo dos distúrbios do sono para diagnóstico e acompanhamento do tratamento. Com relação ao uso no diagnóstico, a actigrafia pode auxiliar na identificação de distúrbios do ritmo circadiano (fase avançada e atrasada, sono não 24 horas e ritmo irregular). A actigrafia pode ser utilizada para acompanhar a eficiência de tratamentos em distúrbios como pesadelos, distúrbio comportamental do sono REM, soniloquio, sonambulismo, distúrbios do ritmo circadiano citados anteriormente, sonolência excessiva diurna e insônia.

Nas síndromes de fase avançada e atrasada, a actigrafia pode auxiliar no diagnóstico, no acompanhamento do tratamento e na identificação da adesão do paciente nos tratamentos que envolvem atrasar ou avançar a fase de forma forçada. Atualmente, os actímetros medem também a exposição à luz, o que auxilia no planejamento de maior exposição à luz durante o dia (para atraso de fase) e maior exposição à luz durante a noite (para o avanço de fase). O actímetro pode auxiliar no diagnóstico do sono não 24 horas e no ritmo irregular, além do acompanhamento da adesão do paciente a técnicas comportamentais, como aumento na regularidade da exposição à luz, dos horários de dormir e acordar e de práticas de exercícios físicos.

178 •• Seção II – Métodos de avaliação complementar

No caso dos distúrbios da sonolência excessiva diurna, a actimetria pode auxiliar na avaliação dos padrões de sono, especificamente a duração e a eficiência, podendo identificar se esses fatores são determinantes para esses distúrbios ou, caso contrário, se exames complementares são necessários para avaliação mais detalhada do estagiamento do sono. Em alguns casos, a actigrafia pode identificar que a sonolência diurna está associada a uma maior necessidade de sono, seja por se tratar de um grande dormidor ou por restrição devido à rotina social. Já no caso da insônia, a actimetria poderá auxiliar na identificação do tipo, bem como a latência do sono, dos despertares noturnos e quando ocorre o despertar, no caso de despertar precoce.

Alguns estudos que utilizaram a actigrafia encontraram diferenças no sono de pacientes psiquiátricos comparados a grupos-controles. O repouso em pessoas com transtorno bipolar apresenta maior tempo de atividade, maior duração e maior tempo na cama. Em pacientes com esquizofrenia, a actigrafia mostrou um tempo total de repouso e latência maior. Na depressão, o tempo de vigília após o início do repouso é maior do que no grupo-controle. Em adolescentes com alto risco para psicose, a eficiência do repouso é menor, e a vigília após o início do repouso é maior.

O ritmo circadiano de pacientes com transtornos neuropsiquiátricos apresenta diferenças quando comparado ao de pessoas do grupo-controle[4]. Pacientes com Alzheimer, Parkinson, transtorno bipolar, esquizofrenia e depressão apresentam um ritmo mais fragmentado (Quadro 11.1). Isso significa que podem apresentar maior número de despertares noturnos e/ou episódios de sono diurno. A regularidade do ritmo é reduzida em pacientes com Alzheimer, transtorno bipolar e depressão unipolar. Pessoas com Alzheimer, alto risco para transtorno bipolar/esquizofrenia e Parkinson apresentam um menor valor da soma de atividade das 10 horas seguidas de maior atividade. Nesses grupos, o nível da atividade durante a vigília é menor do que no grupo-controle.

QUADRO 11.1 Características do sono e do ritmo circadiano nos diferentes transtornos neuropsiquiátricos		
Transtorno neuropsiquiátrico	**Sono**	**Ritmo**
Transtorno bipolar[7-8]	• Maior tempo total de sono • Maior número de despertares noturnos	• Mais fragmentado • Mais irregular • Menor amplitude
Depressão[9]	• Maior número de despertares noturnos	• Mais fragmentado • Mais irregular • Menor amplitude
Esquizofrenia[10]	• Maior latência para início do sono • Maior tempo total de sono	• Mais fragmentado • Menor amplitude
Alto risco de esquizofrenia/ transtorno bipolar[11]	• Menor eficiência do sono • Maior número de despertares noturnos	• Mais fragmentado • Menor amplitude
Alzheimer[12]	• Maior fragmentação do sono	• Mais fragmentado • Mais irregular • Menor amplitude
Parkinson[13]	• Menor eficiência do sono	• Mais fragmentado • Menor amplitude

Fonte: Murray G, Harvey A, 2010; Rock P et al., 2014; Nicole E, Colleen A, 2013; Wulff K et al., 2012; Castro J et al., 2015; van Someren EJ et al., 1996; Perez-Lloret S et al., 2009; Monti JM et al., 2013.

As alterações encontradas no sono e no ritmo circadiano de pessoas com transtornos neuropsiquiátricos mostram que a actigrafia pode ser utilizada como medida de eficiência dos tratamentos[5]. A partir do acompanhamento do registro do sono e do ritmo, é possível identificar se o início ou mudança de algum tratamento foi eficiente em melhorar parâmetros do sono ou do ritmo circadiano. Considera-se uma melhora nesses parâmetros quando há um aumento na regularidade, amplitude da atividade diurna e eficiência do sono, por exemplo. Além disso, a redução nos despertares noturnos, na fragmentação do ritmo e no tempo de vigília após início do sono podem ser utilizados como informações para quantificar a eficiência do tratamento.

8. Considerações finais

Em todos esses casos, a actigrafia é útil para ajudar a fechar o diagnóstico e no acompanhamento do tratamento. Alguns desses distúrbios podem ser confundidos se considerarmos somente o relato do paciente ou do cuidador. O livre-curso é um caso em que essa dificuldade pode ocorrer, pois haverá momentos em que o paciente conseguirá manter o seu sono no mesmo período que as pessoas ao seu redor. Além disso, devido aos compromissos sociais, a hora de acordar tende a ser a mesma por causa do uso do despertador. Dessa forma, o relato do paciente e dos familiares poderá confundir o profissional, dificultando, assim, o tratamento. O Quadro 11.2 mostra, de forma resumida, como a actigrafia pode auxiliar no estudo dos distúrbios do sono e do ritmo circadiano.

O uso da actigrafia pode também ser útil no acompanhamento de tratamentos. Alguns medicamentos alteram o sono noturno, causam sonolência diurna ou alteram o ritmo como um todo. Essas alterações podem ser identificadas pela actigrafia, e, com o relato do paciente, auxiliar na mudança do tratamento. Em alguns casos, a actigrafia pode mostrar ao paciente que houve uma melhora com o tratamento e reforçar a necessidade de adesão. Como método objetivo, a actigrafia pode auxiliar nas consultas, ajudando a esclarecer relatos subjetivos e a dar mais segurança no acompanhamento do paciente.

A actigrafia é uma técnica que pode auxiliar na integração de equipes multiprofissionais. O registro obtido pela técnica pode ser utilizado por diferentes profissionais especialistas em sono, tanto na identificação de distúrbios quanto no acompanhamento de tratamentos. Nos distúrbios respiratórios, a actigrafia pode ser utilizada por profissionais de fisioterapia, fonoaudiologia, odontologia e pneumologia para acompanhar o tratamento com equipamento de pressão aérea positiva, aparelho intraoral ou na reabilitação miofuncional. Nesses casos, os profissionais terão uma medida objetiva de como esses tratamentos estão sendo eficientes na melhoria dos parâmetros do sono e do ritmo circadiano de atividade e repouso.

O uso da actigrafia por profissionais da saúde mental pode acontecer durante a terapia cognitivo-comportamental, no tratamento de insônia por má percepção, e principalmente na higiene do sono, com a identificação de comportamentos que podem atrapalhar o sono.

O estudo da sonolência também pode ser feito com a actigrafia, principalmente para analisar se a causa está relacionada com a restrição do tempo total de sono. Comparando os parâmetros de início e fim do repouso nos dias com e sem compromisso social (como finais de semana e feriados), é possível identificar se há uma restrição de sono. Nesse caso, o tratamento é bem diferente de hipersonolências, como narcolepsia, por exemplo.

180 •• Seção II – Métodos de avaliação complementar

QUADRO 11.2 Descrição do uso da actimetria nos diferentes distúrbios de sono		
Distúrbios do sono		**Uso da actimetria**
Distúrbio do comportamento do sono anormal	Pesadelos e sono	Auxilia na identificação da eficiência dos tratamentos desses distúrbios. Além disso, é possível verificar se houve uma melhora na atividade diurna analisando o nível de atividade e presença de sono diurno.
	Distúrbio comportamental do sono REM	
	Sonilóquio	
	Sonambulismo	
Distúrbios do ritmo circadiano	Síndrome do avanço da fase de sono	Em ambas as síndromes, a actimetria pode auxiliar no diagnóstico, no acompanhamento do tratamento e na identificação da adesão do paciente nos tratamentos que envolvem atrasar ou avançar a fase de forma forçada. Atualmente, os actímetros medem também a exposição à luz, o que auxilia no planejamento de maior exposição à luz durante o dia (para atraso de fase) e maior exposição à luz durante a noite (para o avanço de fase).
	Síndrome do atraso da fase de sono	
	Distúrbio do sono vigília de não 24 horas	O actímetro pode auxiliar no diagnóstico desses distúrbios e acompanhar a adesão do paciente a técnicas comportamentais, como aumento na regularidade da exposição à luz, dos horários de dormir e acordar e de práticas de exercícios físicos.
	Ritmo irregular	
	Distúrbio do trabalho em turnos	A actimetria identifica os padrões de sono (horário de dormir e acordar) e, com isso, pode auxiliar a orientação para um padrão do ciclo vigília-sono de acordo com os horários de trabalho. É possível também comparar a duração do sono nos dias de trabalho com os dias de folga e avaliar se há débito de sono.
Distúrbios da sonolência excessiva diurna	Sonolência excessiva	Para os distúrbios da sonolência excessiva, a actimetria auxiliará na avaliação dos padrões de sono, especificamente a duração e a eficiência, podendo identificar se esses fatores são determinantes para esses distúrbios ou, caso contrário, se exames complementares são necessários para avaliação mais detalhada do estagiamento do sono.
	Sonolência extrema	
	Narcolepsia e cataplexia	
	Narcolepsia e sono	
Insônia	Insônia	A actimetria poderá auxiliar na identificação do tipo de insônia, bem como a duração da latência do sono e dos despertares.
Outros distúrbios do sono	Incontinência urinária noturna	A avaliação de outros distúrbios por meio da actimetria é uma medida complementar, dada a especificidade de cada distúrbio, sendo que sua utilização centra-se na avaliação dos despertares e da eficiência do sono.
	Ronco e sono	

Fonte: Retirado de http://www.absono.com.br/absono/wp-content/uploads/2014/11/Artigo-Actigrafia.pdf.

• **Pontos práticos:** para um melhor resultado com esse tipo de técnica, é preciso informar o paciente sobre a necessidade do uso constante do actígrafo. Muitos acreditam que deva ser utilizado somente durante o sono ou esquecem de usá-lo novamente após uma retirada. Uma forma de evitar esses problemas é entrar em contato com o paciente nos primeiros dias do exame por meio de mensagens por celular ou ligações telefônicas. IMPORTANTE: Para uma melhor caracterização do ritmo circadiano, a sugestão é que o registro tenha, no mínimo, 30 dias. Dois artigos mostram pacientes com insônia cíclica que se repetia em média a cada 42 dias, por isso é preciso ajustar esse tempo para cada caso.

- **Desvantagens da actigrafia:** na análise especificamente do sono, a desvantagem dessa técnica é que o resultado é uma estimativa do que é sono e do que é vigília.

- **Vantagens da actigrafia:** o exame pode ser feito em casa, no seu ambiente natural e livre de eletrodos e sensores que podem atrapalhar o sono. Além disso, o registro de diversas noites possibilita comparações entre as noites sucessivas de sono em diferentes ocasiões (como nos dias de semana e nos finais de semana). Isso permite calcular se a pessoa está com restrição de sono (no caso em que o sono total no final de semana é maior do que nos dias de semana) e o quanto o início do sono é regular.

A actigrafia ainda é uma técnica pouco utilizada, mas que tem um futuro promissor na psiquiatria. Recentemente o Instituto Nacional de Saúde dos Estados Unidos (NIH, sigla em inglês) criou, em 2009, o Projeto de Pesquisa em Domínio de Critérios, o RDoc. Nesse projeto, a actigrafia é um dos instrumentos que ajudará o psiquiatra a descrever melhor os transtornos mentais.

■ Referências

1. Ancoli-Israel S, Martin JL, Blackwell T, Buenaver L, Liu L, Meltzer LJ, Sadeh A, Spira AP, Taylor DJ. The SBSM Guide to Actigraphy Monitoring: Clinical and Research Applications. Behav Sleep Med. 2015;(13 Suppl 1):4-38.
2. de Souza L, Benedito-Silva AA, Pires ML, Poyares D, Tufik S, Calil HM. Further validation of actigraphy for sleep studies. Sleep. 2003 Feb 1;26(1):81-5.
3. Ray MA, Youngstedt SD, Zhang H, Robb SW, Harmon BE, Jean-Louis G, Cai B, Hurley TG, Hébert JR, Bogan RK, Burch JB. Examination of wrist and hip actigraphy using a novel sleep estimation procedure. Sleep Sci. 2014 Jun;7(2):74-81.
4. Baandrup L, Jennum PJ. A validation of wrist actigraphy against polysomnography in patients with schizophrenia or bipolar disorder. Neuropsychiatr DisTreat. 2015;11:2271-7.
5. Gonçalves BS, Adamowicz T, Louzada FM, Moreno CR, Araujo JF. A fresh look at the use of nonparametric analysis in actimetry. Sleep Med Rev. 2015;20:84-91.
6. Gonçalves B, Felden E, Marqueze EC, Moreno CRC. A actimetria como ferramenta de auxílio para diagnóstico e tratamento de distúrbios de sono [Acesso em: maio 3 2018]. Disponível em: http://docplayer.com.br/36051968-A-actimetria-como-ferramenta-de-auxilio-para-diagnostico-e-tratamento-de-disturbios-de-sono.html.
7. Murray G, Harvey A. Circadian rhythms and sleep in bipolar disorder. Bipolar Disord. 2010;12(5):459-72.
8. Rock P, Goodwin G, Harmer C, Wulff K. Daily rest-activity patterns in the bipolar phenotype: a controlled actigraphy study. Chronobiol Int. 2014;31(2):290-6.
9. Nicole E, Colleen A McClung. Major depressive disorder: a loss of circadian synchrony? Bioessays 2013;35(11):940-4.
10. Wulff K, Dijk DJ, Middleton B, Foster RG, Joyce EM. Sleep and circadian rhythm disruption in schizophrenia. Br J Psychiatry. 2012;200(4):308-16.
11. Castro J, Zanini M, Goncalves B da S, Coelho FM, Bressan R, Bittencourt L, et al. Circadian rest-activity rhythm in individuals at risk for psychosis and bipolar disorder. Schizophrenia research. 2015;168(1-2):50-5.
12. van Someren EJ, Hagebeuk EE, Lijzenga C, Scheltens P, de Rooij SE, Jonker C, et al. Circadian rest-activity rhythm disturbances in Alzheimer's disease. Biological psychiatry. 1996 Aug 15;40(4):259-70. PubMed PMID: 8871772.
13. Perez-Lloret S, Rossi M, Nouzeilles MI, Trenkwalder C, Cardinali DP, Merello M. Parkinson's disease sleep scale, sleep logs, and actigraphy in the evaluation of sleep in parkinsonian patients. J Neurol. 2009;256(9):1480-4.
14. Monti JM, Bahammam AS, Pandi-Perumal SR, Bromundt V, Spence DW, Cardinali DP, Brown GM. Sleep and circadian rhythm dysregulation in schizophrenia. Prog Neuropsychopharmacol Biol Psychiatry. 2013 Jun 3;43:209-16.

Seção III
Diagnóstico dos distúrbios do sono

Diagnóstico da insônia 12

Luciano Ribeiro Pinto Junior

O diagnóstico da insônia exige uma avaliação clínica criteriosa e detalhada. O universo do insone depende de transtornos intrínsecos, constitucionais e neurobiológicos, que modificam o funcionamento do sistema nervoso central, enquanto fatores extrínsecos cronificam e alteram cognitivamente a percepção que o insone tem de seu estado de sono, desenvolvendo com o tempo comportamentos e pensamentos inadequados.

A insônia, independentemente de sua etiologia, está associada a sintomas adversos, como distúrbios físicos, mentais e emocionais, como alterações do humor, ansiedade, irritabilidade, dificuldade de concentração e memorização. Na insônia inicial, o paciente apresenta dificuldade para iniciar o sono, enquanto a insônia de manutenção é caracterizada por despertares durante a noite que podem ser de curta ou de longa duração[1-6].

A insônia pode ser classificada em aguda ou crônica. A insônia aguda dura menos de três meses e geralmente surge como resposta a fatores estressores de natureza psicogênica, médica ou ambiental. As insônias crônicas são aquelas que frequentemente levam o paciente a procurar o médico, uma vez que tendem a se desenvolver durante meses, anos, ou mesmo por toda uma vida[1-6].

De acordo com os fatores etiopatogênicos, as insônias podem ser classificadas como sintomáticas ou constituir uma entidade própria, denominada Distúrbio da Insônia. O Distúrbio Crônico da Insônia tem duração mínima de três meses, não é causado por nenhum outro transtorno mental, neurológico, clínico, por outro distúrbio do sono, pelo uso de medicações, pelo abuso de substâncias ou por uma higiene do sono inadequada facilmente identificável, a qual é o agente causal da insônia (Quadro 12.1)[1-6].

Denomina-se insônia sintomática quando ocorrem outras condições médicas que têm participação importante na manutenção da insônia. As insônias podem, então, estar associadas à depressão, ansiedade generalizada, higiene do sono inadequada, enfermidades clínicas, ao uso de substâncias e medicamentos[1-6].

186 •• Seção III – Diagnóstico dos distúrbios do sono

QUADRO 12.1 **Conceito de distúrbio de insônia[1]**
1. Queixa de insatisfação com a quantidade ou qualidade do sono, associada a um (ou mais) dos seguintes sintomas: dificuldade de iniciar o sono; dificuldade de manter o sono, caracterizado por frequentes despertares ou problemas em retornar a dormir após o despertar; despertar precoce pela manhã com dificuldade em retornar ao sono.
2. O distúrbio do sono causa, clinicamente, comprometimento do funcionamento social, ocupacional, educacional, acadêmico, comportamental ou em outra área importante.
3. A dificuldade de dormir ocorre, pelo menos, em três noites na semana.
4. A dificuldade de dormir está presente em, pelo menos, três meses.
5. A dificuldade de dormir ocorre a despeito de oportunidade adequada para o sono.
6. A insônia não é melhor explicada, ou não ocorre exclusivamente, durante o curso de outro distúrbio do sono (narcolepsia, distúrbio respiratório do sono, distúrbio do ritmo circadiano vigília-sono, parassonia).
7. A insônia não é atribuída aos efeitos fisiológicos de uma substância (como abuso de droga e medicamentos).
8. Transtorno mental coexistente e condições médicas não explicam a queixa predominante de insônia.

Fonte: Adaptado de American Academy of Sleep Medicine, 2014.

1. Avaliação do insone

■ 1.1. Anamnese

A avaliação dos insones deve ser ampla, médica, psicológica e social, devendo seguir um roteiro diagnóstico, iniciando-se com uma anamnese médica, rigorosa e detalhada, com um relato minucioso da história dos sintomas, como início e cronificação da insônia, hábitos diurnos e noturnos, tratamentos já efetuados e repercussões durante o dia (Quadro 12.2)[1-6].

■ 1.2. Início dos sintomas

Deve-se investigar quando e como se iniciou o sintoma, se houve algum fato associado ao início da insônia, podendo ser de natureza familiar, de causa afetiva, profissional, econômica, doenças, mudanças de vida e moradias.

■ 1.3. Curso dos sintomas

Os sintomas podem, no decurso do tempo, apresentar períodos de piora ou melhora, porém a insônia tende sempre a piorar com o passar do tempo, cristalizando os sintomas, criando comportamentos e pensamentos inadequados. Comumente o paciente desenvolve mitos e crenças distorcidas de seu sintoma.

■ 1.4. Tratamentos já efetuados

Todos os tratamentos efetuados devem ser pesquisados, sejam farmacológicos ou não. Todos os tipos de medicamentos utilizados devem ser mencionados, como hipnóticos, tranquilizantes e antidepressivos, e deve-se indagar sobre seus resultados, efeitos colaterais, dependência e tempo de uso. Tratamentos psiquiátricos anteriores devem ser investigados, uma vez que frequentemente envolvem uso de medicamentos, além de psicoterapias.

Diagnóstico da insônia •• **187**

■ 1.5. Hábitos diurnos

Deve-se saber como esse paciente se comporta durante o dia e como ele se sente. Como é a sua produtividade social e profissional, presença de fadiga e sonolência, alterações do estado de humor, irritabilidade e déficit de concentração. Devem-se investigar todas as suas atividades durante o dia, como horário de trabalho ou estudo, início e término, hora de almoço, jantar e de atividade física.

■ 1.6. Hábitos noturnos

Hábitos noturnos e comportamentos na cama devem ser investigados, como: quais são as principais atividades até a hora de ir para a cama e a que horas isso acontece; se esse hábito é regular; após se deitar, quais são as atividades na cama – apaga a luz e tenta adormecer, ou fica lendo, vendo TV ou usando computadores e celulares, e por quanto tempo; quais são os rituais realizados esperando o sono chegar; quanto tempo demora para dormir.

■ 1.7. Sono noturno

Um interrogatório sobre toda a noite é fundamental: quantos despertares acontecem durante a noite, por quanto tempo permanece acordado, e se o paciente apresenta dificuldade em retomar o sono, permanecendo na cama ou, caso se levante, o que faz. Investigar, com o companheiro de quarto, a existência de ronco e de movimentos de pernas. Deve-se saber a que horas o paciente acorda pela manhã e se levanta, como desperta, se espontaneamente ou com despertador. Deve-se anotar a percepção do tempo total de sono.

■ 1.8. Condições do quarto

Devem-se investigar as condições da cama, dos colchões, travesseiros, do número de pessoas que dorme na mesma cama, presença de animais no quarto e na cama, da luminosidade, de ruídos, temperatura, presença de TV, computador, aparelho de som, celulares.

■ 1.9. Hábitos, atividade física e lazer

Devem-se investigar todos os hábitos apresentados pelo insone no que se refere à dependência do cigarro, álcool e eventualmente a uso de outras drogas. A prática de atividade física deve ser questionada quanto a sua frequência e horário e estar atento principalmente se realizada à noite[7].

■ 1.10. Alimentação

Investigar os hábitos alimentares do paciente, qualidade, quantidade e horários das refeições. Perguntar sobre ingestão de substâncias estimulantes, como cafeína e bebida alcoólica[8].

■ 1.11. Avaliação psiquiátrica e psicossocial

Após a avaliação médica, o paciente com insônia deve ser avaliado sob o ponto de vista psiquiátrico e psicossocial. Avaliar presença de ansiedade e depressão e investigar as condições profissionais, familiares e sociais, qualidade de vida, lazer e rede social. Deve-se procurar esta-

188 •• Seção III – Diagnóstico dos distúrbios do sono

belecer as interações dessas condições com os fatores desencadeantes e perpetuadores da insônia. Esta avaliação tem um enfoque sistêmico, no qual o sintoma da insônia é visto dentro de um contexto de vida do próprio paciente, qual a função dele, o que ele sustenta ou encobre[9,10].

■ 1.12. Histórico familiar

Questionar sobre a ocorrência de insônia ou de outros distúrbios do sono nos familiares, podendo sugerir um componente genético na doença.

QUADRO 12.2
Diagnóstico das insônias
Anamnese detalhada
• Horários para ir para a cama e levantar. • Condições do quarto e da cama: luminosidade, barulho e temperatura. • Companheiros de cama. • Animais na cama. • Atividades na cama: leitura, TV, computadores, *tablets*, celulares. • Despertares noturnos. • Relato de ronco e movimentos de pernas. • Uso de estimulantes, como cafeína. • Medicamentos utilizados. • Horário das refeições e tipos de alimentos, principalmente à noite. • Ingestão de bebidas alcoólicas próximo da hora de se deitar. • Prática de atividade física: horário e frequência. • Ansiedade e depressão. • Condições emocionais. • Outras condições médicas. • Condições sociais. • Lazer.

Fonte: Elaborado pelo autor.

2. Questionários

Podem-se utilizar questionários de sono para se ter um perfil dos hábitos do paciente, lembrando-se que ele não substitui uma anamnese detalhada da doença[11,12]. Mais detalhes podem ser encontrados no Capítulo 3.

3. Diário do sono

O diário do sono facilita a observação da variabilidade dos sintomas entre os dias e a evolução ao longo do tempo, podendo ainda ser útil para se observar a resposta ao tratamento. O diário do sono deve conter as seguintes informações: horário em que o paciente se deita, o tempo para adormecer, o número de despertares, o tempo em que ele fica acordado durante a noite, o tempo total de sono percebido pelo paciente e cochilos diurnos[13,14]. Mais detalhes podem ser encontrados no Capítulo 3.

4. Polissonografia nas insônias

A estrutura do sono pode ser avaliada pela polissonografia, por meio de medidas como a latência para o início do sono, o tempo total de sono, o número de despertares, a duração dos

Diagnóstico da insônia •• **189**

estágios e a eficiência do sono. Nas insônias sintomáticas, como nos transtornos do humor, a polissonografia pode mostrar redução da latência do sono REM, aumento da densidade REM e despertar precoce. Na síndrome das pernas inquietas, pode-se encontrar aumento da latência do sono. Nos distúrbios de ritmo, como na vespertinidade, pode-se ter aumento da latência do sono, aumento da porcentagem do estágio N3 e redução do sono REM.

Outros distúrbios intrínsecos do sono podem ser diagnosticados pela polissonografia. A ocorrência de distúrbios respiratórios em pacientes insones é muito comum. Assim como a apneia do sono, a presença de movimentos periódicos de membros são fatores complicadores das insônias[15-29].

A macroestrutura do sono fornecida por uma polissonografia de rotina mostra poucas diferenças entre insones e bons dormidores. Esses resultados frequentemente surpreendem os pacientes, que esperam obter alterações significativas em seus exames. Uma análise mais fina da polissonografia pode fornecer alguns subsídios para um melhor entendimento dos mecanismos envolvidos na fisiopatologia da insônia, particularmente aqueles que se referem aos seus aspectos cognitivos[30].

A análise quantitativa da atividade elétrica cerebral observada no eletroencefalograma mostra que nos insones ocorre um aumento das bandas de alta frequência, como ritmos beta. Essa atividade rápida pode estar correlacionada com o estado de hiperalerta que esses pacientes apresentam.

Os fusos são grafoelementos que ocorrem durante o estágio N2 e têm função de redução na transmissão talamocortical de estímulos sensoriais externos, particularmente auditivos. Os fusos isolam o córtex do meio externo, preservando a estabilidade do sono. O comprometimento da percepção do sono pode estar relacionado com a redução desses grafoelementos[31].

O Padrão Alternante Cíclico (CAP) ocorre principalmente durante o estágio N2 e baseia-se em períodos de ativação e inibição cortical. Variações do CAP podem indicar uma maior instabilidade do sono e podem ser associadas às principais alterações cognitivas que ocorrem no sono dos insones[32].

O grupo de Vgontzas, baseando-se na análise da polissonografia, separou os insones em duas categorias: aqueles que apresentam tempo total de sono igual ou maior que seis horas e aqueles pacientes que tendem a dormir menos do que seis horas. Esses insones apresentam maior risco de desenvolver doenças cardiovasculares e endócrinas, como diabetes e obesidade. Por outro lado, aqueles que dormem mais de seis horas têm sua fisiopatologia voltada para uma menor percepção do sono, e, consequentemente, responderão melhor à terapia comportamental cognitiva[33-35].

5. Actigrafia

A actigrafia registra períodos de sono e vigília baseando-se nos movimentos corporais obtidos por um equipamento semelhante a um relógio de pulso. Sua grande vantagem é a habilidade de coletar dados de sono e vigília num ambiente domiciliar por longos períodos de tempo. Fator limitante para indicações da actigrafia está no fato de que esse procedimento não constitui exame de rotina nos diversos laboratórios para uso clínico.[36-43] Mais detalhes podem ser encontrados no Capítulo 11.

6. Uma visão sistêmica das insônias

Conclui-se que a abordagem diagnóstica das insônias deve seguir uma visão sistêmica, avaliando-se todos os fatores que constituem o universo dos insones, como: predisposição

190 •• Seção III – Diagnóstico dos distúrbios do sono

genética; fatores biológicos, tendo como núcleo principal o estado de hiperalerta; a participação do binômio ansiedade/depressão; fatores psicossociais, que levarão cronicamente a comportamentos modificados e alterações cognitivas e de pensamentos, com percepção inadequada do sono.

■ Referências

1. American Academy of Sleep Medicine. International Classification of Sleep Disorders. 3rd ed. Darien, IL: American Academy of Sleep Medicine; 2014.
2. American Psychiatric Association. Diagnostic and Statistical Manual of Mental Disorders. 5th ed. Washington, DC: American Psychiatric Association; 2013.
3. Pinto Jr LR, Alves RC, Caixeta E, et al. New guidelines for diagnosis and treatment of insomnia. Arq Neuropsiquiatr. 2010 Aug;68(4):666-75.
4. Pinto Jr LR, Pinto MCR. Avaliação do insone. In: Pinto Jr., LR. Diretrizes para o diagnóstico e tratamento da insônia. Rio de Janeiro: Elsevier;2008:47-52.
5. National Institutes of Health. National Institutes of Health State of the Science Conference statement on Manifestations and Management of Chronic Insomnia in Adults, June 13-15, 2005. Sleep 2005; 28(9):1049-57.
6. Chesson A Jr, Hartse K, Anderson WM, et al. Practice parameters for the evaluation of chronic insomnia. An American Academy of Sleep Medicine report. Standards of Practice Committee of the American Academy of Sleep Medicine. Sleep. 2000;23(2):237-41.
7. Jaehne A, Unbehaun T, Feige B, Lutz UC, Batra A, Riemann D. How smoking affects sleep: a polysomnographical analysis. Sleep Med. 2012; 13(10):1286-92.
8. Lohsoonthorn V, Khidir H, Casillas G, et al. Sleep quality and sleep patterns in relation to consumption of energy drinks, caffeinated beverages, and other stimulants among Thai college students. Sleep Breath. 2013;17(3):1017-28.
9. Kappler C, Honagen F. Psychosocial aspects of insomnia. Results of a study in general practice. Eur Arch Psychiatry Clin Neurosci 2003; 253:49-52.
10. Pinto MCR. Componente psicossocial nas insônias: fatores desencadeantes e perpetuantes. In: Pinto Jr., LR. Diretrizes para o diagnóstico e tratamento da insônia. Rio de Janeiro: Elsevier, 53-55, 2008.
11. Yu DS. Insomnia Severity Index: psychometric properties with Chinese community-dwelling older people. J Adv Nurs. 2010 Oct;66(10):2350-9.
12. Bastien CH, Vallieres A, Morin CM. Validation of the Insomnia Severity Index as an outcome measure for insomnia research. Sleep Med 2001; 2(4): 297-307.
13. Carney CE, Buysse DJ, Ancoli-Israel S, Edinger JD, Krystal AD, Lichstein KL, Morin CM. The consensus sleep diary: standardizing prospective sleep self-monitoring. Sleep. 2012; 35(2):287-302.
14. Natale V, Léger D, Bayon V, Erbacci A, Tonetti L, Fabbri M, Martoni M. The Consensus Sleep Diary: Quantitative Criteria for Primary Insomnia Diagnosis. Psychosomatic Medicine 2015;77:413-18.
15. Pinto LR, Jr., Pinto MC, Goulart LI, Truksinas E, Rossi MV, Morin CM, et al. Sleep perception in insomniacs, sleep-disordered breathing patients, and healthy volunteers – an important biologic parameter of sleep. Sleep Med. 2009;10(8):865-8.
16. Castro LS, Poyares D, Leger D, Bittencourt L, Tufik S. Objective prevalence of insomnia in the Sao Paulo, Brazil epidemiologic sleep study. Ann Neurol. 2013;74(4):537-46.
17. Littner M, Hirshkowitz M, Kramer M, et al; American Academy of Sleep Medicine; Standards of Practice Committee. Practice parameters for using polysomnography to evaluate insomnia: an update. Sleep. 2003;26(6):754-60.
18. Thorpy M, Chesson A, Kader G, et al. Practice parameters for the use of polysomnography in the evaluation of insomnia. Standards of Practice Committee of the American Sleep Disorders Association. Sleep. 1995;18(1):55-7.
19. Practice parameters for the use of polysomnography in the evaluation of insomnia. Standards of Practice Committee of the American Sleep Disorders Association. Sleep. 1995;18(1):55-7.
20. Bianchi MT, Wang W, Klerman EB. Sleep misperception in healthy adults: implications for insomnia diagnosis. J Clin Sleep Med. 2012;8(5):547-54.
21. Kushida CA, Littner MR, Morgenthaler T et al. Practice parameters for the indications for polysomnography and related procedures: an update for 2005. Sleep. 2005;28(4):499-521.
22. Crönlein T, Geisler P, Langguth B et al. Polysomnography reveals unexpectedly high rates of organic sleep disorders in patients with prediagnosed primary insomnia. Sleep Breath. 2012; 16(4):1097-103.

Diagnóstico da insônia •• 191

23. Ferri R, Gschliesser V, Frauscher B, Poewe W, Hogl B. On polysomnography reveals unexpectedly high rates of organic sleep disorders in patients with prediagnosed primary insomnia. Sleep Breath. 2013; 17(1):1-2.

24. Kotagal S, Nichols CD, Grigg-Damberger MM et al. Non-respiratory indications for polysomnography and related procedures in children: an evidence-based review. Sleep. 2012; 35(11):1451-66.

25. Tang NK, Harvey AG. Correcting distorted perception of sleep in insomnia: a novel behavioural experiment? Behav Res Ther. 2004;42(1):27-39.

26. Clete A, Kushida C, Littner MR et al. Practice Parameters for the Indications for Polysomnography and Related Procedures: An Update for 2005 Sleep. 2005;28:499-521.

27. Krakou B, Melendres D, Ferreira E et al. Prevalence of insomnia symptoms in patients with sleep-disordered breathing. Chest. 2001;120:1923-29.

28. Vgontzas AN, Kales A, Bixler EO, Manfredi RL, Vela-Bueno A. Usefulness of polysomnographic studies in the differential diagnosis of insomnia. Int J Neurosci. 1995;82:47-60.

29. Lichstein K, Reidel B, Lester K, Aguillard R. Occult sleep apnea in a recruited sample of older adults with insomnia. J Consult Clin Psychol. 1999;67:405-410.

30. Feige B, Baglioni C, Spiegelhalder K, Hirscher V, Nissen C, Riemann D. The microstructure of sleep in primary insomnia: an overview and extension. Int J Psychophysiol. 2013;89(2):171-80

31. Dang-Vu TT, Salimi A, Boucetta S, Wenzel K, O'Byrne J, Brandewinder M, et al. Sleep spindles predict stress-related increases in sleep disturbances. Front Hum Neurosci. 2015;9:68.

32. Parrino L, Milioli G, De Paolis F, Grassi A, Terzano MG. Paradoxical insomnia: the role of CAP and arousals in sleep misperception. Sleep Med. 2009;10:1139-45.

33. Vgontzas AN, Liao D, Pejovic S, Calhoun S, Karataraki M, Basta M et al. Insomnia with short sleep duration and mortality: the Penn State cohort. Sleep. 2010;33(9):1159-64.

34. Vgontzas AN, Fernandez-Mendoza J, Liao D, Bixler EO. Insomnia with objective short sleep duration: the most biologically severe phenotype of the disorder. Sleep Med Rev. 2013;17(4):241-54.

35. Fernandez-Mendoza J, Vgontzas AN, Liao D, Shaffer ML, Vela-Bueno A, Basta M, et al. Insomnia with objective short sleep duration and incident hypertension: the Penn State Cohort. Hypertension 2012;60(4):929-35.

36. Chambers MJ. Actigraphy and insomnia: a closer look. Part 1. Sleep. 1994;17(5):405-8.

37. Hauri P, Wisbey J. Actigraphy and insomnia: a closer look. Part 2. Sleep. 1994;17(5):408-10.

38. Natale V, Plazzi G, Martoni M. Actigraphy in the assessment of insomnia: a quantitative approach. Sleep. 2009;32(6):767-71.

39. Verbeek I, Klip EC, Declerck AC. The use of actigraphy revised: the value for clinical practice in insomnia. Percept Mot Skills. 2001;92(3 Pt 1):852-6.

40. Sánchez-Ortuño MM, Edinger JD, Means MK, Almirall D. Home is where sleep is: an ecological approach to test the validity of actigraphy for the assessment of insomnia. J Clin Sleep Med. 2010;6(1):21-9.

41. Lichstein KL, Stone KC, Donaldson J et al. Actigraphy validation with insomnia. Sleep. 2006; 29(2):232-9.

42. Sivertsen B, Omvik S, Havik OE et al. A comparison of actigraphy and polysomnography in older adults treated for chronic primary insomnia. Sleep. 2006;29(10):1353-8.

43. Vallières A, Morin CM. Actigraphy in the assessment of insomnia. Sleep. 2003;26(7):902-6.

Distúrbios respiratórios relacionados ao sono

13

Lia Rita Azeredo Bittencourt

Pedro Rodrigues Genta

Geraldo Lorenzi Filho

Os distúrbios respiratórios relacionados ao sono (DRS) englobam diversas alterações no padrão respiratório durante o sono, sendo o ronco e a apneia obstrutiva do sono as condições clínicas mais frequentemente observadas. Em alguns desses distúrbios, a respiração também pode ser anormal durante a vigília. Os distúrbios são agrupados em:

- Apneia Obstrutiva do Sono (AOS).
- Síndromes da Apneia Central do Sono (SACS).
- Distúrbios da hipoventilação relacionada ao sono.
- Distúrbio da hipoxemia relacionada ao sono.

É importante ressaltar que muitos pacientes podem satisfazer os critérios diagnósticos para mais do que um destes grupos. Embora o diagnóstico seja muitas vezes baseado no distúrbio predominante, há variação de noite para noite, bem como ao longo do tempo. Em particular, muitas vezes existe uma sobreposição entre apneia obstrutiva e central durante o sono. A fisiopatologia da apneia central e obstrutiva tem vários elementos em comum, pois algumas apneias centrais podem provocar o fechamento da via aérea superior. Por outro lado, a instabilidade do centro respiratório (que é um mecanismo clássico para explicar a apneia central do sono) é um mecanismo que pode estar envolvido na gênese da AOS.

1. Apneia Obstrutiva do Sono (AOS)

■ 1.1. Conceito

A AOS é caracterizada por eventos recorrentes de obstrução parcial (hipopneia) ou total (apneia) da via aérea superior (VAS) durante o sono na persistência dos movimentos respiratórios. A interrupção da ventilação resulta, em geral, em dessaturação da oxi-hemoglobina e, nos eventos prolongados, em hipercapnia, e, como consequência, despertares do sono[1]. Na atual Classificação Internacional dos Distúrbios do Sono (CIDS-3), a Síndrome da Resistência da Via Aérea Superior (SRVAS) é considerada parte da AOS e se

194 •• Seção III – Diagnóstico dos distúrbios do sono

caracteriza por despertares relacionados ao esforço respiratório aumentado na ausência de apneias ou hipopneias[2].

1.2. Epidemiologia

A AOS é prevalente e nem sempre diagnosticada adequadamente. Estudos epidemiológicos mais antigos mostraram que a prevalência da AOS, em adultos, variava de 1,2 a 7,5%. Porém, estudos mais recentes apontam taxas de prevalência bem mais altas, em torno de 17 a 49,7%, dependendo dos critérios adotados para o diagnóstico, faixa etária e gênero[3-5].

1.3. Fisiopatologia

Os principais fatores de risco são o sexo masculino, a progressão da idade, a obesidade e a estrutura craniofacial, sendo que a constituição genética e étnica pode ter um papel determinante. Os principais mecanismos que contribuem para o colapso da VAS envolvem as alterações anatômicas no seu tamanho e forma; a resposta neuromuscular diminuída dos músculos dilatadores da faringe durante o sono; a instabilidade respiratória (*Loop Gain aumentado);* a diminuição do limiar para despertar; a diminuição da tração traqueal que ocorre durante a inspiração, decorrente da diminuição do volume pulmonar associado à obesidade e ao deslocamento de líquido da porção inferior do corpo para a região cervical quando o paciente assume o decúbito[6].

1.4. Quadro clínico e diagnóstico

De acordo com a Classificação Internacional dos Distúrbios do Sono (CIDS-3)[2], o diagnóstico da AOS se dá pela presença da queixa clínica compatível associada à documentação de eventos respiratórios aumentados na polissonografia ou monitorização domiciliar.

As queixas clínicas envolvem sonolência, sono não reparador, fadiga ou sintomas de insônia, despertar com suspensão da respiração, ofegante ou asfixia. A queixa pode ser do parceiro de cama ou outro observador, com relato de ronco habitual, interrupções de respiração ou ambos durante o sono do paciente.

Além das queixas clínicas, algumas condições de maior morbidade associadas a AOS, quando presentes, permitem o diagnóstico: hipertensão arterial, distúrbio do humor, disfunção cognitiva, doença arterial coronariana, acidente vascular cerebral, insuficiência cardíaca congestiva, fibrilação atrial ou diabetes *mellitus* tipo 2.

A monitorização do paciente deve documentar:

* Cinco ou mais eventos respiratórios obstrutivos predominantes (obstrutivo e apneias mistas ou esforço respiratório associado ao despertar [*Respiratory-Effort Related Arousal – RERAs*]) por hora de sono durante a polissonografia ou por horas da monitorização portátil.

  OU

* Quinze ou mais eventos obstrutivos predominantes (apneias, hipopneias ou RERAs) por hora de sono durante a polissonografia ou por hora na monitorização portátil.

Observe-se que, na faixa etária infantil, o diagnóstico de Apneia do Sono ocorre mediante critérios diagnósticos próprios. O diagnóstico pode ser realizado diante da presença de queixa clínica e documentação polissonográfica de aumento de eventos respiratórios obstrutivos.

Distúrbios respiratórios relacionados ao sono •• **195**

A queixa clínica pode envolver roncos, respiração dificultosa, paradoxal ou obstrutiva, sonolência excessiva diurna (SED), hiperatividade, alterações comportamentais e cognitivas.

A polissonografia deve documentar:

- Um ou mais eventos obstrutivos (índice de apneia-hipopneia predominantemente obstrutivo [IAOH]: apneias obstrutivas ou mistas, hipopneias)
  OU
- Hipoventilação obstrutiva (25% do tempo total do sono com $PaCO_2 > 50$ mmHg, de forma associada a pelo menos um dos seguintes fatores: roncos, achatamento da curva de transdução de pressão nasal, respiração paradoxal).

Os critérios de gravidade da Apneia do Sono da Infância, utilizados na prática clínica, também são distintos: a apneia é considerada LEVE quando o IAOH é ≥ 1/hora, MODERADA quando o IAOH é ≥ 5/hora e GRAVE quando o IAOH ≥ 10/hora.

■ 1.5. Consequências

A AOS pode levar à SDE, com consequente risco de acidentes de trabalho e de trânsito. A AOS aumenta o risco de desenvolvimento de Hipertensão Arterial Sistêmica. A AOS pode também estar associada a alterações de humor, cognição, piora da qualidade de vida, distúrbio do metabolismo da glicose e outras doenças cardiovasculares, como Acidente Vascular Encefálico, Doença Arterial Coronariana, Insuficiência Cardíaca Congestiva e Fibrilação Atrial. Sendo assim, estudos observacionais apontam para uma maior taxa de morbidade e mortalidade cardiovascular nos pacientes portadores de AOS grave e não tratados[7].

2. Síndrome da apneia central do sono

■ 2.1. Conceito

A Apneia Central do Sono Central (ACS) é caracterizada por episódios recorrentes de redução ou abolição do fluxo respiratório devido à queda ou cessação temporária do comando ventilatório. Os principais tipos descritos de ACS são: Respiração de Cheyne-Stokes, Apneia Central das Grandes Altitudes, as secundárias ao consumo de opioides e as emergentes após o uso de pressão positiva (ou Apneia Complexa)[2].

■ 2.2. Fisiopatologia

Na Insuficiência Cardíaca (IC), é comum a coexistência de eventos respiratórios obstrutivos devido ao edema na região cervical e centrais devido à congestão pulmonar, hiperventilação e instabilidade respiratória durante o sono. A ACS em pacientes com IC se apresenta com um padrão específico denominado Respiração de Cheyne-Stokes (RCS). A RCS consiste em um padrão de hiperventilação crescendo e decrescendo, intercalado por apneias ou hipopneias centrais. A fisiopatologia da RCS é complexa e envolve vários fatores. A congestão pulmonar, típica dos pacientes com IC, estimula receptores J localizados no interstício pulmonar, que, por sua vez, causam hiperventilação e baixos níveis de $PaCO_2$ tanto durante a vigília como durante o sono. O $PaCO_2$ abaixo do limiar de apneia durante o sono desencadeia apneias centrais. O padrão de hiperventilação prolongado é

196 •• Seção III – Diagnóstico dos distúrbios do sono

consequência do retardo circulatório causado pelo baixo débito cardíaco. A RCS é indicador de gravidade da IC[14].

Em grandes altitudes, acima de 4.000 metros, a hipóxia estimula a hiperventilação e redução da $PaCO_2$, com indução de eventos centrais durante o sono em indivíduos com tendência à elevação do *loop gain* (resposta ventilatória exacerbada a estímulos ventilatórios)[14].

A ACS pode ser idiopática, sem correlação neurológica ou cardíaca. O principal mecanismo é a elevação do *loop gain* e redução da reserva de CO_2[14].

As ACS emergentes após o início de ventilação não invasiva noturna ocorrem em portadores de AOS que iniciaram o tratamento com CPAP. Podem ser transitórias e desaparecer logo após o início do tratamento, perdurar por alguns meses ou manter-se durante o tempo em que o paciente estiver sob tratamento. Sua patogênese é multifatorial e dependente da sensibilidade do centro ventilatório, como a ACS idiopática[14].

O tratamento da ACS deve ser baseado no reconhecimento da fisiopatogenia específica. Na ACS idiopática, a terapia com pressão positiva (CPAP, BiPAP-ST, BiPAP servoassistido) pode ser implementada devido ao potencial de resolução de eventos centrais, pela facilidade do manuseio e pelos baixos efeitos colaterais[15]. A acetazolamida e a teofilina têm suas prescrições limitadas, porém podem ser recomendadas por curtos períodos em casos de ACS das grandes altitudes. O Zolpidem pode ser tentado como uma opção terapêutica, pois estabiliza e reduz a fragmentação do sono, responsável pela alternância do limiar de CO_2 (vigília/sono) na gênese das ACS. A ACS Complexa pode ser transitória e de resolução espontânea, conforme a adaptação do centro ventilatório durante o tratamento; quando refratárias, respondem muito bem ao BiPAP servoassistido[15]. Nas ACS da IC, tem-se como base a otimização do tratamento da IC. Caso haja ACS residual ou refratária, tem-se a opção terapêutica com uso de CPAP, BiPAP-ST ou BiPAP servoassistido, esse último com indicação sendo reavaliada no momento, devido a resultados de aumento de mortalidade com esse tipo de ventilação[16].

■ 2.3. Diagnóstico

De uma maneira geral, para o diagnóstico das diferentes síndromes de ACS, é necessário que, além de cada contexto clínico pertinente, seja documentado na polissonografia um índice de apneias centrais $\geq$ 5 horas de sono. Os critérios diagnósticos para as principais entidades clínicas são comentados a seguir.

- **ACS com respiração de Cheyne-Stokes:** o quadro clínico deve envolver a presença de alguma queixa ou comorbidade compatível. A queixa pode ser de SED; dificuldade de iniciar ou manter o sono, despertares frequentes ou sono não restaurador; sufocamento noturno; roncos; apneias testemunhadas. A comorbidade pode ser fibrilação atrial ou *flutter* atrial; insuficiência cardíaca ou doença neurológica.

A polissonografia diagnóstica ou de titulação de pressão positiva deve documentar:

- Cinco ou mais apneias ou hipopneias centrais por hora de sono.

- Porcentagem > 50% de eventos centrais de apneias/hipopneias em relação ao número total de apneias e hipopneias.

- Padrão respiratório de Cheyne-Stokes, devendo ser observados os critérios da Academia Americana de Medicina do Sono para sua identificação.

- **ACS com respiração periódica relacionada à altitude elevada:** o quadro clínico deve envolver a presença de SED; dificuldade de iniciar ou manter o sono, despertares

Distúrbios respiratórios relacionados ao sono ·· **197**

frequentes ou sono não restaurador; sufocamento noturno ou cefaleia matinal; apneias testemunhadas.

Tais queixas devem ser atribuídas ao padrão de respiração periódica, seja perceptível clinicamente, seja documentado pela polissonografia.

A polissonografia diagnóstica, quando realizada, deve documentar:

- Cinco ou mais apneias ou hipopneias centrais por hora de sono, primariamente em sono NREM.
- **ACS relacionada ao uso de medicações ou substâncias, como o opioide:** o quadro clínico deve envolver a presença de SED; dificuldade de iniciar ou manter o sono, despertares frequentes ou sono não restaurador; sufocamento noturno ou cefaleia matinal; apneias testemunhadas.

A polissonografia diagnóstica ou de titulação de pressão positiva deve documentar:

- Cinco ou mais apneias ou hipopneias centrais por hora de sono.
- Porcentagem > 50% de eventos centrais de apneias/hipopneias em relação ao número total de apneias e hipopneias.
- **ACS emergente do tratamento (apneia complexa):** o paciente deve apresentar uma polissonografia diagnóstica compatível com Apneia Obstrutiva do Sono e uma polissonografia de titulação de pressão positiva evidenciando resolução dos eventos obstrutivos, como surgimento ou persistência de apneias ou hipopneias centrais.

A polissonografia de titulação de pressão positiva deve documentar:

- Cinco ou mais apneias ou hipopneias centrais por hora de sono.
- Porcentagem > 50% de eventos centrais de apneias/hipopneias em relação ao número total de apneias e hipopneias.

3. Síndromes da hipoventilação relacionada ao sono

■ 3.1. Conceito

As síndromes de hipoventilação crônica caracterizam-se por redução da ventilação alveolar, com hipercapnia diurna (elevação da $PaCO_2$ acima de 45 mmHg) e valores de pH no limite da normalidade, com acúmulo de bicarbonato (compensação metabólica)[17].

■ 3.2. Fisiopatogenia

Podem resultar de problemas no comando ventilatório central (*drive* ventilatório), na transmissão periférica do estímulo ventilatório (medula espinhal, nervos periféricos) ou de anormalidades do sistema musculoesquelético torácico. Acredita-se que a hipoventilação do sono possa representar um estágio inicial de hipoventilação que pode evoluir para a hipoventilação crônica com hipercapnia diurna[17].

A hipoventilação relacionada ao sono é definida por ventilação insuficiente durante o sono, com hipercapnia noturna documentada pela gasometria arterial ou por medidas de PCO_2 no final da expiração ou transcutâneo. Caso exista hipoxemia sustentada durante o sono ($SpO_2 \leq 88\%$ por ≥ 5 minutos) na ausência de registro do PCO_2, o diagnóstico deverá ser de Distúrbio de Hipoxemia Relacionada ao Sono, e não de hipoventilação relacionada ao sono.

198 •• Seção III – Diagnóstico dos distúrbios do sono

3.3. Classificação

Os principais tipos descritos são: Síndrome da Hipoventilação Obesidade (SHO); Síndrome da Hipoventilação Alveolar Central Congênita; Hipoventilação Alveolar Central de Início Tardio Associada Com Disfunção Hipotalâmica; Hipoventilação Alveolar Central Idiopática; Hipoventilação Alveolar do Sono Associada ao Uso de Medicações ou Substâncias e Hipoventilação do Sono Associada à Condição Médica.

O achado comum dessas síndromes é a ventilação insuficiente com hipercapnia durante o sono. A SHO é definida por hipoventilação **em vigília** em um indivíduo com índice de massa corporal > 30 Kg/m², na ausência de outras causas de hipoventilação. Nas demais síndromes, não é necessário haver hipoventilação diurna para diagnóstico; mas, caso presente também em vigília, ocorrerá agravamento durante o sono[2]. A SHO é frequentemente confundida com outras patologias, como a doença pulmonar obstrutiva crônica. Os sintomas são parecidos com aqueles associados à AOS. A SHO é doença potencialmente grave, podendo requerer internação hospitalar durante exacerbações, causadas, muitas vezes, por infecções respiratórias e de pele.

A seguir, encontram-se comentados os critérios diagnósticos para as principais síndromes de hipoventilação relacionadas ao sono.

- **Síndrome da hipoventilação obesidade:** deve haver documentação de hipoventilação em vigília, com $PaCO_2 > 45$ mmHg, na presença de obesidade, definida por IMC > 30 kg/m² em adultos e acima do percentil 95 em crianças. A hipoventilação não é primariamente secundária à doença pulmonar ou de via aérea, de vasculatura pulmonar, de caixa torácica, uso de medicações, doenças neurológicas ou musculares, ou síndrome de hipoventilação central congênita ou idiopática.

- **Síndrome da hipoventilação alveolar central congênita:** deve haver documentação de hipoventilação relacionada ao sono em exame de polissonografia, além da presença da mutação do gene PHOX2B.

- **Hipoventilação alveolar central de início tardio associada com disfunção hipotalâmica (*rapid-onset obesity with hypothalamic dysfunction hypoventilation and autonomic dysregulation* – ROHHAD):** deve haver documentação de hipoventilação relacionada ao sono em exame de polissonografia (não relacionada à mutação do gene PHOX2B), e de forma associada a, pelo menos, duas das seguintes condições:
  - obesidade;
  - alterações endocrinológicas de origem hipotalâmica;
  - transtornos emocionais/comportamentais graves;
  - tumor de origem neural.

- **Hipoventilação alveolar central idiopática:** deve haver documentação de hipoventilação relacionada ao sono em exame de polissonografia. A hipoventilação não é primariamente secundária à doença pulmonar ou de via aérea, de vasculatura pulmonar, de caixa torácica, uso de medicações, doenças neurológicas ou musculares, obesidade ou síndrome de hipoventilação central congênita ou idiopática.

- **Hipoventilação alveolar do sono associada ao uso de medicações ou substâncias:** deve haver documentação de hipoventilação relacionada ao sono em exame de polissonografia, atribuída a uma medicação que reconhecidamente possa diminuir o *drive* ventilatório. A hipoventilação não é primariamente secundária à doença pulmonar

Distúrbios respiratórios relacionados ao sono •• **199**

ou de via aérea, de vasculatura pulmonar, de caixa torácica, doenças neurológicas ou musculares, obesidade ou síndrome de hipoventilação central congênita ou idiopática.

- **Hipoventilação do sono associada à condição médica:** deve haver documentação de hipoventilação relacionada ao sono em exame de polissonografia, atribuída a uma doença pulmonar ou de via aérea, de vasculatura pulmonar, de caixa torácica, doenças neurológicas ou musculares. Nesse caso, a hipoventilação não é atribuída à obesidade, uso de medicações ou substâncias, ou síndrome de hipoventilação central congênita.

4. Síndrome da hipoxemia relacionada ao sono

▪ 4.1. Conceito

A hipoxemia relacionada ao sono ou hipoxemia noturna também foi recentemente definida pela CIDS-3 e envolve a presença de queda sustentada na oximetria de pulso (SpO_2) durante o sono, sem que exista hipoventilação alveolar concomitantemente documentada ou sabida.

▪ 4.2. Fisiopatogenia

Dentre os mecanismos fisiopatológicos da hipoxemia noturna, destacam-se os distúrbios da mecânica ventilatória e da relação ventilação-perfusão, a baixa pressão parcial inspirada de oxigênio, os *shunts* arteriovenosos, ou uma combinação de mais de um desses fatores.

▪ 4.3. Diagnóstico

A hipoxemia durante o sono é definida por $SpO_2 \leq 88\%$ em adultos ou $\leq 90\%$ em crianças, por período ≥ 5 minutos, avaliada durante a monitorização noturna por meio de polissonografia completa em laboratório de sono, por aparelho portátil domiciliar ou por SpO_2 noturna.

É necessário que a hipoventilação alveolar não tenha sido demonstrada ou documentada por medidas de $PaCO_2$ ou pela avaliação do CO_2 transcutâneo ou exalado. Caso a hipoventilação alveolar esteja presente, o distúrbio será denominado hipoventilação relacionada ao sono, e não hipoxemia relacionada ao sono[2].

▪ Referências

1. American Academy of Sleep Medicine. Sleep-related breathing disorders in adults: recommendations for syndrome definition and measurement techniques in clinical research. The report of an American Academy of Sleep Medicine Task Force. Sleep. 1999;22(5):667-89.
2. American Academy of Sleep Medicine. International classification of sleep disorders. 3rd ed. Darien, IL: 2014.
3. Tufik S, Santos da Silva R, Taddei JA, Bittencourt LRA. Obstructive Sleep Apnea Syndrome in the São Paulo Epidemiologic Sleep Study. Sleep Medicine. 2010;11:441-46.
4. Peppard PE, Young T, Barnet JH, Palta M, Hagen EW, Hla KM. Increased prevalence of sleep-disordered breathing in adults. Am J Epidemiol. 2013 May 1;177(9):1006-14.
5. Heinzer R, Vat S, Marques-Vidal P, Marti-Soler H, Andries D, Tobback N, Mooser V, Preisig M, Malhotra A, Waeber G, Vollenweider P, Tafti M, Haba-Rubio J. Prevalence of sleep-disordered breathing in the general population: the HypnoLaus study. Lancet Respir Med. 2015 Apr;3(4):310-8.

6. Jordan AS, McSharry DG, Malhotra A. Adult obstructive sleep apnoea. Lancet. 2014;383:736-47.
7. Gurubhagavatula I. Consequences of obstructive sleep apnoea. Indian J Med Res. 2010;131:188-95.
8. Kushida CA, Chediak A, Berry RB, Brown LK, Gozal D, Iber C, Parthasarathy S, Quan SF, Rowley JA. American Academy of Sleep Medicine. Positive Airway Pressure Titration Task Force. Clinical guidelines for the manual titration of positive airway pressure in patients with obstructive sleep apnea. J Clin Sleep Med. 2008;4(2):157-71.
9. Weaver TE, Maislin G, Dinges DF, Bloxham T, George CF, Greenberg H et al. Relationship between hours of CPAP use and achieving normal levels of sleepiness and daily functioning. Sleep. 2007;30(6):711-719.
10. Marin JM, Carrizo SJ, Vicente E, Agusti AG. Long-term cardiovascular outcomes in men with obstructive sleep apnoea-hypopnoea with or without treatment with continuous positive airway pressure: an observational study. Lancet. 2005;365(9464):1046-53.
11. Berry RB, Parish JM, Hartse KM. The use of auto-titrating continuous positive airway pressure for treatment of adult obstructive sleep apnea. An American Academy of Sleep Medicine review. Sleep. 2002;25(2):148-73.
12. Bamagoos AA, Sutherland K, Cistulli PA. Mandibular Advancement Splints. Sleep Med Clin. 2016;(3):343-52.
13. Camacho M, Certal V, Capasso R. Comprehensive review of surgeries for obstructive sleep apnea syndrome. Braz J Otorhinolaryngol. 2013;79(6):780-8.
14. Hernandez AB, Patil SP. Pathophysiology of central sleep apneas. Sleep Breath. 2016 May;20(2):467-82.
15. Aurora RN, Chowdhuri S, Ramar K, Bista SR, Casey KR, Lamm CI, Kristo DA, Mallea JM, Rowley JA, Zak RS, Tracy SL. The treatment of central sleep apnea syndromes in adults: practice parameters with an evidence-based literature review and meta-analyses. Sleep. 2012;35(1):17-40.
16. Cowie MR, Woehrle H, Wegscheider K, Angermann C, d'Ortho MP, Erdmann E, Levy P, Simonds AK, Somers VK, Zannad F, Teschler H. Adaptive Servo-Ventilation for Central Sleep Apnea in Systolic Heart Failure. N Engl J Med. 2015;373(12):1095-105.
17. Böing S, Randerath WJ. Chronic hypoventilation syndromes and sleep-related hypoventilation. J Thorac Dis. 2015;7(8):1273-85.
18. Berry RB, Chediak A, Brown LK, Finder J, Gozal D, Iber C, Kushida CA, Morgenthaler T, Rowley JA, Davidson-Ward SL; NPPV Titration Task Force of the American Academy of Sleep Medicine. Best clinical practices for the sleep center adjustment of noninvasive positive pressure ventilation (NPPV) in stable chronic alveolar hypoventilation syndromes. J Clin Sleep Med. 2010;6(5):491-509.

Distúrbios do movimento relacionados ao sono

14

Geraldo Nunes Vieira Rizzo

Sono e distúrbios de movimento estão intimamente relacionados. Alguns movimentos anormais podem ser parciais ou totalmente abolidos pelo sono, como é o caso de tremores e "tiques", enquanto outros são ativados, como é o caso de Movimentos Periódicos de Membros (MPM) e bruxismo do sono.

A abordagem do tema "distúrbios do movimento relacionados ao sono", nesse capítulo, refere-se a movimentos relativamente simples, em geral, estereotipados e que perturbam o sono ou que se relacionam a queixas de fadiga e sonolência diurna. Isso porque há uma série de movimentos que ocorrem durante o sono, mas que são complexos, como na maioria das parassonias, ou que não perturbam o sono.

Embora o diagnóstico seja, na maioria das vezes, obtido apenas pela anamnese, muitas vezes necessitamos do auxílio da polissonografia com vídeo, além da observação do técnico durante a noite. Os *smartphones* têm sido de muita ajuda na documentação dos distúrbios de movimento, já que podemos observar o paciente durante várias noites.

A Classificação Internacional dos Distúrbios de Sono (CIDS-3)[1] assim apresenta os distúrbios de movimento relacionados ao sono:

Síndrome das Pernas Inquietas

- Distúrbio de movimentos periódicos de membros.
- Cãibras nas pernas relacionadas ao sono.
- Bruxismo relacionado ao sono.
- Distúrbio rítmico do movimento relacionado ao sono.
- Mioclonia do sono benigna da infância.
- Mioclonia proprioespinhal do início do sono.
- Distúrbio do movimento relacionado ao sono devido à doença médica.
- Distúrbio do movimento relacionado ao sono devido à medicação ou substância.
- Distúrbio do movimento relacionado ao sono, inespecífico.

202 •• Seção III – Diagnóstico dos distúrbios do sono

Sintomas isolados e variantes da normalidade:

- Mioclonia fragmentar excessiva.
- Tremor hipnagógico dos pés.
- Ativação muscular alterna das pernas (ALMA).
- Mioclonias do sono ou mioclonias hípnicas.

A seguir, serão abordados alguns dos principais distúrbios do movimento relacionados ao sono.

1. Síndrome das pernas inquietas ou doença de Willis-Ekbom

Por ter sido bem descrita por Thomas Willis, em 1685[2], e considerada doença única pelo Dr. Karl-Axel Ekbom[3], em 1945, a Síndrome das Pernas Inquietas (SPI) também é denominada Doença de Willis-Ekbom (DWE).

A prevalência estimada é de 10 a 15%, mas SPI frequente e de intensidade moderada a grave ocorre em 1,5 a 3% da população, sendo mais comum em mulheres, aumentando a incidência com a idade[4].

SPI é uma doença sensitivo-motora caracterizada pela queixa de uma forte e irresistível necessidade de mover as pernas. Seu diagnóstico é clínico, devendo obedecer aos critérios estabelecidos no CIDS-3, cuja essência está a seguir:

Necessidade de mover as pernas, geralmente acompanhada por sensações desagradáveis e de desconforto nas pernas. Esses sintomas devem:

1. Começar ou piorar durante períodos de repouso.
2. Ser parcial ou totalmente aliviados por movimento.
3. Ocorrer exclusiva ou predominantemente ao anoitecer ou à noite em vez de ocorrer durante o dia.

Os sintomas descritos não podem estar relacionados a outra doença e causam preocupação, estresse, distúrbio de sono ou prejudicam o funcionamento físico, mental, social, ocupacional, educacional ou comportamental do indivíduo.

Uma pessoa com SPI deve estar acordada e consciente desse incômodo. SPI pode causar efeitos negativos profundos no sono e sintomas de insônia ou fadiga, que podem, frequentemente, ser as queixas principais do paciente. Para aliviar os sintomas de SPI e conseguir dormir, os pacientes mexem frequentemente as pernas e viram-se bastante na cama, o que pode perturbar o sono do(a) companheiro(a). Muitos pacientes têm dificuldade de descrever a natureza do seu desconforto. Os sintomas de SPI podem ser assimétricos ou alternar entre as pernas. Por outro lado, quando graves, as queixas podem se referir ao tronco ou braços.

O diagnóstico diferencial muitas vezes é difícil, especialmente com cãibras noturnas, aliviadas por alongamento ou massagem, e com desconforto posicional, aliviado pela mudança de posição. Além dessas duas condições, podem mimetizar a SPI: artralgias, mialgias, neuropatia periférica, radiculopatia, edema de perna, estase venosa etc.[5].

Os sintomas de SPI ocorrem em qualquer idade, embora predominem na terceira e quarta décadas de vida. Na SPI de início precoce, que tende a ser primária, cujo curso é lentamente progressivo, ao passo que, na de início tardio, a progressão é rápida, sendo comuns os fatores agravantes. Em crianças, o diagnóstico pode ser difícil, pois exige a descrição dos sintomas com suas próprias palavras. É comum a comorbidade com Transtorno de Déficit de Atenção e Hiperatividade (TDAH)[6].

Com relação à causa da SPI, há evidências de bases genéticas e fatores precipitantes. Estudos do genoma encontraram vários polimorfismos numa variedade de genes. O mais frequentemente descrito, em múltiplas populações, é o BTBD9 no cromossoma 6p, com um produto proteico amplamente expresso no cérebro. Apesar de a SPI de início precoce ter uma alta tendência a ser familiar, a relação entre SPI familiar e esse ou outro polimorfismo em genes precisa ser melhor determinada[7,8].

Os fatores precipitantes mais bem estudados são deficiência de ferro (ferritina < 50 ug/L), certas medicações (anti-histamínicos, antidepressivos, neurolépticos), insuficiência renal crônica (ocorrência 2 a 5 vezes maior que na população geral), gravidez (ocorrência 2 a 3 vezes maior que na população geral) e imobilidade prolongada.

Como já mencionado anteriormente, o diagnóstico de SPI é feito pela história clínica e, consequentemente, a polissonografia não é rotineiramente indicada, a menos que se suspeite de outro distúrbio de sono. Embora cerca de 85% dos pacientes com SPI apresentem, na polissonografia, movimentos periódicos de extremidades durante o sono[8], isso não representa um achado específico e tal tema será abordado a seguir.

2. Distúrbio de Movimentos Periódicos de Membros (DMPM)

Ao abordar esse distúrbio do sono, deve-se definir movimento periódico de membro em sono (MPMS) e o distúrbio de sono (DMPM).

Um movimento periódico de membro em sono (MPMS) dura de 0,5 a 10 segundos e, em relação ao eletromiograma (EMG) basal, apresenta um aumento de amplitude de 8 µV. Pelo menos quatro movimentos de perna (MP), separados por 5 a 90 segundos de intervalo entre o início de cada um, devem ocorrer para serem marcados como PLMS na polissonografia (Figura 14.1). São excluídos os movimentos de perna relacionados aos eventos respiratórios. Já quando falamos na doença em si, PLMD, os movimentos periódicos de sono devem estar presentes na polissonografia com uma frequência maior do que 5 por hora em crianças e 15 por hora em adultos, sendo esses valores considerados índice de movimentos periódicos (IMPM). Além disso, as queixas de insônia, sonolência e fadiga devem estar presentes e não devem ser explicadas por nenhum outro problema de sono, médico, neurológico, mental, uso de substâncias ou medicamentos, ou seja, tais queixas devem ter uma relação de causa e efeito.

PLMS ocorre mais frequentemente nas extremidades inferiores e tipicamente consiste na extensão do hálux em combinação com flexão do pé, perna e quadril em intensidade variável. O registro de EMG é feito por eletrodo colocado no músculo tibial anterior da perna. MPMS são mais frequentes em estágios de sono superficial e geralmente ausentes em sono REM.

O significado e a importância clínica dos PLMS são motivos de debate desde sua descoberta. Sabe-se que a prevalência aumenta com a idade, que ocorre em mais de 80% dos pacientes com SPI, quase a mesma prevalência em Narcolepsia, mais de 70% nos pacientes com Distúrbio Comportamental do Sono REM (DCSREM). Entretanto, a maioria dos pacientes com MPMS não apresenta quaisquer dessas doenças, sendo um achado comum em idosos e em pessoas usando antidepressivos ou outras medicações[8].

Sabe-se que há uma relação de MPMS com despertares e, por isso, muitos autores advogam a importância desse distúrbio de sono[9].

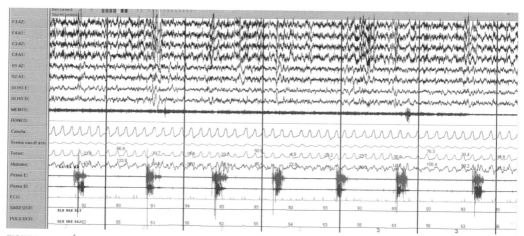

FIGURA 14.1 – Época de 180 segundos apresentando movimentos estereotipados e repetitivos de membros inferiores que: têm duração entre 0,5 e 10 segundos; têm amplitude > 8 µV; e estão numa sequência de quatro ou mais movimentos separados por um intervalo entre 5 e 90 segundos
Fonte: Sieminski, M et al., 2017.

3. Cãibras nas pernas relacionadas ao sono

Cãibras nas pernas são contrações dolorosas dos músculos da perna e pé com resultante rigidez e endurecimento dessa musculatura. Ocorrem frequentemente à noite, acordando o paciente do sono. O alívio se dá pelo alongamento da musculatura afetada, liberando a contração.

Cãibras noturnas são relativamente comuns e resultam em insônia de manutenção. Podem ser idiopáticas ou secundárias a outra condição médica, como doenças neuromusculares e distúrbios hidroeletrolíticos[10-12].

São inúmeros os fatores predisponentes e precipitantes listados na literatura. O diagnóstico diferencial deve ser feito com SPI e distonias e, nesses casos, tanto a eletroneuromiografia como a polissonografia podem auxiliar[13-16].

4. Bruxismo relacionado ao sono

A palavra bruxismo vem do grego *brychein*, que significa ranger de dentes.

A prevalência de Bruxismo relacionado ao Sono é maior em crianças, em torno de 20%, diminuindo com a idade, chegando a 3% em idosos[27].

Os critérios diagnósticos atuais exigem a presença de sinais e sintomas clínicos, como ruído de ranger de dentes frequente ou regular, além de desgaste anormal dos dentes e/ou dor mandibular pela manhã, cefaleia temporal ou oclusão (limitação do movimento) mandibular.

O registro da atividade do queixo ou do músculo masseter durante a polissonografia pode ser de auxílio diagnóstico, e tal atividade é reconhecida como atividade muscular mastigatória rítmica (AMMR), de ocorrência mais frequente nos estágios N1 e N2. Embora o diagnóstico de Bruxismo relacionado ao Sono seja clínico, a presença de AMMR com áudio/vídeo simultâneo, demonstrando atividade mastigatória e/ou ruído de ranger de dentes, respalda o diagnóstico.

Pacientes com Bruxismo relacionado ao Sono tipicamente apresentam atividade motora fásica (rítmica) (Figura 14.2) e/ou tônica (Figura 14.3) dos músculos masseter e temporais, com presença variável do som de ranger de dentes[17].

O Bruxismo pode ser classificado como Primário ou Idiopático, quando não há uma causa médica ou dentária reconhecida, embora possa ser associado com fatores psicossociais subjacentes em alguns indivíduos. Descreve-se, ainda, o Bruxismo secundário, associado a causas médicas e/ou psiquiátricas, e o Bruxismo iatrogênico, seguindo o uso ou a retirada de drogas lícitas e ilícitas.

Entre os fatores predisponentes, podemos considerar tipos de personalidade associados a fatores genéticos, nos quais a ansiedade predomina. A ansiedade é também o principal fator precipitante para a ocorrência de Bruxismo, mas deve-se considerar o uso de estimulantes lícitos, como cafeína e nicotina. Já o papel da má oclusão dental é ainda muito discutido, como causa ou consequência[18].

O Bruxismo relacionado ao Sono ou a AMMR não podem ser explicados do ponto de vista fisiopatológico de uma única maneira. São vários os mecanismos envolvidos e, atualmente, aceita-se a ideia da relação entre os episódios de bruxismo e o Padrão Alternante Cíclico (CAP). O CAP corresponde a uma ativação cíclica do EEG, ECG e EMG, que ocorre fisiologicamente a cada 20-60 segundos em sono NREM, estando aumentado em condições patológicas (ver Capítulo 6). Imediatamente antes do episódio de bruxismo ocorre um discreto aumento da atividade cardíaca, aumento da atividade alfa e delta, seguido pela ativação da musculatura mandibular, ou seja, um despertar provocaria o bruxismo e não o oposto, como se acreditava. Por tal razão, distúrbios de sono associados a despertares e fragmentação do sono, como Apneia Obstrutiva do Sono e SPI, parecem ser fatores de risco para Bruxismo[17-19].

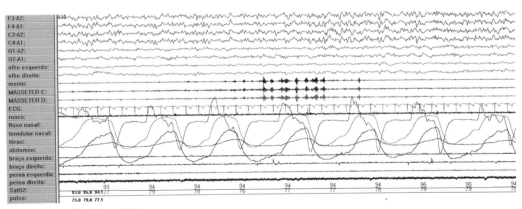

FIGURA 14.2 – Bruxismo fásico
Fonte: Registro preparado pelo autor.

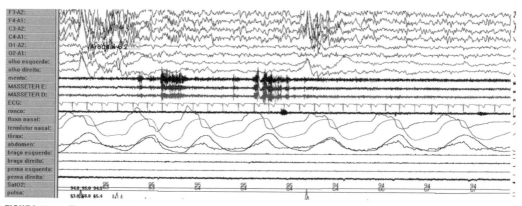

FIGURA 14.3 – Bruxismo tônico
Fonte: Registro preparado pelo autor.

5. Distúrbio rítmico do movimento relacionado ao sono

Trata-se de um distúrbio que tipicamente ocorre em crianças, mas pode aparecer em adultos. Consiste em movimentos estereotipados, rítmicos, envolvendo grandes grupos musculares e que aparecem com o indivíduo sonolento ou no início do sono. Entretanto, tais comportamentos motores têm consequências clínicas, pois interferem no sono normal e podem prejudicar o rendimento durante o dia, além de poder causar ferimentos.

Ansiedade e estresse têm sido considerados fatores precipitantes, e os movimentos rítmicos, nesse contexto, seriam tratados como técnicas relaxantes.

A fisiopatologia não está clara, mas o papel do controle inibitório no gerador de padrão central motor tem sido sugerido como o mecanismo fisiológico para explicar tanto as formas pediátricas quanto as adultas dos movimentos rítmicos relacionados ao sono[20].

O diagnóstico é clínico, auxiliado pela documentação por vídeos domiciliares e em registro de polissonografia (Figura 14.4), embora não indicada para tal, pela presença de artefatos rítmicos (0,5 a 2 Hz) relacionados, em vídeo simultâneo, com os comportamentos compatíveis.

São comportamentos compatíveis com Distúrbio Rítmico do Movimento relacionado ao Sono:

- Balanço do Corpo (*Body Rocking*), quando o corpo é balançado sobre as mãos e joelhos.
- Batida com a cabeça (*Head Banging*), quando a cabeça é movida forçosamente contra um objeto, frequentemente em pronação, podendo ocorrer em supino, batendo a região occipital.
- Batida com as pernas (*Leg Banging*), quando a perna é movida forçosamente;
- Cabeça rolando (*Head Rolling*), quando a cabeça é movida em sentido laterolateral, paciente em decúbito supino.
- Corpo rolando (*Body Rolling*), quando todo o corpo é movido em sentido laterolateral, paciente em decúbito supino.
- Perna rolando (*Leg Rolling*), rolar das pernas.

Crianças autistas frequentemente apresentam comportamentos repetitivos que ocorrem em vigília e não predominantemente relacionados ao sono.

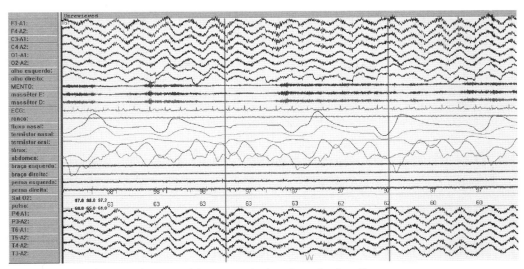

FIGURA 14.4 – Artefato em eletroencefalograma relacionado ao *body rolling*
Fonte: Registro preparado pelo autor.

6. Mioclonia de sono benigna da infância

Caracterizada por abalos musculares repetidos que podem envolver qualquer parte do corpo e que ocorrem somente durante o sono, nos primeiros meses de vida de uma criança com desenvolvimento normal. É uma entidade benigna e rara, autolimitada, desaparecendo em 97% dos casos num período de 12 meses[21]. O diagnóstico diferencial primariamente deve ser feito com crises epilépticas.

7. Mioclonia proprioespinhal do início do sono

No caso dessa entidade benigna, geralmente crônica, incurável, relativamente rara, também conhecida como Mioclonia Espinhal ou Axial, o paciente, normalmente adulto, queixa-se de dificuldade para iniciar o sono devido aos abalos musculares súbitos comprometendo principalmente pescoço, tronco e abdômen. Os abalos ocorrem durante a vigília relaxada e a sonolência no início do sono[22].

O diagnóstico diferencial se faz com abalos hipnagógicos (*sleep starts*) que ocorrem na transição vigília-sono e geralmente afetam um segmento único do corpo, sendo uma queixa bastante comum; mioclonia fragmentar que ocorre em todos os estágios de sono; abalos fásicos do sono REM, geralmente envolvendo músculos distais de face e mãos; mioclonia epiléptica e mioclonia psicogênica.

8. Distúrbio do movimento relacionado ao sono devido à doença médica

Muitas doenças neurológicas podem estar associadas com movimentos anormais ocorrendo tanto em vigília como em sono e, muitas vezes, o distúrbio durante o sono ocorre antes do diagnóstico da doença neurológica. Por isso esse diagnóstico é recomendado nos casos de pacientes com queixas de movimentos anormais que perturbam o sono e que são consequentes à doença médica ou neurológica.

9. Distúrbio do movimento relacionado ao sono devido à medicação ou substância

Aplica-se no caso de o paciente queixar-se de movimentos relacionados ao sono que perturbam o sono e como consequência do uso de medicação ou substância ou da retirada de medicações ou substâncias promotoras da vigília. Nos casos de acatisia ou discinesia, por exemplo, com o uso de neurolépticos, os movimentos são esperados e ocorrem tanto em vigília como em sono, não sendo esse o diagnóstico apropriado.

10. Distúrbio de movimento relacionado ao sono, inespecífico

Esse nome é aplicado aos casos sem diagnóstico estabelecido ou quando há suspeita de doença psiquiátrica subjacente. Costuma ser um diagnóstico provisório enquanto não se estabelece um definitivo.

11. Mioclonia fragmentar excessiva

Trata-se mais de um achado ocasional na polissonografia do que uma entidade clínica, uma vez que os pacientes não têm consciência dos abalos e relação causal com sono não restaurador não foi documentada. A Mioclonia Fragmentar Excessiva foi descrita tanto em indivíduos saudáveis como em portadores de distúrbios do sono e de condições neurológicas, como doenças neurodegenerativas. Na CIDS-3[1] é classificada dentre os "sintomas isolados e variantes da normalidade".

A distribuição topográfica das mioclonias ocorre em músculos faciais e distais, sugerindo o envolvimento de centros motores corticais em sua gênese.

Na polissonografia, observam-se potenciais musculares assimétricos e assíncronos, isolados e de curta duração (75 a 150 milissegundos) em vários músculos da face, mãos e pés e com amplitude variável, pois, quanto maior a amplitude, melhor a visualização clínica na fase NREM do sono (Figura 14.5)[23].

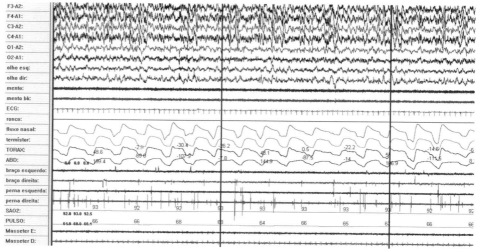

FIGURA 14.5 – Mioclonia fragmentar excessiva
Fonte: Vetrugno R et al., 2002.

12. Tremor hipnagógico dos pés

É um movimento rítmico bastante comum que ocorre nos dedos do pé ou no pé como um todo, em estágios N1 e N2, não sendo considerado patológico. Entretanto, a maioria dos casos foi relatada em associação com SPI ou distúrbios respiratórios do sono.

A polissonografia demonstra um padrão de ativação repetido e breve do músculo tibial anterior em uma perna, com frequência variando entre 0,3 e 4 Hz. Podem ocorrer em surtos que duram, em geral, 10 a 15 segundos (Figura 14.6)[24].

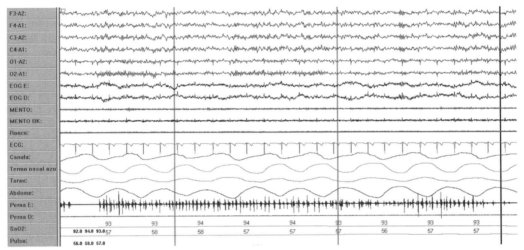

FIGURA 14.6 – Tremor hipnagógico dos pés
Fonte: Berry RB, 2007.

13. Ativação muscular alterna das pernas (ALMA)

Trata-se, aparentemente, de um achado polissonográfico, sem repercussão clínica e que foi identificado tanto em pacientes saudáveis quanto em pacientes com MPM e distúrbios respiratórios do sono. Observa-se uma rápida ativação da musculatura tibial anterior de uma perna alternando com similar ativação de outra durante o sono ou despertares, com frequência de 0,5 a 3 Hz (Figura 14.7)[25].

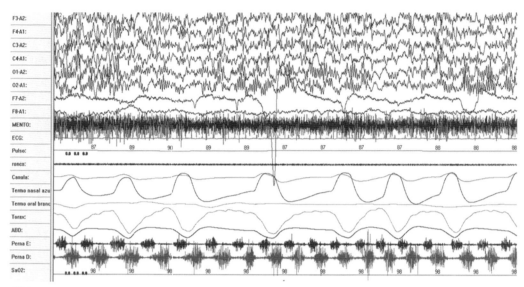

FIGURA 14.7 – Ativação muscular alterna das pernas
Fonte: Chervin RD et al., 2002.

14. Mioclonia hipnagógica

Também conhecida na literatura inglesa como *hypnic jerks ou sleep starts*. Consiste na contração do corpo ou segmentos do corpo, súbita, rápida e ocorre no início do sono. Geralmente, a atividade motora é espontânea, mas pode ser desencadeada por estímulos e o indivíduo tem a sensação de estar caindo.

Não há preferência por sexo ou idade, sendo uma queixa muito comum. Quando frequente, pode ser causa de insônia. O diagnóstico é muito mais clínico do que polissonográfico[26].

■ Referências

1. American Academy of Sleep Medicine. International classification of sleep disorders, 3rd ed. Darien, IL: American Academy of Sleep Medicine; 2014.
2. Willis T. The London Practice of Physice, 1st ed. London: Thomas Bassett and William Crooke; 1685:404.
3. Ekbom KA. Restless legs: clinical study of hitherto overlooked disease in legs characterized by peculiar paresthesia ("Anxietastibiarum"), pain and weakness and occurring in two main forms, asthenia crurum paraesthetica and asthenia crurum dolorosa. Acta MedScand. 1945;158(Suppl.):1-123.
4. Allen RP, Stillman P, Myers AJ. Physician-diagnosed restless legs syndrome in a large sample of primary medical care patients in western Europe: prevalence and characteristics. Sleep Med. 2010;11:31-7.
5. Hening WA, Allen RP, Washburn M, Lesage SR, Earley CJ. The four diagnostic criteria for Restless Legs Syndrome are unable to exclude confounding conditions ("mimics"). Sleep Med. 2009;10:976-81.
6. Picchietti DL, Bruni O, de Weerd A et al. Pediatric restless legs syndrome diagnostic criteria: an update by the International Restless Legs Syndrome Study Group. Sleep Med. 2013;14:1253-9.
7. Trenkwalder C, Hogl B, Winkelmann J. Recent advances in the diagnosis, genetics and treatment of restless legs syndrome. J Neurol. 2009;256(4):539-53.
8. Montplaisir J, Boucher S, Poirier G et al. Clinical, polysomnographic, and genetic characteristics of restless legs syndrome: a study of 133 patients diagnosed with new standard criteria. Mov Disord. 1997;12(1):61-65.
9. Sieminski, M. Pyrzowski, J. Partinen, M. Periodic limb movements in sleep are followed by increases in EEG activity, blood pressure, and heart rate during sleep. Sleep and Breathing. 2017;21(2):497-503.
10. Allen RE, Kirby KA. Nocturnal leg cramps. Am Fam Physician. 2012;86:350-5.

Distúrbios do movimento relacionados ao sono •• **211**

11. Saskin P, Whelton C, Molsofsky H, Akin F. Sleep and nocturnal leg cramps. Sleep. 1988;11:307-8.
12. Weiner I, Weiner H. Nocturnal leg cramps. JAMA. 1980;244:2332-3.
13. Norris FJ, Gasteiger E, Chatfield P. An electromyographic study of induced and spontaneous muscle cramps. Electroencephalogr Clin Neurophysiol. 1957;9:139-47.
14. Hallegraeff J, de Greef M, Krijnen W, van der Schans C. Criteria in diagnosing nocturnal leg cramps: a systematic review. BMC Fam Pract. 2017;18(1):29.
15. Rabbitt L, Mulkerrin EC, O'Keefe ST. A review of nocturnal leg cramps in older people. Age Ageing. 2016;45(6):776-782.
16. Brown TM. Sleep-Related Leg Cramps: a Review and Suggestions for Future Research. Sleep Med Clin. 2015;10(3):385-92.
17. Sjöholm T, Lehtinen I, Helenius H. Masseter muscle activity in diagnosed sleep bruxists compared with non-symptomatic controls. J Sleep Res. 1995;4:48-55.
18. Lavigne GJ, Rompré PH, Montplaisir J. Sleep bruxism: validity of clinical research diagnostic criteria in a controlled polysomnographic study. J Dent Res. 1996;75:546-552.
19. Lavigne GL, Montplaisir JY. Restless legs syndrome and sleep bruxism: prevalence and association among Canadians. Sleep. 1994;17(8):739-743.
20. Mayer G, Wilde-Frenz J, Kurella B. Sleep related rhythmic movement disorder revisited. J Sleep Res. 2007;16:110-6.
21. Maurer VO, Rizzi M, Bianchetti MG, Ramelli GP. Benign neonatal sleep myoclonus: a review of the literature. Pediatrics. 2010;125:919-24.
22. Vetrugno R, Provini F, Meletti S, et al. Propriospinal myoclonus at the sleep-wake transition: a new type of parasomnia. Sleep. 2001;24:835-43.
23. Vetrugno R, Plazzi G, Provini F, Liguori R, Lugaresi E, Montagna P. Excessive fragmentary hypnic myoclonus: clinical and neurophysiological findings. Sleep Med. 2002;3:73-6.
24. Berry RB. A woman with rhythmic foot movements. J Clin Sleep Med. 2007;3:749-51.
25. Chervin RD, Consens FB, Kutluay E. Alternating leg muscles activation during sleep and arousals: a new sleep-related motor phenomenon? Mov Disord. 2002;18:551-9.
26. Vetrugno R, Montagna O. Sleep-to-wake transition movement disorders. Sleep Med. 2011;12:11-6.
27. Manfredini D et al. Epidemiology of bruxism in adults: a systematic review of the literature. J Orofac Pain. 2013;27(2):99-110.

Parassonias 15

Alan Eckeli
Manoel Alves Sobreira Neto

1. Introdução

Parassonias são eventos ou experiências físicas indesejáveis que ocorrem no início, durante o sono ou ao despertar. As parassonias podem ocorrer durante o sono REM, NREM ou em ambos, sendo classificadas como: parassonias de sono REM, parassonias de sono NREM (ou de despertar) ou outras parassonias[1]. Um importante diagnóstico diferencial são as epilepsias relacionadas ao sono, que podem se confundir com os diferentes tipos de parassonias.

■ 1.1. Distúrbio Comportamental do Sono REM (DCSREM)

O Distúrbio Comportamental do Sono REM (DCSREM) é uma parassonia de sono REM caracterizada pela perda da atonia da musculatura esquelética durante o sono, associada a comportamentos de atuação durante os sonhos e/ou pesadelos[2]. A prevalência oscila em torno de 0,38 a 2,1% da população geral, chegando a mais de 80% nas sinucleinopatias (doença de Parkinson, Atrofia de Múltiplos Sistemas e Demência por Corpos de Lewy)[3].

Os comportamentos motores e vocalizações durante o sono REM, associados a sonhos e a pesadelos, podem causar lesões ao paciente e a seus companheiros, sendo comumente observados: movimentos de empurrar, chutar, esmurrar, morder, gritar, xingar, além de outros menos frequentes, mas não menos perigosos, como enforcar[4]. Alguns trabalhos relatam que as lesões ao paciente ou ao seu(ua) parceiro(a) ocorrem em 48 a 77% dos casos[5,6].

Ao final dos episódios, o indivíduo pode acordar rapidamente e, ao ser interrogado sobre os sonhos, relata uma história coerente com os comportamentos apresentados durante o sono. Tal fenômeno é conhecido como isomorfismo[7]. Os sonhos costumam ter um conteúdo negativo, com relatos de estarem sendo atacados, perseguidos ou agredidos por pessoas estranhas, animais, e caindo de penhascos[6-8]. Durante os episódios, não é comum

214 ·· Seção III – Diagnóstico dos distúrbios do sono

que os indivíduos caminhem, corram ou deixem o quarto. Além disso, habitualmente, os pacientes permanecem com os olhos fechados durante os eventos. Tais características nos auxiliam na diferenciação do DCSREM de outras parassonias e de quadros de epilepsia com crises noturnas[6,7].

Comportamentos não violentos também podem ocorrer nesses pacientes, mas são menos frequentes. Estes, muitas vezes, são considerados "normais" pelos pacientes[6-9]. As descrições desses fenômenos são amplas, com relatos de pacientes comportando-se como se estivessem fumando, discursando para uma plateia ou voando. Frequentemente, são observados vocalizações, como falar, gritar, chorar, rir, cantar e sussurrar, comportamentos alimentares e sexuais[5-8]. Em uma parte dos pacientes, ocorre a coexistência de comportamentos violentos e não violentos[8].

O critério diagnóstico dessa parassonia consiste na presença dos seguintes pontos: (1) episódios repetidos de vocalização e/ou comportamentos motores complexos durante o sono; (2) comportamentos documentados por polissonografia que ocorrem durante o sono REM ou, baseado na história clínica de sonhos e/ou pesadelos associados, acontecerem possivelmente durante o sono REM; (3) polissonografia demonstra REM sem atonia; (4) ausência de outra condição clínica ou medicação que tenha relação com os sintomas[1].

Desse modo, conforme descrito, é necessária a realização de polissonografia para documentação da perda de atonia no sono REM e/ou da visualização da movimentação durante o sono REM. Caso ela não seja realizada, o diagnóstico é tido como provável, visto que outras condições clínicas como: apneia obstrutiva do sono, crises epilépticas noturnas, transtornos psiquiátricos, outras parassonias, ou distúrbios do movimento relacionados ao sono podem simular o DCSREM.

O tratamento do DCSREM inclui, além das orientações quanto ao cuidado para evitar lesão do paciente e/ou do(a) companheiro(a) de quarto, o uso de medicações como clonazepam ou melatonina, apresentando controle satisfatório dos sintomas. Embora ambos possam melhorar os sintomas, apenas a melatonina demonstrou restauração da atonia em sono REM.

■ 1.2. Parassonias do sono NREM (ou do despertar)

As parassonias do despertar são o despertar confusional, o sonambulismo e o terror noturno e ocorrem, como já colocado anteriormente, no sono NREM. Elas apresentam alguns critérios diagnósticos comuns, a saber: (1) episódios recorrentes de despertares incompletos no sono; (2) resposta inapropriada ou ausente à tentativa de intervenção por outra pessoa durante o episódio; (3) ausência ou pouca associação cognitiva ou nenhuma relação com sonhos; (4) amnésia parcial ou total dos episódios[1].

Além disso, apresentam outras características em comum, como: 1) padrões genéticos e familiares semelhantes; 2) fisiopatologia semelhante de despertar parcial em estágio N3 e 3) desencadeamento semelhante por privação de sono ou estressores biopsicossociais. Essas patologias iniciam, com maior frequência, na infância e adolescência, podendo persistir na idade adulta em menor frequência.

Parassonias •• **215**

O despertar confusional se diferencia das demais parassonias pelos episódios recorrentes de confusão mental ou comportamento confuso que ocorrem enquanto o indivíduo está na cama. O sonambulismo, por sua vez, caracteriza-se por episódios de deambulação ou comportamentos complexos fora da cama. Já no terror noturno, o sujeito apresenta episódios abruptos de terror, tipicamente com gritos associados a sinais autonômicos importantes como: midríase, taquicardia, taquipneia e sudorese durante o episódio[1].

Os episódios dessas patologias podem ser desencadeados por privação do sono, situações de estresse, barulhos no ambiente, febre, período pré-menstrual, uso de substâncias como álcool ou medicamentos (lítio, anticolinérgicos, sedativos ou neurolépticos). Além disso, condições clínicas que fragmentem o sono, como a apneia obstrutiva do sono, também podem ter relação com o desencadeamento dos eventos.

O tratamento dessas condições envolve a eliminação dos fatores desencadeantes, além do uso de medicamentos, como benzodiazepínicos. É importante, ainda, a orientação quanto à proteção ambiental.

■ 1.3. Epilepsias relacionadas ao sono

Existem alguns tipos de epilepsias cujas crises ocorrem preferencial ou exclusivamente durante o sono ou despertar. No sono, sabe-se que os estágios do sono NREM, em particular o estágio N2, aumentam a frequência de paroxismos epileptiformes, bem como de crises epilépticas. Possivelmente, tal fato ocorre devido à sincronização neuronal progressiva que ocorre durante essa fase do sono.

Os principais tipos de epilepsia que mantêm relação com o sono ou com o despertar são: Síndrome de West, Síndrome de Lennox-Gastaut, Epilepsia Benigna com Pontas centrotemporais, Síndrome de Panayiotopoulos, ponta-onda contínua durante o sono, epilepsia mioclônica juvenil, epilepsia com crises tônico-clônicas relacionadas ao despertar e epilepsia noturna do lobo frontal[10].

Na epilepsia noturna do lobo frontal, mais de 90% das crises ocorrem durante o sono, sendo um importante diagnóstico diferencial das parassonias. Os pacientes com essa síndrome apresentam crises, habitualmente em sono NREM, que se caracterizam por despertares seguidos por movimentos estereotipados, vocalização e/ou medo; ou crises um pouco mais prolongadas, com postura tônica ou distônica ou com movimentos complexos, como balançar da pelve, pedalar ou movimento violento de membros. Algumas crises noturnas podem ter origem temporal, límbica ou occipital[10].

O tratamento dessa condição deve ser realizado com drogas antiepilépticas direcionadas ao tipo de crise e/ou síndrome epiléptica em questão. Em alguns casos, quando há dúvida diagnóstica mesmo após a realização da videopolissonografia, podemos realizar teste terapêutico com tais medicações, observando a redução e/ou eliminação das crises. Importante reforçar a orientação para correção de privação de sono, que pode atuar como fator precipitante das diversas crises epilépticas. O Quadro 15.1 resume as principais características das parassonias e da epilepsia noturna do lobo frontal.

216 •• Seção III – Diagnóstico dos distúrbios do sono

QUADRO 15.1
Características das parassonias e da epilepsia noturna do lobo frontal

Características	Parassonias do sono NREM (do despertar)	DCSREM	Epilepsia noturna do lobo frontal
Faixa etária de início	Infância e adolescência	Adulto e idosos (> 50 anos)	Qualquer
Sexo predominante	Qualquer	Masculino	Masculino
História familiar de parassonias	Habitualmente presente	Ausente	Ausente
Evolução espontânea	Tende a melhorar	Remissão espontânea rara	Estável, podendo apresentar piora
Ocorrência durante a noite	Usualmente no primeiro terço	Usualmente no último terço	Qualquer momento
Estágio do sono em que ocorrem	Sono NREM (estágio N3)	Sono REM	Sono NREM (estágio N2)
Duração dos episódios	1 a 10 minutos	1 a 2 minutos	Segundos a 3 minutos
Frequência dos episódios	Usualmente uma vez	Variável entre menor que um por dia a várias vezes	Várias
Manifestação motora estereotipada	Não	Não	Sim
Olhos durante os episódios	Abertos	Fechados	Abertos ou fechados
Relação dos episódios com os sonhos	Eventual	Sim	Não
Lembrança dos episódios	Não	Sim	Lembrança eventual
Descarga autonômica	Sim	Não	Sim
Alteração polissonográfica	Sem alteração típica	Perda da atonia em sono REM	Presença de atividade epileptiforme ictal ou interictal no EEG

DCSREM: Distúrbio Comportamental do Sono REM; REM: *Rapid Eyes Movement*; EEG: eletroencefalograma.
Fonte: Elaborado pelos autores.

2. Polissonografia

■ 2.1. Fundamentos

O exame de polissonografia com objetivo de avaliar comportamentos noturnos complexos deve idealmente incluir, além dos parâmetros polissonográficos avaliados de rotina, uma série de variáveis adicionais (Quadro 15.2). Desse modo, é necessário utilizar equipamentos que contenham canais para monitorização em número suficiente, dada a necessidade da monitorização de grande quantidade de parâmetros. Além disso, os exames devem sempre ser realizados no laboratório, com técnico(s) treinado(s) e orientado(s) a documentar e atuar durante os movimentos realizados no período noturno, facilitando, com isso, a análise do exame. Ademais, como tais pacientes se movimentam demasiadamente

Parassonias •• **217**

durante o sono, sendo comum o deslocamento de eletrodos, é importante reposicioná-los durante a noite. Existe, ainda, risco de dano do equipamento e/ou lesão do paciente, devendo o técnico intervir quando necessário.

QUADRO 15.2
Parâmetros adicionais a serem utilizados na videopolissonografia para avaliação de parassonias

• **Eletroencefalograma:** o exame deve conter todos os eletrodos de eletroencefalograma posicionados de acordo com o sistema internacional 10-20, podendo, em situações específicas, utilizar outros eletrodos posicionados de acordo com o sistema internacional 10-10 ou eletrodos profundos, como eletrodos esfenoidais. Devemos utilizar equipamentos com alta taxa de amostragem, facilitando a visualização e diferenciação de atividades epileptiformes rápidas, como pontas.
• **Eletromiograma:** é recomendado, além da utilização rotineira de eletrodos de EMG em queixo e em membros inferiores, a monitorização do EMG dos membros superiores, na musculatura flexora dos dedos superficial ou extensora comum dos dedos. É importante a monitorização de cada membro individualmente. A depender da hipótese diagnóstica, outros grupos musculares devem ser monitorados.
• **Sistema de monitorização de vídeo:** devem-se utilizar câmeras com boa resolução, sincronizadas ao sistema polissonográfico, com gravação do áudio. Deve-se atentar para o posicionamento das câmeras e evitar que a imagem do paciente fique encoberta pela roupa de cama e possa comprometer a visualização dos comportamentos e/ou movimentos.

Fonte: Elaborado pelos autores.

■ 2.2. Análise da polissonografia

A análise polissonográfica para o diagnóstico das parassonias envolve uma série de cuidados que dizem respeito aos parâmetros monitorados, a análise criteriosa da atividade muscular, além de análise pormenorizada do vídeo sincronizado. Isso torna a análise do exame de polissonografia para o diagnóstico dos movimentos complexos durante o sono diferente do exame rotineiro, realizado nos laboratórios do sono, como para diagnóstico dos distúrbios respiratórios do sono.

Após o estagiamento do sono, marcação dos despertares, dos eventos respiratórios e dos movimentos periódicos de membros, faz-se a análise da atividade muscular tônica e fásica durante o sono REM. Após isso, podemos avaliar detalhadamente o eletroencefalograma e, por fim, os movimentos, comportamentos e/ou vocalizações que ocorreram durante o sono.

A análise da atividade muscular no sono REM pode ser iniciada pela análise da atividade tônica. Dessa forma, cada época de 30 segundos de sono REM é marcada como tônica ou atônica, dependendo se a atividade tônica estiver presente ou não no eletromiograma (EMG) de mento por mais de 50% da época, portanto, por tempo maior que 15 segundos. A atividade tônica é definida como uma amplitude no EMG de mento maior que a amplitude mínima no sono NREM[93]. A presença de aumento do tônus simultânea aos eventos respiratórios, aos MPM, aos despertares espontâneos e aos roncos (interferência) deve ser excluída da análise[94,95]. É importante destacar que não é utilizado o EMG dos membros para avaliar a atividade tônica.

Para análise da atividade muscular fásica no sono REM, as épocas de 30 segundos devem ser divididas em 10 miniépocas de três segundos. Os eventos fásicos são definidos como aumento do tônus no EMG do mento e/ou dos membros em, pelo menos, quatro vezes a amplitude da atividade de base, com duração entre 0,1 e 5 segundos. A presença em mais de 50% das dez miniépocas de três segundos existentes em uma época determina aquela época como fásica[21]. Pode-se, ainda, utilizar cada miniépoca de três segundos

218 •• Seção III – Diagnóstico dos distúrbios do sono

individualmente, contabilizando o percentual de miniépocas fásicas de três segundos, em relação ao total de miniépocas durante o sono REM. Da mesma forma que na análise da atividade tônica, torna-se mister a exclusão de miniépocas com artefatos, assim como aquelas com movimentos associados a eventos respiratórios ou à movimentação periódica de membros.

Trabalho recente de Frauscher et al. avaliou diferentes valores de corte para quantificação dessas alterações tônicas ou fásicas durante o sono REM[22]. Esse estudo recomendou, para o diagnóstico de DCSREM, montagem polissonográfica incluindo eletrodos em membros superiores, além daqueles já utilizados em mento e membros inferiores. Na análise da perda da atonia em sono REM, contabiliza-se qualquer atividade muscular (tônica ou fásica) em mento, somada à atividade fásica em músculos flexores superficial dos dedos, utilizando miniépocas de três segundos. Considera-se perda da atonia em sono REM quando essas miniépocas superam o ponto de corte de 32%[22]. Esse trabalho verificou, ainda, que não havia diferença significativa entre o método de quantificar o percentual no total de miniépocas de três segundos com o método utilizado pela Academia Americana de Medicina do Sono descrito, que utiliza épocas de 30 segundos[22].

Após a análise do índice de atonia muscular em sono REM, realiza-se a análise do eletroencefalograma, sendo importante verificar os seguintes pontos: análise de atividade de base eletroencefalográfica, presença de atividade interictal, periódica e/ou ictal.

A análise da atividade de base eletroencefalográfica envolve a verificação da frequência, amplitude, simetria e distribuição dos ritmos cerebrais, observando, além disso, a presença e formação do ritmo dominante posterior na vigília e dos grafoelementos fisiológicos do sono. Na análise da atividade interictal, observamos a presença de paroxismos epileptiformes, como pontas e ondas agudas, destacando a localização, amplitude, espraiamento e frequência.

É importante, ainda, verificar a ocorrência de atividade periódica ou rítmica, destacando a frequência, amplitude, localização, duração e prevalência dessa atividade. Deve-se fazer a correlação entre essa atividade e as manifestações apresentadas pelo paciente, na análise do vídeo sincronizado. Em alguns casos, pode permanecer a dúvida, uma vez que os eletrodos superficiais podem não demonstrar o ritmo ictal, e as características clínicas podem ser confundidas com parassonias de sono NREM, como terror noturno, despertar confusional ou mesmo sonambulismo. Assim, em algumas situações, pode-se tentar um teste terapêutico com drogas antiepilépticas, avaliando rigorosamente a frequência dos eventos.

Por fim, é importante analisar os movimentos e/ou as vocalizações durante o sono, destacando em qual fase do sono ocorrem, se existe alguma alteração eletroencefalográfica associada antes, durante ou após o comportamento.

Os movimentos relacionados ao DCSREM podem ser: 1) sutis, com contrações musculares discretas e excessivas em boca e dedos; 2) presença de movimentos bruscos de grandes articulações, com movimentos aparentemente sem sentido; 3) nítida atuação de conteúdo onírico, com socos, chutes ou vocalizações, ocorrendo, porém, em menor frequência.

Embora não seja necessária para o diagnóstico das parassonias do despertar, a polissonografia pode ser utilizada em casos duvidosos. Encontramos nesse exame a ocorrência dos episódios durante o estágio N3, caracterizados por ondas lentas delta síncronas, de alta voltagem, ou após o despertar nessa etapa do sono. Eventualmente, os episódios podem ocorrer durante o estágio N2. São observadas, na análise do vídeo, as manifestações típicas do despertar confusional, com despertar parcial, com breve período de confusão mental; do sonambulismo, com deambulação; e do terror noturno, com choro incoercível e intensa atividade autonômica.

Como a frequência dos episódios pode ser baixa, a ausência dessa alteração não afasta o diagnóstico dessas parassonias. Manobras provocativas, como privação de sono na noite anterior ao exame e estímulo tátil ou auditivo durante o sono lentos, podem aumentar a chance de documentar os eventos. É importante, ainda, verificar a existência de fatores desencadeantes dos episódios, como eventos respiratórios ou movimento periódico de membros inferiores. Quando documentados, eles devem ser tratados, reduzindo significativamente a frequência dos episódios.

■ Referências

1. American Academy of Sleep Medicine. International classification of sleep disorders. 3rd ed. Westchester, Illinois: 2013.
2. Boeve BF. REM sleep behavior disorder: Updated review of the core features, the REM sleep behavior disorder-neurodegenerative disease association, evolving concepts, controversies, and future directions. Ann N Y Acad Sci. 2010;1184:15-54.
3. Rolinski M et al. REM sleep behaviour disorder is associated with worse quality of life and other non-motor features in early Parkinson's disease. J Neurol Neurosurg Psychiatry. 2014;85(5):560-6.
4. Comella CL et al. Sleep-related violence, injury, and REM sleep behavior disorder in Parkinson's disease. Neurology. 1998;51(2):526-9.
5. Olson EJ, Boeve BF, Silber MH. Rapid eye movement sleep behaviour disorder: demographic, clinical and laboratory findings in 93 cases. Brain. 2000;123(2):331-9.
6. Iranzo A, Santamaria J, Tolosa E. The clinical and pathophysiological relevance of REM sleep behavior disorder in neurodegenerative diseases. Sleep Med Rev. 2009.
7. American Academy of Sleep Medicine. International Classification of Sleep Disorders, 2nd edition, 2005.
8. Oudiette D et al. Nonviolent elaborate behaviors may also occur in REM sleep behavior disorder. Neurology. 2009;72(6):551-7.
9. Gagnon JF et al. Rapid-eye-movement sleep behaviour disorder and neurodegenerative diseases. Lancet Neurol. 2006;5(5):424-32.
10. Carreno M, Fernandez S. Sleep-related epilepsy. Curr Treat Options Neurol. 2016;18(5):23.
11. Iranzo A. The importance of sleep medicine consultation for diagnosis of REM sleep behavior disorder in most patients with Parkinson's disease. Sleep Med. 2002;3(6):537-8.
12. Trenkwalder C. Article reviewed: REM sleep behavior disorder in sleep-disordered patients with versus without Parkinson's disease: is there a need for polysomnography? Sleep Med. 2002;3(2):181-2.
13. Eisensehr I et al. REM sleep behavior disorder in sleep-disordered patients with versus without Parkinson's disease: is there a need for polysomnography? J Neurol Sci. 2001;186(1-2):7-11.
14. Gagnon JF et al. REM sleep behavior disorder and REM sleep without atonia in Parkinson's disease. Neurology. 2002;59(4):585-9.
15. Iranzo A, Santamaria J. Severe obstructive sleep apnea/hypopnea mimicking REM sleep behavior disorder. Sleep. 2005;28(2):203-6.
16. Lapierre O, Montplaisir J. Polysomnographic features of REM sleep behavior disorder: development of a scoring method. Neurology. 1992;42(7):1371-4.
17. Parrino L et al. Commentary from the Italian Association of Sleep Medicine on the AASM manual for the scoring sleep and associated events: For debate and discussion. Sleep Medicine. 2009.
18. Consens FB et al. Validation of a polysomnographic score for REM sleep behavior disorder. Sleep. 2005;28(8):993-7.
19. Schenck CH. Clinical and research implications of a validated polysomnographic scoring method for REM sleep behavior disorder. Sleep. 2005;28(8):917-9.
20. American Academy of Sleep Medicine. The AASM Manual for the Scoring of Sleep and Associated Events; 2007.
21. Berry RB, Brooks R, Albertario CL, Harding SM et al. for the American Academy of Sleep Medicine. The AASM manual for the scoring of sleep and associated events: rules, terminology and technical specifications. Version 2.5. Darien, IL: American Academy of Sleep Medicine; 2018.
22. Frauscher B et al. Normative EMG values during REM sleep for the diagnosis of REM sleep behavior disorder. Sleep. 2012;35(6):835-47.

Hipersonias 16

Fernando Morgadinho Santos Coelho

Leila Azevedo de Almeida

1. Introdução

As hipersonias são responsáveis por muitos dos atendimentos no ambulatório de especialistas em Medicina do Sono. A correta abordagem diagnóstica e terapêutica é fundamental para o manejo de pacientes com queixas de hipersonia. As principais causas de Sonolência Excessiva Diurna (SED) estão listadas no Quadro 16.1.

QUADRO 16.1 As principais causas de sonolência excessiva diurna			
Causa	Características	Diagnóstico	Tratamento
Privação de sono	Menor tempo de sono por motivos pessoais, profissionais, dentre outros.	História clínica. Horários de dormir e acordar.	Mais horas de sono por noite.
Doenças do sono	Síndrome da apneia obstrutiva do sono, síndrome das pernas inquietas, dentre outras.	História clínica. Polissonografia.	Direcionado para resolução do distúrbio encontrado.
Doenças clínicas ou psiquiátricas	Depressão, hipotireoidismo, insuficiência adrenal, depressão, carência vitamínica, anemias, dentre outros.	História clínica. Exames laboratoriais.	Direcionado para resolução do distúrbio encontrado.
Uso de medicamentos	Hipnóticos, antidepressivos, medicamentos para o controle de Doença de Parkinson, neurolépticos, dentre outros.	História clínica.	Retirada, substituição ou modificação da tomada dos medicamentos.
Alteração de ritmo	Atraso ou avanço de fase, *jet lag,* dentre outras.	História clínica. Diário do sono. Actigrafia.	Cromoterapia e melatonina.

Fonte: Elaborado pelos autores.

222 •• Seção III – Diagnóstico dos distúrbios do sono

Excluindo-se os diagnósticos diferenciais de SED do Quadro 16.1, sobra um conjunto de hipersonias do sistema nervoso central que é mais raro. A SED de origem central deve ser suspeitada em pacientes nos quais não há evidência de privação de sono, distúrbio de ritmo, uso de medicamento com mecanismo de ação no sistema nervoso central, além de doenças clínicas e psiquiátricas. Doenças como Narcolepsia, Síndrome de Kleine-Levin e Hipersonia Idiopática devem ser reconhecidas e devem ter os diagnósticos diferenciais lembrados. Essas doenças levam a uma redução significativa da qualidade de vida, bem como risco de acidentes pessoais e profissionais. A demora para o diagnóstico dessas doenças é maior do que dez anos, com impacto relevante na qualidade de vida destes pacientes.

Os profissionais de saúde precisam estar bem preparados e motivados para realizar os diagnósticos de doenças mais raras do sono. Esforços dos meios universitários vêm tentando reverter esse cenário, com educação continuada sobre o tema para público leigo e profissionais de saúde.

A avaliação dos pacientes com queixa de hipersonolência diurna deve ser realizada com uma anamnese detalhada voltada para o sono, com a quantificação objetiva da SED pela Escala de Sonolência de Epworth (ESE) (ver Capítulo 3), além da avaliação do sono com a polissonografia (ver Capítulo 5), seguida do Teste de Latências Múltiplas do Sono (TLMS), apresentado ao final do capítulo.

QUADRO 16.2 Escala de Sonolência de Epworth	
Situação	**Chance de cochilar**
1. Sentado e lendo	
2. Vendo TV	
3. Sentado em um lugar público, sem atividade (sala de espera, cinema, reunião)	
4. Como passageiro de trem, carro ou ônibus andando uma hora sem parar	
5. Deitado para descansar à tarde, quando as circunstâncias permitem	
6. Sentado e conversando com alguém	
7. Sentado, calmamente, após almoço sem álcool	
8. Se estiver de carro, enquanto para por alguns minutos no trânsito intenso	
0 = nenhuma chance de cochilar 1 = pequena chance de cochilar 2 = moderada chance de cochilar 3 = alta chance de cochilar	

Fonte: Adaptado de Rev. Bras. Otorrinolaringol. 2004 nov./dec;70(6). Available from: <http://dx.doi.org/10.1590/S0034-72992004000600007>.

2. Hipersonolência Idiopática (HI)

A Hipersonolência Idiopática (HI) é uma doença do sono de causa desconhecida, com origem neurológica. Os pacientes apresentam SED sem os achados comuns aos pacientes com narcolepsia. A HI é mais comum em familiares de pacientes com narcolepsia e não há marcadores biológicos. O diagnóstico da HI consiste na exclusão de outras causas de SED. É muito importante descartar a privação de sono, o uso de medicamentos sedativos, as doenças primárias do sono, as lesões no sistema nervoso central, além dos distúrbios do humor e do ritmo circadiano. Ambas, polissonografia seguida por TLMS, devem ser realizadas. Os achados da polissonografia são inespecíficos com uma eficiência de sono aumentada e, no TLMS, pode ocorrer a presença do sono de ondas lentas sem a presença do sono REM. O tratamento deve ter abordagens comportamental e farmacológica. A orientação aos familiares e o uso de estimulantes melhoram a qualidade de vida desses pacientes.

3. Síndrome de Kleine-Levin (SKL)

A Síndrome de Kleine-Levin (SKL) é uma doença muito rara caracterizada por ataques de SED associados à hiperfagia, hipersexualidade, coprolalia ou copropraxia, alteração comportamental e agressividade. Os pacientes apresentam crises de SED que podem durar até 30 dias. Entretanto, os pacientes costumam ter um índice de massa corpórea aumentado pelo aumento da ingesta e pela pouca atividade física durante as crises. Durante os intervalos das crises, os pacientes não apresentam os sintomas. A SKL se inicia na adolescência, sendo mais frequente no sexo masculino e a fisiopatologia é desconhecida. Alguns autores demonstraram uma disfunção hipotalâmica após possível distúrbio autoimune pós-infeccioso. Não há uma terapia específica e efetiva, e o tratamento envolve medicações com diferentes efeitos. O carbonato de lítio e a carbamazepina têm sido utilizados com resposta inconsistente para aumento dos intervalos das crises. Normalmente há remissões espontâneas frequentes com o avanço da idade.

4. Narcolepsia

■ 4.1. Introdução

A narcolepsia é uma rara doença primária do sistema nervoso central com a prevalência ao redor de 0,02% na população geral. A narcolepsia se caracteriza por SED associada a cataplexia, alucinações hipnagógicas, paralisia do sono e fragmentação do sono.

A cataplexia é uma manifestação patognomônica da narcolepsia, sendo caracterizada por perda súbita da força muscular (global ou segmentar) provocada por emoções intensas como alegria ou raiva. Os ataques de cataplexia podem ser unilaterais ou bilaterais, de curta duração (segundos até três minutos) e sem sono ou perda da consciência. As alucinações hipnagógicas ou hipnopômpicas são experiências vívidas visuais, tácteis ou de movimento com componentes oníricos. A paralisia do sono é a incapacidade de se mover após despertar do sono REM, de caráter transitório, mantendo a função do diafragma e da ventilação.

Após os estudos eletroencefalográficos realizados por Rechschaffen, em 1967, a narcolepsia e os seus achados (cataplexia, alucinações hipnagógicas e paralisia do sono) foram relacionados ao sono REM.

■ 4.2. Fisiopatologia

O alelo HLA-DQB1*0602, variante do gene HLA-DQB1, é muito mais prevalente em pacientes com cataplexia (95%), porém mais baixa (40%) em pacientes sem cataplexia. O alelo HLA-DQB1*0602 é um potencial biomarcador na predição das diferenças individuais da privação de sono de pessoas normais.

Em cães, foi definida a ausência de receptores de hipocretina-2 predispondo aos sintomas e sinais de narcolepsia com um padrão genético de transmissão autossômica, em

224 •• Seção III – Diagnóstico dos distúrbios do sono

1999. Entretanto, em humanos, há baixos níveis de hipocretina-1 após perda de células hipocretinérgicas no hipotálamo lateral.

Em 1998, foi descoberta a hipocretina, que é um neuropeptídeo produzido no hipotálamo lateral com função reguladora do sono. A hipocretina possui dois receptores reconhecidos denominados 1 e 2. A hipocretina-1, que modula o controle vigília-sono, está baixa no líquido cefalorraquiano de pacientes com narcolepsia tipo 1. Nesses pacientes, há diminuição da hipocretina-1 e instabilidade do ciclo sono-vigília, com consequentes sinais e sintomas de narcolepsia.

Em 2010, foi caracterizada uma associação, na Europa e na China, entre a narcolepsia e uma vacina para controle do vírus H1N1 da Glaxo.

Assim, uma maior prevalência do alelo HLA-DQB1*0602 e a diminuição da população de células hipocretinérgicas no hipotálamo lateral direcionam para um mecanismo imunológico. Mudanças em um ou mais dos componentes do complexo formado por TCR, CHC e CD40L poderiam direcionar para o ataque das células produtoras de hipocretina.

Foi também descrita, em pacientes com narcolepsia tipo 1, a presença de anticorpos específicos *tribbles homolog 2,* o que sugere uma autoagressão mediada por anticorpos nesta população de pacientes com narcolepsia.

■ 4.3. Diagnóstico

O diagnóstico da narcolepsia segue os critérios eletrofisiológicos da análise de cinco cochilos diurnos por 20 minutos, denominados TLMS, após uma polissonografia de noite inteira. A polissonografia deve ser realizada considerando-se o mínimo de seis horas de sono, já que é primordial afastar outros distúrbios do sono, além de privação do sono na noite anterior. Os pacientes com narcolepsia devem apresentar, no TLMS, a média das latências menores ou iguais a oito minutos, além de dois ou mais cochilos com episódios de sono REM, segundo a Classificação Internacional dos Distúrbios do Sono (CIDS-3).

Melhora na sensibilidade do diagnóstico em pacientes narcolépticos foi demonstrada com a repetição da TLMS em casos que não completaram formalmente os critérios diagnósticos na primeira vez. Outro importante achado é a relação entre os sonos NREM e REM. Quando os episódios de sono REM forem precedidos e seguidos de sono NREM, durante os cochilos na TLMS, é mais provável que tenha maior influência a privação de sono.

A narcolepsia é dividida em narcolepsia tipo 1 e narcolepsia tipo 2, segundo a CIDS-3. A narcolepsia tipo 1 é observada nos pacientes que possuem cataplexia e/ou os níveis de hipocretina-1 $\leq$ 110 pg/mL ou < 1/3 do valor de referência. A narcolepsia tipo 2 caracteriza os pacientes que não apresentam cataplexia e que possuem usualmente níveis de hipocretina-1 > 110 pg/mL ou > 1/3 do valor de referência ou não dosados.

5. Teste de Latências Múltiplas do Sono (TLMS)

■ 5.1. Fundamentos

O TLMS permite avaliar de forma objetiva a SED, pela estimativa da latência ao sono no dia seguinte a uma noite de sono.

Neste caso, considera-se a latência ao sono uma medida indireta válida de sonolência, uma vez que reflete a tendência ou facilidade para o início do sono, em condições padronizadas, na ausência de estímulos externos para o alerta. Ainda, o TLMS permite documentar a presença de sono REM durante breves cochilos diurnos, condição não encontrada em uma arquitetura do sono normal.

O protocolo mais utilizado de TLMS consiste em cinco oportunidades breves de cochilo (20 minutos, caso não ocorra sono), no dia seguinte a uma polissonografia de noite inteira, com duas horas de intervalo entre cada teste, sendo o primeiro deles iniciado após duas horas do despertar final do paciente, considerando seu horário habitual.

A polissonografia de noite inteira deve ser realizada na véspera do TLMS, uma vez que privação de sono, fragmentação de sono e outros transtornos do sono influenciam nos resultados do teste.

Os parâmetros registrados durante o TLMS são o eletroencefalograma, o eletro-oculograma, o eletromiograma de mento e o eletrocardiograma, com o objetivo de se determinar a latência ao sono em cada cochilo, e, em última análise, a latência média ao sono, bem como a presença ou ausência de episódios de sono REM ao início do sono (*Sleep-Onset REM Periods* – SOREMPs).

O TLMS é considerado positivo para narcolepsia, segundo a CIDS-3, quando a latência média ao sono é ≤ 8 minutos e há ocorrência de ao menos dois SOREMPs. Observou-se que a grande maioria dos pacientes com narcolepsia apresenta documentação objetiva de SED, representada por latência média ao sono < 8 minutos em 90% dos casos. Ainda, a presença de dois ou mais SOREMPs é muito comum em tais pacientes (sensibilidade de 0.78 e especificidade de 0.93).

O TLMS é formalmente indicado para o diagnóstico de narcolepsia Tipos I e II e HI, e pode ser indicado na documentação de Hipersonia Secundária a Condições Médicas. Para o diagnóstico diferencial de Hipersonias de Origem Central, os resultados do TLMS devem ser avaliados conjuntamente com dados clínicos e da polissonografia diagnóstica, segundo os critérios da CIDS-3:

- Na narcolepsia Tipo I, o paciente apresenta SED há ao menos três meses e ao menos um dos critérios: I. Cataplexia + TLMS positivo II. Diminuição de hipocretina no liquor.
- Na narcolepsia Tipo II, o paciente apresenta SED há ao menos três meses, na ausência de condições que a justifiquem, e TLMS positivo. Não há cataplexia, e a hipocretina no liquor não é dosada ou encontra-se normal.
- Na HI, o paciente apresenta SED há ao menos três meses, sem condições que a justifiquem. A SED é documentada por um dos critérios: 1) Ao menos 11 horas de tempo total de sono em polissonografia de 24 horas ou em actigrafia associada ao diário de sono (ao menos sete dias); 2) Diminuição da latência média ao sono no TLMS (≤ 8 minutos), sem ocorrência de dois SOREMPs.
- Na Hipersonia Secundária a Condições Médicas, se o TLMS for realizado, a latência média ao sono é ≤ 8 minutos, sem ocorrência de dois SOREMPs.

Observou-se que o TLMS apresenta resultados reprodutíveis em estudos teste-reteste em pacientes saudáveis e boa concordância intra e interavaliador em pacientes com distúrbios do sono. No entanto, resultados falsos positivos e falsos negativos foram estimados em 16%, para um ponto de corte de cinco minutos de latência média ao sono. Os procedimentos do teste devem ser rigorosamente observados, no intuito de minimizar resultados errôneos.

Em 1992, a Associação Americana de Distúrbios do Sono, atualmente Academia Americana de Medicina do Sono, publicou orientações sobre o uso clínico do TLMS, revisadas

226 •• Seção III – Diagnóstico dos distúrbios do sono

em 2005. Os procedimentos para realização, laudo e interpretação do TLMS descritos a seguir foram adaptados de tais recomendações.

■ 5.2. Procedimentos

As recomendações se dirigem a adolescentes e adultos, devido à falta de evidências suficientes para padronização e interpretação do teste em crianças.

1. Nas duas semanas que antecedem o exame, o paciente deve ser orientado a suspender medicações estimulantes e medicações supressoras de sono REM. É fundamental que tal procedimento seja praticado. A suspensão dessa última classe de medicação, poucas horas ou poucos dias antes do exame, pode resultar em aumento rebote de sono REM e resultados falsos positivos do TLMS. A utilização de demais medicações deve ser avaliada caso a caso, de acordo com seu potencial sedativo ou estimulante.

2. Ao menos na semana anterior ao exame, e, idealmente, nas duas semanas anteriores, o paciente deve ser orientado a manter horários regulares de sono, evitando privação, o que deve ser documentado por meio de diário de sono (ou actigrafia).

3. Na polissonografia de noite inteira realizada na véspera do TLMS, o paciente deve fazer uso, se for o caso, dos dispositivos terapêuticos para apneia obstrutiva do sono, como aparelho de pressão positiva ou dispositivo intraoral. Na presença de Distúrbio de Ritmo Circadiano, a polissonografia deve ser realizada durante o período principal de sono do paciente, e o TLMS deve ter início após despertar no horário habitual.

4. *Screening* sanguíneo e/ou urinário de substâncias potencialmente estimulantes ou sedativas pode ser indicado na manhã do teste. Anniss et al. verificaram 16% de positividade do *screening* urinário para tais substâncias, sendo que nenhum paciente relatou previamente o seu uso.

5. Na manhã do TLMS, após o despertar do paciente, técnicos devem ser orientados a manter os sensores relativos ao teste (sensores de eletroencefalograma, eletro-oculograma, eletromiograma de mento e eletrocardiograma) e retirar demais sensores de polissonografia. O ideal seria a retirada de todos os sensores no final da polissonografia e a colocação dos eletrodos necessários para o TLMS imediatamente antes do início de cada oportunidade de cochilo. Tal procedimento permite que o paciente possa ficar mais confortável para sair do quarto de registro nos períodos entre os intervalos dos testes do TLMS.

6. O paciente deve ser orientado a consumir café da manhã leve (ao menos uma hora antes do primeiro teste). Deve manter-se fora do ambiente de dormir até o início do primeiro teste de latência e no intervalo entre cada teste. Após os demais testes, lanches leves podem ser consumidos.

7. Medicações sedativas ou psicoestimulantes, cafeína, e exposição excessiva à luz devem ser evitados durante todo o dia de teste, assim como, idealmente, nicotina e atividade fisicamente estimulante. Tabagismo deve ser interrompido no mínimo 30 minutos antes de cada teste e atividade física no mínimo 15 minutos.

8. O primeiro teste se inicia duas horas (1,5 a 3 horas) após o despertar do paciente, no horário habitual, e os demais testes após duas horas de início do teste anterior, em horários fixos. Exemplo: o paciente acorda habitualmente às 6 horas. Assim, cada um dos testes terá início, respectivamente, às 8 horas, 10 horas, 12 horas, 14 horas e 16 horas.

9. A cada teste, o paciente deve ter os eletrodos colocados, ser conduzido ao ambiente de dormir e a calibração biológica dos parâmetros registrados deve ser realizada. O

Hipersonias •• **227**

paciente deve sentir-se confortável, e possíveis queixas devem ser resolvidas. Após orientação para "manter-se quieto, confortável e tentar iniciar o sono", as luzes devem ser apagadas e a porta fechada. O ambiente de dormir deve ser silencioso, escuro e manter temperatura adequada ao paciente.

10. Cada teste deve ser encerrado após vinte minutos de seu início, caso o paciente não apresente sono. Caso o paciente apresente sono, o teste deve ser prolongado por 15 minutos a partir da primeira época de sono, com o objetivo de documentar a presença ou a ausência de SOREMP, que geralmente ocorre nos primeiros 15 minutos de sono.

Observação:

• Existe variação do protocolo exposto, com execução de 4 e não 5 oportunidades de cochilo.

■ 5.3. Elaboração e interpretação do laudo do TLMS

Os seguintes parâmetros devem ser relatados no laudo do TLMS: horário de início e término de cada teste, latência ao sono em cada teste, latência média ao sono, presença ou ausência de SOREMP em cada teste. A Tabela 16.1 apresenta um exemplo da descrição do resultado de um TMLS.

		TABELA 16.1		
		Exemplo da descrição do resultado de um TLMS		
Teste	**Início (horário)**	**Término (horário)**	**Latência do sono (minutos)**	**SOREMP**
1°	08:00:20	08:18:20	3	Sim
2°	10:00:40	10:17:40	2	Sim
3°	12:00:17	12:25:47	10	Não
4°	14:00:26	14:16:26	1	Sim
5°	16:00:32	16:20:32	20	Não

Latência média ao sono: 7,2 minutos.

Fonte: Elaborada pelos autores.

Descrever, para cada teste, a latência ao sono, que é considerada o tempo decorrido entre o apagar das luzes e a primeira época de sono. Caso o paciente não tenha apresentado sono, o valor de 20 minutos deve ser considerado para o cálculo da latência média. A latência ao sono REM, que é o tempo entre a primeira época de sono e a primeira época de sono REM, independentemente da ocorrência de épocas de vigília ou outros estágios de sono durante esse tempo. Presença de episódio de SOREMP, definido como a ocorrência de sono REM dentro de 15 minutos a partir da primeira época de sono.

O TLMS é considerado positivo quando as duas condições se encontram presentes: 1) Latência média ao sono ≤ 8 minutos; 2) Ocorrência de dois episódios de SOREMP (em ao menos duas das cinco oportunidades de cochilo). Deve ser observado que, de acordo com a CIDS-3, para o diagnóstico de narcolepsia, a ocorrência de SOREMP na polissonografia de noite anterior ao teste pode ser contabilizada para preencher o critério de ao menos dois SOREMPs.

228 •• Seção III – Diagnóstico dos distúrbios do sono

Resultados positivos diante de apneia obstrutiva do sono não tratada, privação de sono na semana e/ou na noite anterior ao exame, suspensão recente de medicações supressoras de sono REM podem representar falsos positivos. O resultado positivo pode ser questionável caso o tempo total de sono na noite anterior seja menor que seis horas. Resultados negativos diante do uso de medicações supressoras de sono REM podem representar falsos negativos.

Em um paciente com quadro clínico compatível com HI ou Hipersonia Secundária a Condição Médica, a latência média ao sono ≤ 8 minutos confirma o diagnóstico. Caso ocorram dois SOREMPs, o diagnóstico deve ser alterado para narcolepsia do Tipo II.

Pacientes com sinais e sintomas clínicos de narcolepsia, com TLMS negativo, podem ter diagnóstico confirmado pela diminuição de hipocretina no liquor ou pela repetição *a posteriori* do TLMS.

O TLMS deve ser repetido quando realizado em condições não ideais, quando apresenta resultados duvidosos, ou quando não confirma diagnóstico de narcolepsia, em casos suspeitos.

■ Referências

1. Scammell TE. Narcolepsy. N Engl J Med. 2015;373:2654-62.
2. Krahn LE, Hershner S, Loeding LD et al. Quality measures for the care of patients with narcolepsy. J Clin Sleep Med. 2015;11:335.
3. Medicine AAoS. International Classification of Sleep Disorders ICSD 3. Chicago; 2014.
4. Coelho FM, Pradella-Hallinan M, Pedrazzoli M et al. Traditional biomarkers in narcolepsy: experience of a Brazilian sleep centre. Arq Neuropsiquiatr. 2010;68:712-15.
5. Aloe F, Alves RC, Araujo JF et al. [Brazilian guidelines for the treatment of narcolepsy]. Rev Bras Psiquiatr. 2010;32:305-14.
6. Dahmen N, Kasten M, Wieczorek S, Gencik M, Epplen JT, Ullrich B. Increased frequency of migraine in narcoleptic patients: a confirmatory study. Cephalalgia. 2003;23:14-9.
7. Baier PC, Weinhold SL, Huth V, Gottwald B, Ferstl R, Hinze-Selch D. Olfactory dysfunction in patients with narcolepsy with cataplexy is restored by intranasal Orexin A (Hypocretin-1). Brain. 2008;131:2734-41.
8. Droogleever Fortuyn HA, Fronczek R, Smitshoek M et al. Severe fatigue in narcolepsy with cataplexy. J Sleep Res. 2012;21:163-9.
9. Dauvilliers Y, Bayard S, Shneerson JM, Plazzi G, Myers AJ, Garcia-Borreguero D High pain frequency in narcolepsy with cataplexy. Sleep Med. 2011;12:572-7.
10. Tsunematsu T, Yamanaka A. The role of orexin/hypocretin in the central nervous system and peripheral tissues. VitamHorm. 2012;89:19-33.
11. Coelho FM, Pradella-Hallinan M, Pedrazzoli M et al. Low CD40L levels and relative lymphopenia in narcoleptic patients. Hum Immunol. 2011;72:817-20.
12. De la Herran-Arita AK, Garcia-Garcia F. Narcolepsy as an immune-mediated disease. Sleep Disord. 2014;2014:7926-87.
13. Doghramji K. Sleep extension in sleepy individuals reduces pain sensitivity: new evidence regarding the complex, reciprocal relationship between sleep and pain. Sleep. 2012;35:1587-8.
14. Yamuy J, Fung SJ, Xi M, Chase MH. Hypocretinergic control of spinal cord motoneurons. J Neurosci. 2004;24:5336-45.
15. Colas D, Manca A, Delcroix JD, Mourrain P. Orexin A and orexin receptor 1 axonal traffic in dorsal roots at the CNS/PNS interface. Front Neurosci. 2014;8:20.
16. Chiou LC, Lee HJ, Ho YC et al. Orexins/hypocretins: pain regulation and cellular actions. Curr Pharm Des. 2010;16:3089-100.
17. Van den Pol AN. Hypothalamic hypocretin (orexin): robust innervation of the spinal cord. J Neurosci. 1999;19:3171-82.
18. Yan JA, Ge L, Huang W, Song B, Chen XW, Yu ZP. Orexin affects dorsal root ganglion neurons: a mechanism for regulating the spinal nociceptive processing. Physiol Res. 2008;57:797-800.
19. Harold Merskey DM, Nikolai Bogduk, MD. Classification of chronic pain: description of chronic pain syndromes and definitions of pain terms. Seattle: IASP Press; 1994.

Hipersonias •• **229**

20. Doong SH, Dhruva A, Dunn LB et al. Associations between cytokine genes and a symptom cluster of pain, fatigue, sleep disturbance, and depression in patients prior to breast cancer surgery. Biol Res Nurs. 2014.

21. Patricia H. Berry JAK, Covington EC, Dahl JL, Miaskowski C. Pain: current understanding of assessment, management, and treatments. Atlanta; 2013.

22. Krupp LB, LaRocca NG, Muir-Nash J, Steinberg AD. The fatigue severity scale: application to patients with multiple sclerosis and systemic lupus erythematosus. Arch Neurol. 1989;46:1121-3.

23. Goulart FO, Godke BA, Borges V et al. Fatigue in a cohort of geriatric patients with and without Parkinson's disease. Braz J Med Biol Res. 2009;42:771-5.

24. Mendes MF, Tilbery CP, Felipe E. [Fatigue and multiple sclerosis: preliminary study of 15 patients with self-reported scales]. Arq Neuropsiquiatr. 2000;58:467-70.

25. Johns MW. A new method for measuring daytime sleepiness: the Epworth sleepiness scale. Sleep. 1991;14:540-5.

26. Bertolazi AN, Fagondes SC, Hoff LS, Pedro VD, MennaBarreto SS, Johns MW. Portuguese-language version of the Epworth sleepiness scale: validation for use in Brazil. J Bras Pneumol. 2009;35:877-83.

27. Berry RB, Budhiraja R, Gottlieb DJ et al. Rules for scoring respiratory events in sleep: update of the 2007 AASM Manual for the scoring of sleep and associated events. Deliberations of the sleep apnea definitions task force of the American Academy of Sleep Medicine. J Clin Sleep Med. 2012;8:597-619.

28. Richardson GS, Carskadon MA, Flagg W, Van den Hoed J, Dement WC, Mitler MM. Excessive daytime sleepiness in man: multiple sleep latency measurement in narcoleptic and control subjects. Electroencephalogr Clin Neurophysiol. 1978;45:621-7.

29. Mignot E, Lin X, Arrigoni J et al. DQB1*0602 and DQA1*0102 (DQ1) are better markers than DR2 for narcolepsy in caucasian and black americans. Sleep. 1994;17:S60.

30. Farrar JT, Young JP, Jr., LaMoreaux L, Werth JL, Poole RM. Clinical importance of changes in chronic pain intensity measured on an 11-point numerical pain rating scale. Pain. 2001;94:149-58.

31. Hawker GA, Mian S, Kendzerska T, French M. Measures of adult pain: Visual Analog Scale for Pain (VAS Pain), Numeric Rating Scale for Pain (NRS Pain), McGill Pain Questionnaire (MPQ), Short-Form McGill Pain Questionnaire (SF-MPQ), Chronic Pain Grade Scale (CPGS), Short Form-36 Bodily Pain Scale (SF-36 BPS), and Measure of Intermittent and Constant Osteoarthritis Pain (ICOAP). Arthritis Care Res (Hoboken). 2011;63(Suppl 11):240-52.

32. Ferraz MB, Quaresma MR, Aquino LR, Atra E, Tugwell P, Goldsmith CH. Reliability of pain scales in the assessment of literate and illiterate patients with rheumatoid arthritis. J Rheumatol. 1990;17:1022-4.

33. WHO. Cancer pain relief: with a guide to opioid avaliability. Geneva; 1996.

34. Melzack R. The McGill Pain Questionnaire: major properties and scoring methods. Pain. 1975;1:277-99.

35. Varoli FK, Pedrazzi V. Adapted version of the McGill Pain Questionnaire to brazilian portuguese. Braz Dent J. 2006;17:328-35.

36. Menezes Costa L da C, Maher CG, McAuley JH et al. The brazilian-portuguese versions of the McGill Pain Questionnaire were reproducible, valid, and responsive in patients with musculoskeletal pain. J Clin Epidemiol. 2011;64:903-12.

37. Pimenta CA, Teixeiro MJ. [Proposal to adapt the McGill Pain Questionnaire into Portuguese]. Rev Esc Enferm USP. 1996;30:473-83.

38. Fatigue Tmomus CPa, Group W. VHA/DoD Clinical Pratice Guidelines for the management of medically unexplained symptoms: Chronic Pain and Fatigue. Washington, DC: 2001.

39. Pavan K, Schmidt K, Marangoni B, Mendes MF, Tilbery CP, Lianza S. [Multiple sclerosis: cross-cultural adaptation and validation of the modified fatigue impact scale]. Arq Neuropsiquiatr. 2007;65:669-73.

40. Beck AT, Ward CH, Mendelson M, Mock J, Erbaugh J. An inventory for measuring depression. Arch Gen Psychiatry. 1961;4:561-71.

41. Beck AT, Steer RA, Brown GK. BDI-II Manual. San Antonio: The Psychological Corporation; Harcourt Brace & Company; 1996.

42. Beck AT, Steer RA, Ball R, Ranieri, W. (1996). 67(3), 588-97. Comparison of beck depression Inventories-IA and −II in psychiatric outpatients. Journal of Personality Assessment. 1996;67:9.

43. Gorenstein C, Andrade L. Validation of a portuguese version of the beck depression inventory and the state-trait anxiety inventory in brazilian subjects. Braz J Med Biol Res. 1996;29:453-7.

44. Beck AT, Epstein N, Brown G, Steer RA An inventory for measuring clinical anxiety: psychometric properties. J ConsultClinPsychol1988;56:893-7.

45. JA C. Manual da versão em português das Escalas Beck. São Paulo: Casa do Psicólogo; 2001.

46. Ciconelli RMF, Bosi M, Santos W, Meinão I, Quaresma MR. Tradução para a língua portuguesa e validação do questionário genérico de avaliação de qualidade de vida SF-36 (Brasil SF-36) / Brazilian portuguese version of the SF-36. A reliable and valid quality of life outcome measure. Rev Bras Reumat. 1999 Jan;39(3):7.

47. Ware JE, Jr. Sherbourne CD. The MOS 36-item short-form health survey (SF-36). I. Conceptual framework and item selection. Med Care. 1992;30:473-83.
48. Ferraz MB, Oliveira LM, Araujo PM, Atra E, Tugwell P. Crosscultural reliability of the physical ability dimension of the health assessment questionnaire. J Rheumatol. 1990;17:813-7.
49. Ramey DR, Raynauld JP, Fries JF. The health assessment questionnaire 1992: status and review. Arthritis Care Res. 1992;5:119-29.
50. Fries JF, Spitz P, Kraines RG, Holman HR. Measurement of patient outcome in arthritis. Arthritis Rheum. 1980;23:137-45.
51. MB F. Tradução para o português e validação do questionário para avaliar a capacidade funcional "Stanford health assessment questionnaire" In: Editor, ed. eds. Tradução para o português e validação do questionário para avaliar a capacidade funcional "Stanford health assessment questionnaire" City: UNIFESP; 1990.
52. Zigmond AS, Snaith RP. The hospital anxiety and depression scale. Acta Psychiatr Scand. 1983;67:361-70.
53. Castro MM, Quarantini L, Batista-Neves S, Kraychete DC, Daltro C, Miranda-Scippa A. [Validity of the hospital anxiety and depression scale in patients with chronic pain]. Rev Bras Anestesiol. 2006;56:470-7.
54. Standards of Practice Committee of the American Academy of Sleep Medicine. Practice parameters for clinical use of the multiple sleep latency test and the maintenance of wakefulness test. Sleep. 2005;28(1):113-21.
55. Review by the MSLT and MWT Task Force of the Standards of Practice Committee of the American Academy of Sleep Medicine. Sleep. 2005;28(1):123-44.
56. An American Sleep Disorders Association Report: The clinical use of the multiple sleep latency test. Sleep. 1992;15:268-76.
57. Anniss AM, Young A, O'Driscoll DM. Importance of urinary drug screening in the multiple sleep latency test and maintenance of wakefulness Test. J Clin Sleep Med. 2016;12(12):1633-40.

Distúrbios do ritmo circadiano

17

Clarissa Bueno

1. Introdução

O comportamento de sono/vigília tem um padrão rítmico endogenamente gerado, com período próximo de 24 horas, sendo assim, classificado como um ritmo circadiano (definido como ritmos com período entre 20 e 28 horas). Uma complexa rede forma o sistema temporizador endógeno, vulgarmente denominado relógio biológico, que regula a expressão não apenas do ritmo de sono/vigília, mas também de outros ritmos fisiológicos, como o ciclo de temperatura, secreção hormonal, pressão arterial etc. O ritmo circadiano dessas diferentes variáveis fisiológicas encontra-se sincronizado aos ciclos ambientais, tais como os ciclos de claro/escuro e ciclos sociais. Alguns ciclos ambientais são capazes de promover ajustes no período e na fase dos ritmos endógenos por um mecanismo de arrastamento, sendo, então, denominados *zeitgebers*[1], entre os quais o ciclo de claro/escuro é o mais bem estudado para a espécie humana. Deve-se destacar que o comportamento de sono/vigília se mantém sincronizado tanto a ritmos ambientais quanto aos ritmos das diversas outras variáveis fisiológicas, mantendo relações de fase estáveis, o que caracteriza a denominada organização temporal interna[2], condição importante para a manutenção de boas condições de saúde.

Alterações nas relações de fase entre o comportamento de sono/vigília e os seus *zeitgebers,* como as que ocorrem nos distúrbios do ritmo circadiano, podem resultar em comprometimento da qualidade de vida, bem como risco para doenças metabólicas e cardio-vasculares, ao provocar a perda da referida organização temporal interna.

2. Distúrbios do ritmo circadiano de sono/vigília (DRCSV)

Os distúrbios do ritmo circadiano de sono/vigília são caracterizados por um desalinhamento entre o padrão de sono/vigília expresso pelo indivíduo e o padrão socialmente esperado, seja por fatores externos que desafiam os limites da sincronização do sistema de temporização (viagens transmeridionais ou trabalhos em turno, por exemplo), seja por características próprias do indivíduo, levando a horários de sono muito distintos da população geral.

232 ·· Seção III – Diagnóstico dos distúrbios do sono

Segundo a Classificação Internacional dos Distúrbios do Sono (CIDS-3)[3], os distúrbios do ritmo podem ser classificados em intrínsecos, quando determinados por alterações endógenas, e extrínsecos, quando secundários a fatores ambientais. Alguns subtipos de DRCSV têm mecanismos combinados intrínsecos e extrínsecos, são eles: a síndrome da fase atrasada do sono, a síndrome da fase avançada do sono e o distúrbio do ritmo de sono/vigília não 24 horas. No Quadro 17.1 temos listados os vários subtipos de DRCSV.

QUADRO 17.1	
Distúrbios do ritmo circadiano de sono/vigília segundo a CIDS-3	
Extrínseco	**Intrínseco ou combinado**
• Síndrome do *jet lag* • Distúrbio do sono associado ao trabalho em turnos	• Síndrome da fase atrasada do sono • Síndrome da fase avançada do sono • Distúrbio do ritmo de sono/vigília não 24 horas • Padrão de sono/vigília irregular

Fonte: Adaptado de American Academy of Sleep Medicine, 2014.

Como para a maioria dos pacientes o problema é a impossibilidade de dormir no momento desejado, necessário ou esperado, a queixa principal refere-se à ocorrência de episódios de sono e/ou de vigília em momentos inapropriados, resultando, então, na queixa de insônia e/ou de sonolência excessiva. Assim, com frequência, é importante realizar o diagnóstico diferencial com insônia e com outras causas de sonolência diurna excessiva. Habitualmente, a suspeita diagnóstica torna-se evidente no momento da anamnese, sendo o diagnóstico baseado em critérios clínicos, conforme resumidos nas tabelas a seguir.

Questionar sobre viagens transmeridionais recentes e/ou frequentes e sobre os horários de trabalho atuais e pregressos é importante para identificar a possibilidade de síndrome do *jet lag* ou distúrbio do sono relacionado ao trabalho em turnos. Com relação a sua duração, esses dois subtipos podem ter um caráter transitório ou se tornar crônicos, sendo divididos em: agudos, quando têm duração menor ou igual a sete dias; subagudos, entre sete dias e três meses; e crônicos, com duração acima de três meses.

Durante a anamnese, deve-se pesquisar o padrão habitual de sono do paciente durante os dias de semana e finais de semana ou férias, procurando identificar mudanças de padrão de acordo com as demandas ocupacionais e sociais[4]. O desaparecimento da dificuldade para dormir ou despertar quando o horário disponível para o sono é modificado de acordo com a preferência pessoal deve levantar a suspeita de um distúrbio do ritmo de sono/vigília em detrimento da hipótese de insônia. O mesmo ocorre quando a queixa de sonolência excessiva é dependente da alocação do horário do episódio principal de sono. É importante abordar qual seria o padrão de sono espontaneamente exibido pelo paciente, se fosse possível, e quais são as suas expectativas quanto ao seu comportamento de sono diante das referidas demandas externas.

Nas situações de despertar considerado precoce, como na síndrome da fase avançada, um diagnóstico diferencial importante é a insônia terminal relacionada a episódios depressivos. Sabemos que o padrão circadiano de sono/vigília do indivíduo se estabelece precocemente, já estando bem definido na adolescência. Assim, modificações deste padrão habitual ocorrendo posteriormente devem ser investigadas para outras causas.

Outras condições clínicas, neurológicas e psiquiátricas podem predispor a determinados distúrbios do ritmo e também devem ser questionadas. Assim, o distúrbio do ritmo de

Distúrbios do ritmo circadiano •• **233**

sono/vigília não 24 horas é muito mais frequente em indivíduos cegos, mas episódios depressivos, bem como a síndrome da fase atrasada do sono, também podem ser um fator de risco. Já o padrão de sono/vigília irregular é mais frequente em indivíduos com demência, particularmente na doença de Alzheimer, pacientes com deficiência intelectual, algumas doenças geneticamente determinadas e lesões estruturais do sistema nervoso central, sendo mandatório investigar estas possibilidades nesse contexto.

Também é importante ter em mente que a persistência por longo tempo dos distúrbios do ritmo de sono/vigília pode levar à privação de sono crônica, predispondo, assim, a distúrbios metabólicos e alimentares, o que pode resultar em comorbidades e, secundariamente, em apneia obstrutiva do sono relacionada à obesidade. Assim, também é necessário procurar por sintomas de distúrbios respiratórios relacionados ao sono durante a anamnese.

Considerando a possibilidade de outros distúrbios do sono, psiquiátricos ou clínicos associados, é critério, em todos os subtipos de distúrbio do ritmo circadiano de sono/vigília, que os sintomas observados não sejam explicados por nenhum outro distúrbio médico ou mental[3]. Os sintomas também não devem atender aos critérios de qualquer outro tipo de distúrbio do sono, produzindo insônia ou sonolência diurna excessiva.

3. Critérios clínicos

QUADRO 17.2
Critérios clínicos para a síndrome do *Jet Lag*, segundo a CIDS-3
• Existe queixa de insônia ou sonolência excessiva, de forma associada à redução do tempo total de sono, após viagem para local com ao menos 2 fusos horários de diferença em relação ao local de origem. • Para que se caracterize um distúrbio, deve haver desfechos clínicos, como prejuízo do funcionamento diurno, indisposição, sintomas somáticos, dentro de 1 a 2 dias após a viagem.

Fonte: Adaptado de American Academy of Sleep Medicine, 2014.

QUADRO 17.3
Critérios clínicos para a síndrome do distúrbio do sono associado ao trabalho em turnos, segundo a CIDS-3
• Existe queixa crônica (≥ 3 meses) de insônia ou sonolência excessiva, de forma associada à redução do tempo total de sono, devido a turnos de trabalho, coincidindo de forma recorrente com o período principal de sono. • O distúrbio do padrão de sono/vigília deve ser documentado ao menos por diário de sono, por pelo menos 14 dias, incluindo dias de trabalho e dias livres. Se possível, tal distúrbio deve ser documentado por actigrafia, de preferência com registro de luminosidade ambiental.

Fonte: Adaptado de American Academy of Sleep Medicine, 2014.

QUADRO 17.4
Critérios clínicos para o padrão de sono/vigília irregular, segundo a CIDS-3
• Os pacientes ou cuidadores relatam um padrão crônico (≥ 3 meses) ou recorrente de episódios irregulares de sono e vigília ao longo das 24 horas, com sintomas de insônia durante o período principal para o sono, em geral à noite, e sonolência diurna durante o dia, ou ambas as situações. • Para que se caracterize o padrão de ciclo sono-vigília irregular, deve haver documentação por diário de sono, e, se possível, actigrafia de vários episódios irregulares de sono (ao menos 3) durante o período de 24 horas, sem que haja um período compatível com o período principal de sono. A monitorização deve durar ao menos 7 dias e preferencialmente 14 dias.

Fonte: Adaptado de American Academy of Sleep Medicine, 2014.

QUADRO 17.5
Critérios clínicos para a síndrome da fase atrasada do sono, segundo a CIDS-3

- Existe queixa crônica (≥ 3 meses) ou recorrente por parte do paciente ou cuidador dé dificuldade de adormecer e acordar nos horários desejados ou necessários.
  Tal queixa evidencia um padrão de atraso significativo na fase do período principal de sono em relação aos horários desejados ou convencionais de dormir e acordar.
  Quando ao paciente é permitido escolher livremente os seus horários de dormir e acordar, a qualidade e a duração do sono melhoram, com manutenção, entretanto, de um padrão circadiano atrasado em relação ao convencional.
- Tal padrão deve ser documentado por diário de sono, e, se possível, por actigrafia, por ao menos 7 dias, e preferencialmente por 14 dias, incluindo dias de trabalho/escola e dias livres.

Fonte: Adaptado de American Academy of Sleep Medicine, 2014.

QUADRO 17.6
Critérios clínicos para a síndrome da fase avançada do sono, segundo a CIDS-3

- Existe queixa crônica (≥ 3 meses) ou recorrente de dificuldade de estar acordado até horários desejados ou convencionais, de forma associada a uma dificuldade de se manter dormindo até um horário desejado ou convencional de levantar.
  Tal queixa evidencia um avanço ou adiantamento da fase do período principal de sono em relação aos períodos desejáveis de dormir e acordar.
  Quando ao paciente é permitido dormir e acordar de acordo como seu relógio biológico, a qualidade e a duração do sono melhoram, evidenciando que existe um período principal de sono consistente (porém avançado em relação ao convencional).
- Tal padrão deve ser documentado por diário de sono, e, se possível, por actigrafia, por ao menos 7 dias, e preferencialmente por 14 dias, incluindo dias de trabalho/escola e dias livres.

Fonte: Adaptado de American Academy of Sleep Medicine, 2014.

QUADRO 17.7
Critérios clínicos para a síndrome do ritmo de sono/vigília não 24 horas/Free morning, segundo a CIDS-3

- Existe queixa crônica (≥ 3 meses) de insônia, sonolência excessiva ou ambas, de forma intercalada com períodos assintomáticos, devido ao desacoplamento entre o ciclo endógeno de sono e vigília e o ciclo externo de 24 horas de claro e escuro.
- Para que se caracterize o padrão de *free-running*, tal ciclo tipicamente atrasa a cada dia, com um período circadiano maior que 24 horas, de forma documentada por diário de sono e actigrafia. A documentação deve ser de ao menos 14 dias e preferencialmente maior em indivíduos cegos.

Fonte: Adaptado de American Academy of Sleep Medicine, 2014.

4. Métodos complementares

A Academia Americana de Medicina do Sono traz as recomendações para avaliação diagnóstica dos distúrbios do ritmo circadiano do sono[5-7]. O diário de sono é o principal instrumento diagnóstico, sendo indicado para todos os casos com suspeita de distúrbio do ritmo circadiano (ver também Capítulo 3). A actimetria também emergiu como uma ferramenta importante nessa avaliação, porém é recomendada pela Academia principalmente para monitorar a resposta ao tratamento (ver também Capítulo 11). Outros instrumentos complementares são considerados opcionais e podem ser úteis em situações específicas.

5. Diário de sono

O diário de sono é recomendado na avaliação dos casos suspeitos de distúrbio do ritmo circadiano do sono, permitindo a visualização do padrão de sono e vigília do paciente quanto ao horário de alocação do principal episódio de sono, sua estabilidade dia a dia e sua duração; avaliação do número e duração dos despertares noturnos, bem como dos cochilos diurnos. É possível, ainda, solicitar não apenas o registro do comportamento de sono/vigília, mas também outras variáveis, como horários de trabalho (principalmente nos trabalhadores em turnos), atividades escolares, uso de medicações ou outras variáveis que possam ser consideradas necessárias no caso em questão.

Diferentes modelos de diário podem ser utilizados, mas aqueles que permitem uma avaliação visual do padrão de sono/vigília costumam trazer uma informação mais direta (Figura 17.1). Quanto ao tempo de registro, o ideal é termos um mês de preenchimento do diário. Na impossibilidade de se realizar o registro por tanto tempo, é importante ter ao menos uma semana completa e dois finais de semana, para que se possa comparar o comportamento de sono do indivíduo nos dias de trabalho e nos dias livres.

Nome: _____

Data de nascimento: __/__/__   Marcar com um risco o horário que ficou dormindo I   Marcar com uma bola a noite em que fez xixi na cama 0

Dia/Hora	1	2	3	4	5	6	7	8	9	10	11	12	13	14	15
6															
7															
8															
8															
10															
11															
12															
13															
14															
15															
16															
17															
18															
19															
20															
21															
22															
23															
24															
1															
2															
3															
4															
5															

FIGURA 17.1 – Exemplo de diário de sono

Fonte: Adaptada do Ambulatório de Distúrbios do Sono da Criança do Hospital das Clínicas da Faculdade de Medicina da Universidade de São Paulo.

6. Actimetria

Os actímetros são acelerômetros com memória, que registram a movimentação do paciente continuamente, em intervalos predeterminados. A partir desses dados, é possível avaliar o padrão de atividade/repouso do indivíduo, e há modelos que, após análise por *software* específico, permitem a inferência dos horários de sono e vigília a partir dos dados de aceleração de movimento, fornecendo resultados tais como a estimativa da latência de sono, do tempo em vigília após o início do sono e da eficiência de sono[8]. É importante ter em mente que não há registro de sono propriamente, mas uma inferência dos parâmetros citados a partir do registro de movimento. A actimetria é, entretanto, muito útil na investigação dos distúrbios do ritmo circadiano, em que o principal objetivo é a avaliação da estrutura circadiana do sono, como a alocação e estabilidade dos horários de sono dia após dia ou irregularidade dos episódios de sono, sem necessidade de informações quanto a sua microestrutura.

Além de permitir a monitoração contínua da atividade/repouso, a actimetria tem a vantagem de ser menos dependente da interpretação do paciente que o diário de sono. Tempos de registro mais longos permitem melhor avaliação das modificações dia a dia, sendo recomendado ao menos incluir uma semana completa, com o final de semana imediatamente anterior e o imediatamente posterior, para permitir a comparação do comportamento de sono durante a semana de trabalho e nos dias livres. Há casos, entretanto, em que o monitoramento por intervalos mais longos pode ser necessário.

A actimetria é recomendada pela Academia Americana de Medicina do Sono no diagnóstico da síndrome da fase atrasada do sono e na síndrome da fase avançada do sono e para seguimento do tratamento em todos os distúrbios do ritmo circadiano[7]. Na Figura 17.2 temos o exemplo de um registro de actimetria de um paciente com ritmo de sono/vigília não 24 horas.

A descrição detalhada da actigrafia pode ser encontrada no Capítulo 11.

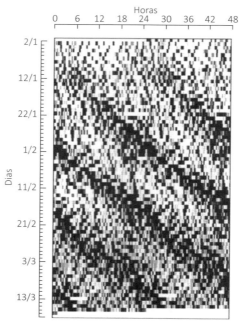

FIGURA 17.2 – Gráfico em dupla representação, em que as áreas em preto correspondem aos momentos de sono e as áreas claras aos momentos de vigília
Fonte: Registro produzido pelos autores.

7. Questionários

A aplicação de questionários de matutinidade/vespertinidade é considerada opcional pela Academia Americana de Medicina do Sono[5]. Esses questionários permitem classificar os indivíduos de acordo com o seu cronotipo (matutino, vespertino ou indiferente), ou seja, de acordo com o seu horário preferencial para realizar as atividades cotidianas. Esta classificação em cronotipos tem uma distribuição gaussiana, sendo que a maioria dos indivíduos da população apresenta-se como indiferente.

Pacientes com síndrome da fase atrasada costumam ter pontuação correspondente a de um vespertino extremo, enquanto aqueles com síndrome da fase avançada terão pontuação correspondente a de um matutino extremo. A distinção entre um cronotipo extremo, mas sem caráter patológico, e aquele acometido pela respectiva síndrome é definida pela presença de distúrbio de sono persistente ou recorrente em decorrência do desalinho entre o padrão endógeno e o ambiente, por exemplo, insônia, sonolência excessiva, prejuízo social ou ocupacional.

Dois questionários para avaliação dos cronotipos são validados para a língua portuguesa: o questionário de matutinidade e vespertinidade de Horne-Ostberg (H&O)[9] e o questionário de cronotipo de Munique (QCM)[10]. O H&O interroga sobre os horários preferenciais para a realização de diversas atividades, atribuindo uma pontuação às respostas. A faixa de pontuação global varia de 16 a 86, sendo que indivíduos com pontuações mais baixas se encontram no espectro vespertino, enquanto as pontuações mais altas correspondem aos indivíduos matutinos. Apesar de pontuações de corte terem sido definidas originalmente (Tabela 17.1), sabemos que variações populacionais podem existir.

TABELA 17.1				
Classificação de acordo com a pontuação pelo questionário de Horne-Ostberg				
Definitivamente vespertino	Moderadamente vespertino	Indiferente	Moderadamente matutino	Definitivamente matutino
16 a 30	31 a 41	42 a 58	59 a 69	70 a 86

Fonte: Adaptada de Horne JA, Östberg O, 1976.

Já o QCM traz um recordatório dos hábitos de sono da última semana, dividindo em dias de trabalho e dias de folga. A partir desses dados, é calculado o horário corrigido do meio do sono nos dias livres (MSLc), com valores que variam de 0 a 12 horas, sendo que valores menores correspondem à matutinidade, enquanto os maiores estão relacionados à vespertinidade. Além de permitir o cálculo do cronotipo, o QCM também permite inferir o *jet lag* social[11]; este é calculado pela subtração do horário do meio do sono nos dias livres e o meio do sono nos dias de trabalho[12]. Como esse instrumento interroga sobre os horários de sono habituais do indivíduo, devem ser utilizadas versões adaptadas para situações de trabalho em turnos.

Informações adicionais sobre os questionários podem ser encontradas no Capítulo 3.

FIGURA 17.3 – Questionário de Munique adaptado para o português e fórmula para o cálculo do MSLc

$$MSLc = MSL - 0,5 * (DSI - (5*DSt + 2*DSI) / 7$$

MSLc: ponto médio do sono nos dias livres corrigido; MSL: ponto médio do sono nos dias livres sem correção; DSI: duração do sono nos dias livres; DSt: duração do sono nos dias de trabalho.
Fonte: Adaptada de http://www.each.usp.br/gipso/mctq/.

8. Marcadores de fase

Os marcadores de fase circadiana são indicados na situação do ritmo de sono/vigília não 24 horas, uma vez que os horários de início e término de sono modificam-se a cada dia. Assim, monitorar o comportamento rítmico de outras variáveis fisiológicas auxilia a orientação terapêutica, por exemplo, para definir o melhor horário para administração da melatonina.

A variável fisiológica mais facilmente monitorada é a temperatura, sendo, entretanto, mais fidedigno e, por outro lado, mais complexo o registro da temperatura central. A monitorização da temperatura deve ser realizada em intervalos regulares, ao menos a cada três horas durante pelo menos três dias consecutivos, permitindo a identificação dos horários de ocorrência do pico e do vale. No caso da temperatura central, o vale normalmente encontra-se alocado durante a noite, e a fase de ascensão da temperatura habitualmente coincide com o despertar.

Outras variáveis que podem ser monitoradas são os ritmos de secreção hormonal, tais como cortisol e melatonina[13,14]. A principal limitação está na necessidade de se realizar co-

Distúrbios do ritmo circadiano •• **239**

leta seriada, o que restringe a coleta plasmática, principalmente noturna. O cortisol também pode ser dosado na saliva, bem como a melatonina. Nesses casos, a coleta deve ser feita em intervalos regulares ao longo das 24 horas, sendo importante lembrar também que nas coletas noturnas as luzes devem permanecer apagadas. Entretanto, até o presente momento, não temos dosagem de melatonina disponível comercialmente. O ritmo de melatonina também pode ser avaliado na forma do seu metabólito urinário, a 6-sulfatoximelatonina, por meio de coleta de urina de 24 horas. A forma da coleta urinária pode ser ajustada de acordo com o objetivo, lembrando-se de que a urina colhida em determinado horário se refere à excreção ocorrida nas horas que antecederam a coleta.

9. Polissonografia

A polissonografia não é indicada de rotina na avaliação dos distúrbios do ritmo circadiano de sono/vigília[5]. Sua indicação é limitada aos casos em que a avaliação clínica traz a suspeita de outro distúrbio do sono como diagnóstico diferencial (por exemplo, no diagnóstico de queixa de sonolência diurna excessiva) ou diante da possibilidade de comorbidade associada ao DRCSV.

A privação de sono decorrente do DRCSV pode contribuir para distúrbios metabólicos, e o desalinhamento no padrão de sono em relação ao ambiente também pode predispor a distúrbios alimentares e, consequentemente, obesidade. Assim, distúrbios respiratórios do sono podem se associar ao quadro e demandar investigação. Essa situação é particularmente frequente nos DRCSV relacionados ao trabalho em turnos.

10. Conclusão

Os sintomas relacionados aos distúrbios do ritmo circadiano do sono/vigília são decorrentes do desalinhamento entre o padrão de sono endógeno e os ciclos ambientais e demandas sociais. Seu diagnóstico baseia-se principalmente na anamnese, preenchendo os respectivos critérios clínicos, e no registro longitudinal, por meio do diário de sono. A actimetria atualmente apresenta-se como uma ferramenta valiosa de auxílio diagnóstico em vários casos. Questionários de cronotipo podem ser úteis na avaliação de indivíduos com síndrome da fase atrasada ou da fase avançada do sono. Já marcadores de fase circadiana têm uso limitado devido às dificuldades técnicas de coleta. A polissonografia é reservada para os casos em que há suspeita de outro distúrbio do sono como diagnóstico principal ou como comorbidade.

■ Referências

1. Marques N, Menna-Barreto L (orgs.). Cronobiologia: princípios e aplicações. 3rd ed. São Paulo: Editora da Universidade de São Paulo; 2003.
2. International classification of sleep disorders: diagnostic and coding manual. 2nd ed. Westchester: American Academy of Sleep Medicine; 2005.
3. Reinberg A, Ashkenazi I. Concepts in human biological rhythms. Dialogues in clinical neurosc. 2003;5(4):327-42.
4. Kim MJ, Lee JH, Duffy JF. Circadian rhythm sleep disorders. Journal of Clinical Outcomes Manag. 2013;20(11):513-28.
5. Morgenthaler TI, Lee-Chiong T, Alessi C et al. Practice parameters for the clinical evaluation and treatment of circadian rhythm sleep disorders: an American Academy of Sleep Medicine report. Sleep. 2007;30:1445-59.
6. Sack RL, Auckley D, Auger RR, Carskadon MA, Wright KP Jr, Vitiello MV, Zhdanova IV. American Academy of Sleep Medicine: circadian rhythm sleep disorders: part I, basic principles, shift work and jet lag disorders: an American Academy of Sleep Medicine review. Sleep. 2007;30(11):1460-83.

7. Sack RL, Auckley D, Auger RR, Carskadon MA, Wright KP Jr, Vitiello MV, Zhdanova IV. American Academy of Sleep Medicine: circadian rhythm sleep disorders: part II, advanced sleep phase disorder, delayed sleep phase disorder, free-running disorder, and irregular sleep-wake rhythm: an American Academy of Sleep Medicine review. Sleep. 2007;30(11):1484-501.

8. Ancoli-Israel S, Cole R, Alessi C, Chambers M, Moorcroft W, Pollak CP. The role of actigraphy in the study of sleep and circadian rhythms. Sleep. 2003;26(3):342-92.

9. Horne JA, Östberg O. A self-assessment questionnaire to determine morningness-eveningness in human circadian rhythms. International Journal of Chronobiology, 1976;4:97-100.

10. Roenneberg T, Wirz-Justice A, Merrow M. Life between clocks: daily temporal patterns of human chronotypes. Journal of Biological Rhythms. 2003;18:80-90.

11. Roenneberg T, Allebrandt KV, Merrow M, Vetter C. Social jetlag and obesity. Current Biology. 2012;22(10):939-43.

12. Wittmann M, Dinich J, Merrow M, Roenneberg T. Social jetlag: misalignment of biological and social time. Chronobiology International. 2006;23(1-2):497-509.

13. Dodson ER, Zee PC. Therapeutics for circadian rhythm sleep disorders. Sleep Medicine Clinics. 2010;5(4):701-15.

14. Auger RR, Burgess HJ, Emens JS, Deriy LV, Thomas SM, Sharkey KM. Clinical practice guideline for the treatment of intrinsic circadian rhythm sleep-wake disorders: Advanced Sleep-Wake Phase Disorder (ASWPD), Delayed Sleep-Wake Phase Disorder (DSWPD), Non-24-Hour Sleep-Wake Rhythm Disorder (N24SWD), and Irregular Sleep-Wake Rhythm Disorder (ISWRD). an update for 2015: an American Academy of Sleep Medicine clinical practice guideline. Journal of Clinical Sleep Medicine. 2015;11(10):1199-1236.

15. Adaptado de American Academy of Sleep Medicine. International Classification of Sleep Disorders. 3rd ed. Darien, IL: American Academy of Sleep Medicine; 2014.

16. Ambulatório de Distúrbios do Sono da Criança do Hospital das Clínicas da Faculdade de Medicina da Universidade de São Paulo.

Índice remissivo

A

Acompanhamento e monitorização da terapia PAP, 162

Actigrafia, 173, 189

  desvantagens da, 181

  na clínica, 177

  vantagens da, 181

Actimetria, 173, 236

Actograma, 176

Adesão à terapia com pressão positiva, 161

Algoritmos para estimativa do sono, 174

Alimentação, 187

Alívio exalatório, 164

Alteração

  de CO_2 e O_2, 128

  de ritmo, 221

Alzheimer, doença de, 178

Amplitude, 66

Análise

  da atividade muscular durante o sono, 137

  digital da polissonografia, 69

  dos movimentos, 141

  fatorial, 22

  quantitativa da atividade elétrica cerebral, 189

Anamnese, 3

  da criança, 13

  no adulto, 3

Ansiedade, 39

Antecedentes pessoais e familiares, 8

APAP, 161

Apneia, 14, 129

  central do sono (ACS), 130

  com respiração

    de Cheyne-Stokes, 196

    periódica relacionada à altitude elevada, 196

  emergente do tratamento (apneia complexa), 197

  relacionada ao uso de medicações ou substâncias, como o opioide, 197

  mista, 131

  obstrutiva do sono (AOS), 10, 31, 130, 159, 193

    conceito, 193

    consequências, 195

    epidemiologia, 194

    fisiopatologia, 194

    quadro clínico e diagnóstico, 194

    tratamento com dispositivo de pressão positiva, 160

Arquivos de prontuários e exames, 83

Artefato em eletroencefalograma relacionado a *body rolling*, 148

Assistolia, 156

Ativação muscular alterna das pernas (ALMA), 142, 209

Atribuições

  práticas do técnico em polissonografia, 80

  profissionais do técnico em polissonografia, 81

Autobinível PAP, 161

Avaliação

  da despertabilidade, 119

  da macroestrutura e microestrutura do sono, 109

  da qualidade do padrão de sono, 36

242 •• Série Sono – Manual de Métodos Diagnósticos em Medicina do Sono

do insone, 186

do sistema cardiológico, 151

dos distúrbios respiratórios do sono na polissonografia, 121

psiquiátrica e psicossocial, 187

B

Balanço do corpo (*body rocking*), 206

Batida

com a cabeça (*head banging*), 206

com as pernas (*leg banging*), 206

Batimentos ectópicos (extrassístoles), 156

Binível PAP, 161

Bloqueio atrioventricular

de segundo grau tipo II, 154

de terceiro grau, 154

total, 154

Bradiarritmias, 153

Bradicardia, 156

sinusal, 153

Bruxismo, 10, 145

fásico, 205

relacionado ao sono, 204

tônico, 206

C

Cabeça rolando (*head rolling*), 206

Cãibras nas pernas relacionadas ao sono, 204

Calibração

biológica, 100

do equipamento, 100

Cânula de pressão nasal, 123

Cataplexia, 180

Coleta e análise das informações sobre o paciente, 80

Colocação de eletrodos e sensores, 88

Cômodos do laboratório do sono, 65

Complexo K, 112, 116

Comportamento de sono/vigília, 231

Condições do quarto, 187

Condução decremental, 154

Confiabilidade teste reteste, 23

Consistência interna, 23

Controle de infecções, 78, 106

Corpo rolando (*body rolling*), 206

CPAP, 161

Crânio, 15

Critérios de classificação de eventos, 129

Cronograma de sono, 7

D

Dados gráficos de alta resolução, 167, 168

Depressão, 39, 178

Descontaminação dos equipamentos, 78

Despertabilidade, 119

Despertares, 84

Devolução do monitor portátil e acesso aos dados do registro, 75

Diário de sono, 13, 27, 235, 188

em formato linear, 27

em formato tabela, 27

instruções para o preenchimento do, 30, 31

Diretor médico, 79

Dispositivo(s), 161

de terapia com pressão positiva (PAP), 159

titulação manual, descrição e metodologia para, 103

Distúrbio(s) do sono

comportamental do sono REM (DCSREM), 52, 146, 180, 213

questão única (DCSR1Q), 52

da insônia, 185

conceito de, 186

da sonolência excessiva diurna, 180

de movimentos periódicos de membros (DMPM), 203

de pesadelo, 54

diagnóstico dos, 231

do comportamento do sono anormal, 180

do movimento relacionado ao sono

devido à doença médica, 207

devido à medicação ou substância, 208

inespecífico, 208

do movimento rítmico do sono (DMRS), 148

do ritmo circadiano de sono/vigília (DRCSV), 180, 231

relacionado ao trabalho em turnos, 180, 232

respiratórios do sono (DRS), 121, 193

na polissonografia, 121

rítmico do movimento relacionado ao sono, 201, 206

vigília de não 24 horas, 180

Documentação, 75, 106

Doença(s)

de Alzheimer, 178

de Willis-Ekbom, 202

clínicas ou psiquiátricas, 221

do sono, 221

E

Ectopias, 152

Educação do paciente, 74

Elementos fásicos do CAP, classificação dos, 116

Eletro-oculograma, 89

Eletrocardiograma, 91

Eletroencefalograma, 88, 217

Eletromiografia de músculos respiratórios, 126

Eletromiograma, 89, 217

Epilepsias relacionadas ao sono, 215

Equipamentos, 65

de ressuscitação cardiopulmonar, 70

de tratamento, 70

Equipe

de consultores, 82

de técnicos em polissonografia, 80

médica, 79

Escala, 21

de Crenças e Atitudes Disfuncionais sobre o Sono (ECAS), 35

de Estresse Lipp, 39

de Gravidade da Fadiga, 39

de Gravidade da Narcolepsia (EGN), 50, 51

de sonolência de Epworth, 26, 39, 222

Internacional de Graduação da Síndrome das Pernas Inquietas (EIGSPI), 47, 48

Paris de Avaliação da Gravidade do Distúrbio de Despertar (EPGTD), 55

Esforço respiratório, 92, 125

Especificidade, 23

Esquizofrenia, 178

Estagiamento

do sono, 84

dos dados coletados pelo monitor portátil, 75

e laudo de polissonografia, 83

Estágio

N1, 111, 114, 115

N2, 111, 114, 115

N3, 112, 114, 115

R, 114

W (Vigília), 110, 114, 119

Estimativa do sono, 173

Estresse, 39

Estrutura física de um laboratório de sono, 63

banheiro/vestiário, 65

central de registro, 64

copa, 65

local, 63

quartos de dormir, 64

sala de espera, 65

Estrutura pessoal, 78

Estudos

de "noite dividida" (split-night), 105

para repetição da titulação, 106

Evento(s)

cardíacos, 84

RERA, 133

respiratórios, 84, 121

duração de, 135

Exame(s)

clínico

da criança, 13

no adulto, 3, 9

físico, 15

avaliação nutricional, 15

geral, 15

segmento cefálico, 15

Extrassístoles atriais e ventriculares, 152

F

Fadiga, 39
Fenômeno de Wenckebach, 154
Fibrilação atrial, 155, 156
Fluxo
  aéreo, 91, 122
  e esforço, 127
Frequência cardíaca, 74
Fusos de sono, 112, 116, 189

G

Gastrintestinal, exame, 16

H

Hábitos
  atividade física e lazer, 187
  diurnos, 187
  noturnos, 187
Hepatomegalia, 16
Hipersonias, 221
Hipersonolência idiopática (HI), 222
Hipopneia, 129, 131
  central, 131
  obstrutiva, 131
Hipoventilação relacionada ao sono, 197, 134
  alveolar
    central de início tardio associada com disfunção hipotalâmica, 198
    idiopática, 198
    do sono associada ao uso de medicações ou substâncias, 198
  associada à condição médica, 199
Histórico familiar, 188

I

IAH (índice de apneia-hipopneia), 165
Idade da criança, 13
Identificação, 4
  de eventos respiratórios na polissonografia, 129
  dos aspectos cognitivos e comportamentais associados à manutenção da insônia, 35
Inaladores, 71

Incontinência urinária noturna, 180
Incorporação de informações adicionais, 30
Índice
  de apneia e hipopneia (IAH), 159, 165
  de distúrbio respiratório (IDR), 103
  de gravidade de insônia (IGI), 33
  de Mallampati modificado, 9
  de qualidade de sono Pittsburgh (IQSP), 23, 24
Insônia, 10, 33, 180
  aguda, 185
  crônica, 185
  diagnóstico da, 185
    apurado da queixa de, 33
  efeitos adversos do tratamento da, 39
  sintomática, 185
  visão sistêmica, 189
Instituição de ensino, 83
Instrumentação, 73
Instrumentos diagnósticos na avaliação
  da insônia, 33
  da narcolepsia, 50
  da qualidade do sono, 23
  da síndrome das pernas inquietas (SPI), 46
  das parassonias, 52
  de apneia obstrutiva do sono (AOS), 31
  do ritmo circadiano, 40
Insuficiência cardíaca, 195
Interpretação de relatórios, 159
  de terapia PAP, 164
Inventário
  de Ansiedade Beck, 39
  de Depressão Beck, 39
  Multidimensional de Fadiga, 39

L

Laboratório de sono, estrutura física de um, 63
  aspectos técnicos do, 63
  banheiro/vestiário, 65
  central de registro, 64
  copa, 65
  local, 63

quartos de dormir, 64

sala de espera, 65

M

Macroestrutura do sono, 109, 110, 189

Mal de Ondine, 16

Marcadores de fase, 238

Medicamentos em uso, 8

Medição, 95

Medidas

da pressão do gás carbônico (PCO_2), 92

da saturação da oxi-hemoglobina e do gás carbônico na polissonografia, 127

de fluxo aéreo, 122

de fluxo e esforço, 127

de volume pulmonar, 125

do esforço respiratório, 125

feitas por meio de mudanças de temperatura, 122

Metodologia para instrução e educação do paciente, 74

Microestrutura do sono, 109, 115

Mioclonia

de sono benigna da infância, 207

fragmentar excessiva (MFE), 144, 208

hipnagógica, 210

proprioespinhal do início do sono, 207

Monitor portátil

classificação dos, 71

devolução do e acesso aos dados do registro, 75

inicialização do, 74

para diagnóstico ambulatorial da apneia do sono, 71

segurança do, 78

Movimentação excessiva ou anormal durante o sono, 14

Movimentos, 84

periódicos dos membros (MPM), 141

toracoabdominal, 125

Mudanças de pressão pleural, 126

Músculo

extensor comum dos dedos, 139

flexor superficial dos dedos, 139

masseter, 140

tibial anterior, 138

N

Narcolepsia, 10, 50, 223

diagnóstico, 224

e cataplexia, 180

e sono, 180

fisiopatologia, 223

introdução, 223

Nó

atrioventricular, 154

sinusal, 154

Número total de noites, 165

que a PAP foi utilizada, 165

O

Ortopédico, exame, 17

Oscilações lentas, 116

Oxigênio, 71

suplementar, 105

Oximetria de pulso, 73

P

Padrão

alternante cíclico (CAP), 189

de sono/vigília irregular, 233

Parassonias, 52, 213

do sono NREM, 55, 214

do sono REM, 52

Parkinson, doença de, 178

Percentual de noites com o uso da PAP $\geq$ 4 horas/noite, 165

Perfil médio, 177

Periodograma, 177

Perna rolando (*leg rolling*), 206

Pesadelos

e sono, 180

ocasionais, 54

Pneumografia de impedância, 125

Pneumotacógrafo, 125

Polissonígrafo, 65

Polissonografia, 66, 216, 239

análise da, 217

aspectos técnicos da, 87

descrição dos dados do laudo da, 84

equipe de técnicos em, 80

estagiamento e laudo de, 83

finalizando o registro de, 107

fundamentos, 216

início e acompanhamento da, 101

nas insônias, 188

parâmetros a serem registrados

fisiológicos, 73

gerais, 76

se o sono for registrado, 77

se o sono não for registrado, 76

resumo e conclusões da, 85

saturação da oxi-hemoglobina e do gás carbônico na, 127

técnico em, 80

vídeo sincronizado com, 126

Prejuízos associados ao funcionamento diurno, 38

Preparação do paciente/voluntário para colocação dos eletrodos e sensores, 87

Pressão

do dispositivo, 165

do gás carbônico (PCO_2), 92

ótima, determinação da, 105

Privação de sono, 221

Procedimentos

de preparação do registro polissonográfico, 80

do registro, 81

Q

Qualidade

de vida, 39

do padrão de sono, 23, 36

Quartos de dormir, 64

Queixa principal e história, 4

Questionário(s), 21, 188

de Berlin, 31

de Cronotipo de Munique (QCM), 4, 44, 45, 237

de Frequência de Pesadelo (QFP), 54, 55

de Matutinidade-Vespertinidade Horne Ostberg (H&O), 41, 42, 237

de Sono Mayo, 52, 53

Kohnen da Síndrome das Pernas Inquietas Qualidade de Vida (QKSPI-Qol), 47, 49

STOP Bang, 32

R

Rampa, 165

Registro polissonográfico, 80

Relacionamento com outros profissionais e instituições, 82

Respiração de Cheyne-Stokes, 134

Responsividade, 23

Resumo/conclusões do estudo ambulatorial, 77

Ritmo

circadiano, 40

de atividade e repouso, 175

de pacientes com transtornos neuropsiquiátricos, 178

irregular, 180

sinusal, 151

Ronco, 14, 74, 92, 180

detecção do, 127

S

Saturação de oxi-hemoglobina, 92, 127

Secretaria, 81

Segurança, 82

do monitor portátil, 78

Sensibilidade, 23

Sensores para avaliação de distúrbios respiratórios do sono, 122

de polivinilideno, 127

que avaliam dióxido de carbono expirado, 124

recomendados e alternativos, 129

Sequência de colocação de eletrodos e sensores, 93

Serviço de emergência, 82

SF-36 Health Survey, 39

Sinal derivado do dispositivo de pressão positiva, 123

Índice remissivo •• 247

Síndrome(s)
    da apneia central do sono, 195
        conceito, 195
        diagnóstico, 196
        fisiopatologia, 195
    da face longa, 15
    da fase atrasada do sono, 234
    da fase avançada do sono, 234
    da hipoventilação relacionada ao sono, 197
        alveolar central congênita, 198
        classificação, 198
        conceito, 197
        fisiopatogenia, 197
        obesidade, 198
    da hipoxemia relacionada ao sono, 199
        conceito, 199
        diagnóstico, 199
        fisiopatogenia, 199
    da morte súbita do lactente (SIDS), 13
    das pernas inquietas (SPI), 10, 46, 202
    de Kleine-Levin, 223
    do atraso da fase de sono, 180
    do avanço da fase de sono, 180
    do comer noturno, 10
    do distúrbio do sono associado ao trabalho em turnos, 233
    do *Jet Lag*, 232, 233
    do ritmo de sono/vigília não 24 horas/*free morning*, 234
Sistema(s)
    cardiológico, 151
    de intercomunicação, 70
    de monitorização
        de imagem e som, 69
        de vídeo, 217
    digitais de registro, 68
    internacional 10-20 de colocação de eletrodos de EEG, 94
Sonambulismo, 180
Sonilóquio, 180
Sono
    algoritmos para estimativa do, 174
    atividade muscular durante o, 137

bruxismo relacionado ao, 204
cãibras nas pernas relacionadas ao, 204
cômodos do laboratório do, 65
comportamento de, 131
cronograma de, 7
diário de, 13, 27, 235, 188
    em formato linear, 27
    em formato tabela, 27
    orientações para o preenchimento do, 30, 31
distúrbio(s) do
    comportamental do sono REM (DCSREM), 52, 146, 180, 213
        questão única (DCSR1Q), 52
    da insônia, 185
        conceito de, 186
    da sonolência excessiva diurna, 180
    de movimentos periódicos de membros (DMPM), 203
    de pesadelo, 54
    diagnóstico dos, 231
    do comportamento do sono anormal, 180
    do movimento relacionado ao sono
        devido à doença médica, 207
        devido à medicação ou substância, 208
        inespecífico, 208
    do movimento rítmico do sono (DMRS), 148
    do ritmo circadiano de sono/vigília (DRCSV), 180, 231
    relacionado ao trabalho em turnos, 180, 232
    respiratórios do sono (DRS), 121, 193
        na polissonografia, 121
    rítmico do movimento relacionado ao sono, 201, 206
    vigília de não 24 horas, 180
epilepsias relacionadas ao, 215
estagiamento do, 84
estimativa do, 173
estrutura física de um laboratório de, 63

banheiro/vestiário, 65

central de registro, 64

copa, 65

local, 63

quartos de dormir, 64

sala de espera, 65

fusos de, 112, 116, 189

macroestrutura do, 109, 110, 189

microestrutura do, 109, 115

movimentação excessiva ou anormal durante o, 14

narcolepsia e, 180

noturno, 187

pesadelos e, 180

privação de, 221

qualidade do padrão de, 23, 36

REM, 113

sem atonia do tipo fásico, 147

sem atonia tônico, 148

transtorno comportamental do, 10

tempo total de, 13

Sonolência, 39

excessiva, 180

diurna, 14, 26, 221

extrema, 180

Supervisor técnico, 80

T

Taquicardia(s)

de complexo

estreito, 156

largo, 156

sinusal, 156

ventriculares e atriais, 152

Técnicas de registro, 102

Técnico em polissonografia, 80

Tempo

de uso da PAP por noite, 165

total de sono, 13

Terapia PAP

acompanhamento e monitorização da, 162

interpretação de relatórios de, 164

Termistor, 122

Termopar, 123

Teste de latências múltiplas do sono (TLMS), 50, 224

elaboração e interpretação do laudo, 227

fundamentos, 224

procedimentos, 226

Titulação

adequada, 104

boa, 103

de BiNível, 104

de CPAP, 103

de pressão aérea positiva (PAP) durante a polissonografia, 101

inaceitável, 104

ótima, 103

Tórax, exame do, 16

Transtorno

bipolar, 178

comportamental do sono REM, 10

neuropsiquiátrico, 178

Tremor hipnagógico do pé (HFT), 143, 209

U

Uso de medicamentos, 221

V

Validade

concorrente/convergente, 22

de constructo, 22

de conteúdo, 22

de convergência, 22

de critério, 22

entre grupos conhecidos, 23

preditiva, 22

Vazamento intencional, 166

Verificação da impedância, 99

Vias aéreas superiores, 16

Vida profissional e social, 8

Vídeo sincronizado com polissonografia, 126

Vigília, 231

Volume pulmonar, 125

W

WHOQOL-breve, 39